A Dieta de Sonoma

DRA. CONNIE PERAGLIE GUTTERSEN, R.D., PH.D.

A DIETA DE SONOMA

Um programa alimentar para remodelar seu corpo e melhorar sua saúde

SEXTANTE

Título original: *The Sonoma Diet*

tradução: Ana Beatriz Rodrigues
preparo de originais: Valéria Inez Prest
revisão: Luis Américo Costa e Sérgio Bellinello Soares
projeto gráfico e diagramação: Marcia Raed
adaptação da capa: Marcia Raed
fotolitos: R R Donnelley
impressão e acabamento: Geográfica e Editora Ltda.

As referências bibliográficas deste livro estão disponíveis no site www.sextante.com.br, na página do livro *A Dieta de Sonoma*. Se preferir, ligue 0800-22-6306 e solicite uma cópia impressa.

CIP-BRASIL. CATALOGAÇÃO-NA-FONTE
SINDICATO NACIONAL DOS EDITORES DE LIVROS, RJ

G996d

Guttersen, Connie Peraglie
A dieta de Sonoma / Connie Peraglie Guttersen [tradução de Ana Beatriz Rodrigues]. – Rio de Janeiro: Sextante, 2006.
Tradução de: The Sonoma diet
Inclui bibliografia.
ISBN 85-7542-241-3

1. Dieta de emagrecimento. 2. Dieta de emagrecimento – Receitas. 3. Culinária mediterrânea. 4. Hábitos alimentares. I. Título.

06-2454. CDD 613.25
CDU 613.24

GMT Editores Ltda.
Rua Voluntários da Pátria, 45 – Gr. 1.404 – Botafogo
22270-000 – Rio de Janeiro – RJ
Tel.: (21) 2286-9944 – Fax: (21) 2286-9244
E-mail: atendimento@esextante.com.br
www.sextante.com.br

DIRETO DA MESA DA AUTORA

Acredito que a falta de alimentos saborosos é o que impede o sucesso de uma dieta a longo prazo. A Dieta de Sonoma baseia-se na culinária mediterrânea, que não só é uma das mais deliciosas do mundo como também proporciona benefícios à saúde. Hoje, trabalhando no Culinary Institute of America, na região vinícola da Califórnia, sinto-me imersa no mundo do sabor e dos seus efeitos sobre como e o que comemos. A cozinha dos vales de Sonoma e Napa, banhados pelo sol, é uma interpretação peculiar da dieta mediterrânea. Celebra ingredientes frescos, alimentos integrais e um estilo de alimentação no qual as refeições são uma espécie de lazer a ser desfrutado.

Meu interesse por comida e saúde começou muito cedo. Venho de uma família com muitas gerações de médicos, e todos eles sempre acreditaram que a nutrição adequada é o segredo da boa saúde. Após concluir o doutorado em Nutrição, trabalhei como professora de Nutrição na Texas Christian University. Depois, por 10 anos, orientei pessoas que lutavam para emagrecer e manter o peso. Por meio dos meus pacientes, comecei a constatar as muitas frustrações provocadas pelos programas de emagrecimento. A situação ficou ainda mais nítida para mim quando meu pai engordou e caiu no círculo vicioso das dietas, emagrecendo e ganhando peso seguidamente. Fui adquirindo mais esclarecimentos e compaixão por quem faz dieta ao ver meu pai sofrer privações, ao olhar para os alimentos insípidos que ele tinha que comer e acompanhar sua experiência de tomar um *diet shake* quando todos à mesa faziam uma refeição de verdade. Para mim, tornou-se óbvio que as "dietas" de hoje deixavam algo a desejar.

A filosofia por trás da Dieta de Sonoma, que vem sendo desenvolvida há muitos anos, baseia-se em diversos estudos científicos. Por meio do meu aprendizado em nutrição, transformei esses conhecimentos num programa que orienta as pessoas no processo de emagrecimento e na adoção de um estilo de vida saudável. Além disso, trabalhei com *chefs* talentosos para desenvolver as saborosas receitas que tornam esse regime alimentar único. Assim, quando você vir a palavra "nós" ao longo do livro, saiba que estou me referindo a pesquisadores, especialistas em culinária e a outras pessoas que me ensinaram e inspiraram, direta e indiretamente, a criar a Dieta de Sonoma.

Este pode ser o caminho para emagrecer e ter um estilo de vida saudável. Um brinde à boa comida, ao sucesso da Dieta de Sonoma e à saúde.

SUMÁRIO

CONSULTE O MÉDICO ANTES

Este livro de dieta tem o objetivo de oferecer informações úteis sobre os tópicos abordados. O autor e o editor não estão fornecendo serviços médicos, de saúde, nem qualquer outro tipo de atendimento pessoal. Consulte seu médico antes de iniciar a Dieta de Sonoma e de realizar mudanças na sua rotina alimentar e na prática de exercícios. Adote as orientações especificadas por ele quanto à adequação deste programa alimentar às suas condições de saúde. Caberá também ao seu médico definir sua meta de peso. O autor e o editor eximem-se de qualquer responsabilidade associada às recomendações e diretrizes aqui apresentadas.

PARTE 1: A DIETA DE SONOMA

BEM-VINDO AO SEU NOVO ESTILO DE VIDA

A Dieta de Sonoma é diferente de todas as outras.

Você perderá cada grama de excesso de peso de que precisa se livrar. Mas, ao mesmo tempo, comer se tornará um prazer como nunca foi antes em sua vida. Nesta dieta, as refeições são comemorações, e não privações.

Com este programa, você não emagrecerá deixando de consumir determinados alimentos – ao contrário, perderá peso ingerindo quantidades satisfatórias dos melhores alimentos da face da Terra. Talvez pela primeira vez na vida você realmente comemore a hora da refeição. A Dieta de Sonoma celebra a comida e o renascimento do sabor.

Não há "comida de dieta" neste programa alimentar, tampouco refeições especiais. Nada além do usual. Apenas alimentos integrais, frescos e deliciosos, do dia-a-dia, fáceis de encontrar e extremamente simples de preparar.

Os resultados serão imediatos. No início da dieta, o emagrecimento é mais acelerado, depois continua num ritmo constante até que você alcance o peso que sempre quis (e ao qual talvez nunca esperasse chegar). E sua nova forma física poderá ser mantida pelo resto da vida se você quiser.

Não será necessário contar calorias, marcar "pontos", pesar-se constantemente nem medir alimentos. Realizamos todo o trabalho científico para você, até o último detalhe nutricional. Portanto, não será necessário contar, planejar, analisar nem se preocupar. Basta escolher em meio a uma grande variedade de alimentos e depois seguir as orientações. Se quiser, use as receitas apresentadas neste livro. Porém o principal é: delicie-se com as refeições.

A Dieta de Sonoma oferece também o que os outros regimes alimentares tendem a ignorar – mais saúde e mais energia. Obviamente, se você estiver acima do peso, o próprio emagrecimento o ajudará a ser mais saudável. Mas esta dieta lhe proporcionará muito mais do que isso. Com ela, melhorar a saúde não será apenas um efeito colateral do emagrecimento. Você se sentirá mais saudável e com mais energia bem antes de perder aquele último quilo do qual deseja se livrar.

Bom demais para ser verdade? Ao contrário: a Dieta de Sonoma baseia-se nas descobertas mais recentes nas áreas de nutrição, saúde e emagrecimento. Por trás de cada cardápio e indicação de alimentos existem pesquisas avançadas que vão muito além da atual noção de redução dos carboidratos e do teor de gorduras.

Você irá ingerir "Alimentos Poderosos", que contêm nutrientes altamente eficazes no combate a doenças e, ao mesmo tempo, apresentam uma quantidade mínima de calorias. As refeições constituem-se de combinações cuidadosamente planejadas que revelam sabores ocultos, além de maximizarem a absorção de nutrientes essenciais pelo organismo.

Na verdade, você adotará uma alimentação no estilo mediterrâneo, reconhecido por reduzir doenças cardíacas e prolongar a vida dos habitantes de regiões do sul da Europa, além de mantê-los em forma. Essa alimentação é um deleite para os sentidos e uma dádiva para a saúde e a longevidade. É exatamente assim que você comerá na Dieta de Sonoma.

O mais importante para o sucesso é sentir-se satisfeito durante todo o dia. Este programa alimentar não causa frustração, pois não limita a ingestão de determinadas categorias de alimentos. Isso o torna a opção perfeita para todas as pessoas que tentaram e não conseguiram seguir dietas com "restrição de carboidratos" ou com "restrição de gordura". A Dieta de Sonoma não impõe redução de coisa nenhuma. Ela se compõe de refeições balanceadas que fornecem ao organismo tudo de que ele precisa.

Não se trata de regime de privações. Carne, peixe, feijão, ovos – tudo isso é permitido. Lanches? É claro. Vinho? Certamente, se você gostar – quando consumida com moderação, essa bebida faz bem à saúde.

Em vez de eliminar categorias inteiras de alimentos, a Dieta de Sonoma o ajudará a consumir quantidades razoáveis dos itens mais magros e mais saudáveis de cada categoria. Você saberá como satisfazer o apetite sem se empanturrar. Aprenderá a comer calmamente, saboreando cada mordida.

E terminará a refeição sentindo-se satisfeito, e nunca privado de algo.

A Dieta de Sonoma não impõe restrições de carboidratos. Ao contrário: indica uma grande quantidade de alimentos de origem vegetal ricos nesses compostos e que aumentam a energia. Você gosta de usar arroz ou outros grãos como acompanhamento nas refeições? Tudo bem, contanto que eles estejam em sua versão mais saborosa, integral e rica em fibras. Pão? Pode apostar: está liberado desde o primeiro dia da dieta. Cereais? Diariamente, se você quiser. Frutas e hortaliças? Em abundância.

Também não será necessário restringir a gordura na sua alimentação. O azeite de oliva, que melhora a saúde cardíaca, pode ser consumido todos os dias, acrescentando nutrientes às refeições e dando mais sabor à comida.

Você será incentivado ainda a se beneficiar de outras gorduras naturais e saudáveis, como as que existem em diversos tipos de nozes, no abacate e nos óleos de peixe – todas elas protegem o coração e ajudam a emagrecer e manter a sensação de saciedade.

O segredo do emagrecimento na Dieta de Sonoma está em redescobrir a "forma certa de comer". Isso corresponde à satisfação de saborear um grande número de alimentos frescos, integrais e deliciosos. Em outras palavras: é um novo estilo de alimentação que você vai considerar mais agradável e satisfatório do que aquele que terá deixado para trás. Ele permanecerá na sua rotina mesmo depois que você atingir o peso desejado. E o manterá em forma e saudável e garantirá seu prazer com cada uma das suas refeições pelo tempo que você desejar.

Esta é uma dieta que você pode adotar pelo resto da vida.

A REGIÃO DE SONOMA

De onde vem o nome "Sonoma"? Ótima pergunta, pois "Sonoma" é sinônimo do espírito deste programa alimentar que você irá seguir. Para entender a origem dessa palavra, será necessário fazer um exercício básico de geografia.

Abra o mapa mundial e encontre o mar Mediterrâneo. Deslize o dedo ao longo do perímetro do mar enquanto observa os locais – você encontrará a costa da Espanha, o sul da França, a Itália e a Grécia, entre outros locais.

O que caracteriza essas regiões? Clima ideal, frutas e hortaliças frescas, bons vinhos, carnes magras, peixes em abundância e azeite de oliva, que é ótimo para o coração. Na verdade, os hábitos alimentares e o estilo de vida ativo típicos dessa parte do mundo proporcionam tantos benefícios à saúde que a ciência tem um nome para isso – "dieta mediterrânea".

Agora, posicione o dedo no meio da Itália e trace uma linha reta na direção oeste, cruzando o Atlântico e os Estados Unidos, até encontrar a costa da Califórnia.Você chegou ao condado de Sonoma, no norte da baía de São Francisco.

Ali as ondas se quebram em costas rochosas, que abrem caminho para florestas de sequóias majestosas, recobrindo as montanhas costeiras. Mais para o interior, as colinas são pontilhadas com oliveiras e macieiras.

Em muitos declives se encontram alguns dos vinhedos mais admirados do mundo, com suas uvas verdes e roxas brilhando sob o sol da Califórnia. Ao longo das trilhas rústicas e estradas rurais de Sonoma, caminhantes e ciclistas exercitam-se enquanto curtem a beleza dos arredores.

As afinidades entre esse cenário de tirar o fôlego e as regiões mediterrâneas não se limitam à longitude e ao clima. As frutas e hortaliças de Sonoma são igualmente frescas e deliciosas, seu vinho é tão bom quanto o que é produzido naquela parte da Europa, sua carne é magra também, seus peixes e frutos do mar são encontrados com a mesma abundância e seu azeite de oliva proporciona os mesmos benefícios para o coração. O estilo de vida nessa região da Califórnia? Ainda mais saudável.

Foi das fazendas, dos restaurantes e das cozinhas desse lar idílico da alimentação saudável que surgiu a Dieta de Sonoma.

Trata-se de uma versão peculiar da dieta mediterrânea. Portanto, reduz o risco de doenças cardíacas e de determinados tipos de câncer, proporcionando uma vida mais longa, mais ativa e mais recompensadora.

PERCA PESO COMENDO ALIMENTOS DELICIOSOS

Grandes quantidades das melhores frutas frescas e hortaliças para substituir os alimentos processados e os doces açucarados. Porções generosas de cereais e pães integrais em lugar de produtos fabricados com farinha de trigo branca refinada. Carne branca de aves (sem pele), carne bovina magra, carne de cordeiro, de porco e de vitela, ovos, laticínios desnatados, soja e muito peixe – cada um desses itens será a proteína da sua alimentação. Azeite de oliva e nozes como suas principais fontes alimentares de gordura. Ervas e temperos de todos os tipos. Um pouco de vinho. Não importa onde você mora. A Dieta de Sonoma pode ser seu "estilo de alimentação".

Parece interessante? Então você já está no espírito deste programa alimentar.

Os capítulos seguintes apresentam o passo-a-passo da dieta. O primeiro aspecto que você irá observar é sua simplicidade. Não há regra que afirme que a boa alimentação deve ser complicada.

Após um resumo dos principais pontos da dieta, você será apresentado a uma grande variedade de itens que terá a liberdade de comer. Os destaques são os Alimentos Poderosos, que fornecem os nutrientes mais benéficos à saúde e têm menos calorias.

Em seguida, você será introduzido à dieta propriamente dita. Encontrará instruções sobre a escolha, o preparo e o consumo dos alimentos nas proporções e quantidades certas. Nessa seção estão receitas, sugestões de refeições específicas e dicas para facilitar sua vida e lhe proporcionar o máximo proveito com este programa alimentar.

Existem também capítulos destinados a ajudá-lo com as inevitáveis situações difíceis – os desejos, os obstáculos e as frustrações que surgem quando se adota qualquer dieta. Você saberá exatamente como lidar com cada um desses entraves, deixando-os para trás e caminhando na direção do objetivo do emagrecimento.

Depois de alguns dias fazendo a Dieta de Sonoma, você perceberá uma mudança para melhor na forma como se sente e no caimento das suas roupas. Começará a perder peso imediatamente.

Você também notará uma diferença na sua maneira de pensar em relação aos alimentos. À medida que abandonar os antigos maus hábitos e adotar os bons hábitos, descobrirá algo interessante: o novo caminho é mais gostoso! Você se sentirá melhor, emagrecerá – e apreciará as refeições como nunca imaginou.

A Dieta de Sonoma é assim. Vamos começar.

O QUE É A DIETA DE SONOMA?

A Dieta de Sonoma é um programa único de emagrecimento que une a arte culinária à ciência dos alimentos. Desfrutar do prazer de uma refeição saborosa conduzirá a um estilo alimentar saudável que você acabará adotando automaticamente. As orientações simples sobre as quantidades e combinações dos alimentos transformarão o próprio prato no seu guia. Tudo isso foi planejado para ajudá-lo a se livrar dos quilos extras de forma segura e fácil até que você atinja o peso adequado.

Os alimentos, bem como as receitas, que apresentamos foram cuidadosamente selecionados para deixá-lo mais saudável e feliz durante esse processo. As descobertas mais recentes na área das pesquisas nutricionais, que evoluem rapidamente, refletem-se na escolha dos alimentos e no preparo das refeições.

No entanto, a Dieta de Sonoma não nasceu no laboratório.

Seus verdadeiros criadores são pessoas cheias de vitalidade que habitam dois lugares especiais do planeta, onde desfrutar da abundância de alimentos deliciosos é um estilo de vida. O nome da dieta é de um desses lugares. Inspira-se nos alimentos saborosos e banhados pelo sol que tornam a bela Sonoma, na Califórnia, o paraíso da alimentação saudável e de um estilo de vida ativo.

A culinária de Sonoma, por outro lado, é um estado de espírito, um reflexo do "estilo de alimentação" e dos alimentos consumidos diariamente pelas pessoas que vivem nas regiões banhadas pelo mar Mediterrâneo e arredores. Os habitantes do sul da Europa, que adotam a "dieta mediterrânea", consomem grandes quantidades de alimentos saudáveis, frescos e deliciosos, como hortaliças, grãos integrais, nozes, azeite de oliva, carnes magras e vinho. A culinária de Sonoma, com seus diversos sabores e produtos locais, deu uma interpretação própria à alimentação típica das regiões mediterrâneas.

Esses dois lugares – no Velho Mundo e no Novo Mundo – têm algo em comum além de soberbos instintos nutricionais. Compartilham uma abordagem festiva no que diz respeito às refeições – um grande amor pelos excelentes alimentos que transformam cada uma delas numa celebração da vida.

Você sentirá esse mesmo prazer ao comer, pois ele é um elemento-chave da Dieta de Sonoma. Na verdade, experimentar os sabores e a ampla seleção de receitas é essencial para seu sucesso. Quando dizemos "aprecie a refeição", queremos dizer exatamente isso.

PRODUTOS FRESCOS DO MEDITERRÂNEO

Há décadas, os pesquisadores começaram a avaliar um aparente paradoxo. Por que as populações das regiões banhadas pelo mar Mediterrâneo vivem mais e com mais saúde e têm índices mais baixos de doenças cardíacas, câncer, obesidade e diabetes do que os povos de outras partes do mundo? Quando os habitantes do norte da Europa e de outras regiões comem o que eles consideram banquetes deliciosos, ouvem dos especialistas que estão aumentando seu risco de vir a ter ataques cardíacos. Quando os habitantes do sul da Europa saboreiam suas versões desses mesmos banquetes, eles se tornam mais saudáveis. Por quê?

A resposta está nos alimentos saborosos e ricos em nutrientes e no "estilo de vida" da dieta mediterrânea, que são os elementos-chave da alimentação saudável. O processamento mínimo e as escolhas desses alimentos de acordo com as estações maximizam seu conteúdo nutricional. A manutenção da saúde não se baseia em evitar determinados itens "perigosos" ou "pouco saudáveis", e sim em aproveitar mais aqueles que são ricos em nutrientes.

Em que consiste a dieta mediterrânea? Ela é formada por diferentes culinárias – da Espanha, do sul da Itália, do sul da França, da Grécia, do Marrocos e da Tunísia. Cada uma delas tem seu próprio sabor, mas todas fazem uso destes três tipos de alimentos – azeitona, uva e trigo. As refeições são elaboradas principalmente com ingredientes de origem vegetal, o que explica o papel de destaque das hortaliças da estação, dos grãos integrais, das frutas, dos feijões, das nozes e do azeite de oliva nessas cozinhas. Além de proporcionar benefícios à saúde, o azeite de oliva realça o sabor de uma grande quantidade de hortaliças e leguminosas usadas nas saladas e em outros pratos. (Isso mostra algo interessante: talvez você não consuma hortaliças e leguminosas em quantidades suficientes porque não sabe como prepará-las de maneira saborosa.) Peixes e aves são mais importantes do que carne bovina e laticínios. O vinho, tinto ou branco, também ocupa um lugar especial na refeição. Os alimentos são simples, despretensiosos e temperados com ervas e condimentos.

Na verdade, com a Dieta de Sonoma você irá se alimentar exatamente como se alimentaria se vivesse nas regiões mediterrâneas e extrairá o maior benefício possível dos itens que contribuem para a saúde. Eles proporcionam nutrição máxima com um mínimo de calorias. Ingerir esses milagres da natureza é tão importante para emagrecer quanto não consumir alimentos que engordam.

O fator Sonoma

Do ponto de vista nutricional, a Dieta de Sonoma está baseada nos hábitos alimentares das regiões mediterrâneas, mas sua inspiração vem da criatividade culinária e do gosto pelos alimentos frescos, saudáveis e saborosos de Sonoma.

Porém, a maior diferença entre a Dieta de Sonoma e a dieta mediterrânea é o objetivo. A primeira foi elaborada para proporcionar a perda de peso, o que não acontece com a segunda. A palavra "dieta" antes de mediterrânea refere-se simplesmente à alimentação cotidiana adotada nessa parte do mundo. A palavra "Dieta" antes de Sonoma refere-se a um programa de emagrecimento.

É, portanto, uma adaptação da típica alimentação mediterrânea e inclui estratégias de emagrecimento fundamentadas nos conhecimentos mais atualizados sobre o que dá ou não resultado. Associa, num programa eficaz de perda de

Consulte seu médico antes

Qualquer tipo de mudança na alimentação requer a aprovação de um médico. Portanto, marque uma consulta com seu médico antes de começar a Dieta de Sonoma. Ele também o ajudará a determinar o peso adequado para que você possa se orientar da melhor forma possível durante a dieta.

peso, o segredo da alimentação benéfica ao coração presente naquelas regiões da Europa à ênfase que se dá em Sonoma ao prazer com refeições saudáveis.

O resultado é uma tripla recompensa que você talvez nunca esperasse de um programa de emagrecimento: com a Dieta de Sonoma, você perderá peso, ganhará saúde e terá a chance de saborear as refeições de uma forma como jamais fez antes.

A DIETA QUE ESTÁ UM PASSO ADIANTE

Quando apresentamos a Dieta de Sonoma, surge inevitavelmente a seguinte pergunta: este é um regime alimentar com restrição de carboidratos ou com limitação de gorduras?

A resposta mais curta é: "Não e não."

Hoje existem várias teorias de que o emagrecimento depende de uma alteração radical no equilíbrio carboidratos/gorduras/proteínas. Portanto, as dietas balançam como um pêndulo – das que estabelecem um baixo teor de gorduras àquelas que privilegiam um baixo teor de carboidratos.

Esse fato deixa muitas pessoas confusas e insatisfeitas, e o resultado é que elas desistem das dietas. Nos programas alimentares que adotam pouca quantidade de gordura, os alimentos são insípidos e nos deixam com fome. As dietas que restringem os carboidratos nos negam o pão de cada dia e transformam hortaliças e frutas em nossas inimigas. Nos dois casos, o emagrecimento transforma-se num exercício de privação.

Isso soa familiar para você?

A Dieta de Sonoma "está um passo adiante" em relação a esses conceitos. Ela não se baseia em grandes ou pequenas quantidades de carboidratos nem em grandes ou pequenas quantidades de gorduras. As opções alimentares e a medida das porções que desenvolvemos foram calculadas com o objetivo de proporcionar o melhor equilíbrio de carboidratos, gorduras e proteínas. E é justamente isso o que o manterá satisfeito em cada etapa da sua jornada rumo ao emagrecimento.

Gorduras essenciais

As gorduras são absolutamente essenciais a uma dieta saudável, sobretudo quando o objetivo é a perda de peso. Elas realçam o sabor dos alimentos, aumentando o prazer de consumi-los, além de ajudarem o organismo a absorver nutrientes para que a pessoa obtenha uma quantidade maior de benefícios nutricionais sem precisar comer mais. E as gorduras saudáveis, como a das nozes, proporcionam a sensação de saciedade nas refeições, portanto ninguém sairá da mesa com fome.

Benefícios dos carboidratos

"Estar um passo adiante" implica também saber que restringir carboidratos é uma forma de condenar ao fracasso até os mais empenhados seguidores da dieta. Limitar o consumo desses alimentos é uma estratégia insustentável, pois não é saudável e não proporciona a sensação de saciedade.

Como a maior parte das pessoas sabe, os carboidratos são os principais alimentos que o organismo utiliza como fonte de energia. Estão presentes nos grãos integrais e nas hortaliças e frutas – e todos eles são excelentes.

Na Dieta de Sonoma há...

EQUILÍBRIO – Não existe restrição de carboidratos nem de gorduras.

GRÃOS INTEGRAIS – O consumo de pães e cereais é permitido desde o primeiro dia.

ALIMENTOS PODEROSOS – Fartas quantidades de alimentos deliciosos e ricos em nutrientes contribuem para a perda de peso.

SAÚDE – A Dieta de Sonoma baseia-se na dieta mediterrânea, que há séculos vem ajudando a proteger os habitantes do sul da Europa contra doenças cardíacas e outros males.

PRAZER – Você desacelera o ritmo para saborear e aproveitar as refeições, no estilo Sonoma.

RECEITAS DELICIOSAS – Elaboradas pelos mestres em culinária de Sonoma, na Califórnia – são pratos fáceis de preparar, requintados e altamente saborosos.

AZEITE DE OLIVA – Esse óleo vegetal saudável para o coração, nutritivo e que realça o sabor dos alimentos derruba o mito de que a gordura alimentar é prejudicial.

SIMPLICIDADE – Não é necessário contar calorias nem qualquer outra coisa. Já fizemos todo esse trabalho para você.

VARIEDADE – Você pode escolher diariamente os alimentos que quiser em variadas listas de carnes, frutos do mar, frutas, hortaliças, grãos e outros itens.

INSTRUÇÕES FÁCEIS – Basta montar seu prato de acordo com as proporções indicadas para a Fase 1 (veja a página 73) e para as Fases 2 e 3 (veja a página 85).

ALIMENTOS INTEGRAIS FRESCOS – A ênfase está em delícias banhadas pelo sol, repletas de sabor e carregadas de nutrientes.

VINHO – Somos gratos aos habitantes das regiões mediterrâneas por nos mostrar que uma taça de vinho no jantar melhora tanto a saúde do coração quanto a refeição.

SATISFAÇÃO – As refeições são completas e saciarão seu apetite.

Os carboidratos também contêm fibras, que, além de essenciais à saúde digestiva e cardiovascular, são um elemento importante na fisiologia do emagrecimento.

Você certamente precisa de energia, nutrientes e fibras. Por isso, necessita de quantidades adequadas de carboidratos.

Não é lógico que uma dieta restrinja radicalmente a categoria de alimentos que inclui os saudáveis grãos integrais, as hortaliças e as frutas. Essa diretriz passa a mensagem de que existe uma contradição entre emagrecer e desfrutar dos benefícios à saúde proporcionados pelos alimentos ricos em fibras e em nutrientes. E essa é uma mensagem falsa. Quem faz dieta sente isso intuitivamente – outro motivo pelo qual muitas pessoas abandonam regimes alimentares que limitam os carboidratos.

Com a Dieta de Sonoma, você comerá pães e cereais desde o primeiro dia. Obviamente, consumirá bastante carne e peixe, mas, também a partir desse dia, será incentivado a saborear uma variedade de hortaliças deliciosamente preparadas.

Após o período de transição, que dura 10 dias, as frutas serão incluídas na sua alimentação. Na verdade, algumas frutas são consideradas Alimentos Poderosos da Dieta de Sonoma, portanto constituem uma opção de alta prioridade.

Ingerimos alimentos, e não categorias de alimentos

Se há uma filosofia subjacente à abordagem da Dieta de Sonoma, é a seguinte: não adianta nada você se preocupar com a quantidade de carboidratos ou de gordura alimentar que está consumindo. As pessoas não costumam planejar suas refeições seguindo categorias nutricionais, como "carboidratos", "proteínas" e "gordura alimentar". E isso vale para todos nós, e não apenas para quem quer emagrecer.

Ingerir muitos carboidratos, sobretudo refinados – e também uma grande quantidade de todas as outras coisas –, de fato contribui para o aumento do peso corporal. Os carboidratos têm uma probabilidade maior de serem consumidos em excesso por causa do seu efeito sobre o metabolismo do açúcar no sangue (que explicaremos mais adiante).

A solução, porém, não é compensar o excesso de carboidratos (ou de gorduras) com sua limitação. Depois de um sucesso inicial, o organismo rebela-se contra a privação desses alimentos. E a mente também. Você corre o risco de se tornar mais um a desistir da dieta de restrição de carboidratos (ou de gorduras). E é até candidato ao abominável efeito sanfona, podendo ganhar ainda mais peso do que tinha antes de iniciar o regime de emagrecimento.

O efeito sanfona é muito menos provável na Dieta de Sonoma. Como mencionamos, as orientações alimentares e os cardápios já incluem a proporção ideal e equilibrada de carboidratos/proteínas/gorduras. Esses cálculos foram ajustados para as três partes, ou "fases", do programa. As quantidades são definidas nos níveis que mais propiciam a perda de peso sem estabelecer a restrição artificial de carboidratos ou de quaisquer outros alimentos para que você não tenha a sensação de privação.

Alimentação no estilo da Dieta de Sonoma

O que é "gordura alimentar"? Poderia ser gordura animal, como a capa de gordura da picanha; uma gordura presente em laticínios, como a manteiga; as gorduras do tipo "trans", encontradas na margarina comum; os óleos vegetais; a gordura presente nos peixes; e a gordura das sementes e das nozes. Na Dieta de Sonoma não o instruímos a limitar radicalmente a ingestão de todas essas gorduras, pois isso seria uma medida prejudicial à saúde e também fora da realidade. Ao contrário, você será orientado a ingeri-las com moderação e, em alguns casos, a eliminar, na medida do possível, as três primeiras, principalmente porque elas causam danos comprovados à saúde em geral.

Assim, você poderá voltar sua atenção para o ponto fundamental da Dieta de Sonoma – aproveitar os alimentos mais saborosos e saudáveis em quantidades e combinações que o farão atingir o peso desejado de forma rápida, segura e permanente.

Você consumirá quantidades controladas de gorduras saudáveis. Isso é válido sobretudo no caso do azeite de oliva, um óleo admiravelmente benéfico para o coração – além de saboroso –, que é a pedra angular da Dieta de Sonoma. O azeite de oliva não é uma gordura "liberada" que você deve acrescentar de forma relutante à sua alimentação. Ao contrário, incentivamos sua inclusão nas refeições como um componente fundamental da estratégia de emagrecimento.

O que as pessoas estão dizendo sobre a Dieta de Sonoma...

"Esta dieta é impressionante. Adoro o fato de não precisar contar nada, além disso é muito fácil segui-la. É verdade que os primeiros 10 dias são difíceis, mas depois fica muito mais simples. Os alimentos são excelentes, não preciso cortar os carboidratos e não sinto fome. Meu marido, que diz não estar seguindo a dieta direito, perdeu quase 7kg. Estamos nos alimentando de uma forma muito mais saudável e nos sentindo ótimos! A dieta mudou nosso estilo alimentar. Recomendo à minha família e aos meus amigos."

Bethany, 26 anos, perdeu 5kg.

O mesmo ocorre com os carboidratos. A Dieta de Sonoma admite a ingestão de pão e cereais desde o início, enquanto alguns regimes alimentares rejeitam esses itens. No entanto, pães brancos e outros produtos à base de farinha de trigo branca refinada (bolachas, massas e cereais) devem, de fato, ser praticamente eliminados, por motivos que explicaremos a partir da página 48. Ao mesmo tempo, recomendamos o consumo de quantidades saudáveis de pães, bolachas, massas e cereais feitos de grãos integrais: as versões não refinadas de trigo, aveia, centeio e cevada.

O pão branco e o pão de trigo integral são carboidratos. Mas eles são diferentes. O primeiro é capaz de arruinar um programa de emagrecimento mais rapidamente do que qualquer outro alimento, exceto o açúcar. O segundo, porém, é um alimento rico em fibras, repleto de nutrientes, tão benéfico aos objetivos da perda de peso que você o verá na lista dos Alimentos Poderosos no próximo capítulo, juntamente com o azeite de oliva.

Acrescente o papel de protagonistas que as frutas e hortaliças desempenham neste programa alimentar. Trata-se de consumir quantidades controladas, mas satisfatórias, de alimentos saudáveis e saborosos, independentemente da sua categoria.

A dieta na prática

Para que você pudesse ler as informações que apresentamos aqui, a Dieta de Sonoma foi concebida, planejada, testada, ajustada e novamente testada por especialistas, com o objetivo de garantir a máxima eficácia para seus dois objetivos: promover o emagrecimento e melhorar a saúde e a vitalidade. O resultado é um programa que auxilia comprovadamente na perda de peso – no início, de modo mais rápido; depois, num ritmo constante, até que você alcance sua meta.

Alimentação no estilo da Dieta de Sonoma

A lista de opções de proteínas inclui uma espetacular variedade de peixes, frutos do mar, carnes magras, aves, soja e ovos. É importante que, na maior parte das refeições, você coloque no prato determinado percentual de alimentos da lista de Proteínas da Dieta de Sonoma. Não priorizamos uma proteína específica para suprir essa necessidade, mas damos algumas sugestões e incentivamos a variedade. Portanto, se quiser, coma carne vermelha sete dias por semana – contanto que seja magra. Por outro lado, você pode optar por nunca ingeri-la e suprir a necessidade de proteína consumindo peixes e ovos ou até refeições à base de soja e feijão. Esse método é a única abordagem realista para um programa de emagrecimento. Não é sensato esperar que pessoas habituadas a comer carne vermelha sigam a dieta abrindo mão desse alimento nem que vegetarianos passem a incluí-lo em suas refeições.

Mas nenhuma dieta dá certo se não for seguida. E você não adotaria um regime alimentar que fosse muito complicado, desafiador ou chato. Por isso, solicitamos a voluntários que estavam determinados a perder peso que testassem a Dieta de Sonoma. Sabíamos que não bastaria que ela fosse cientificamente fundamentada – seria necessário também que funcionasse no mundo real.

Sejamos sinceros: já temos muitas questões com as quais lidar no dia-a-dia: o trabalho, o relacionamento com o marido ou com a mulher, os filhos, a casa e a própria vida em geral. A última coisa de que precisamos é uma dieta alimentar trabalhosa, que transforme a hora das refeições numa experiência penosa e estressante com regras complicadas, contagem de calorias e "pratos de dieta" que ninguém aprecia.

A Dieta de Sonoma não é nada disso. Fizemos questão de que tudo nela fosse agradável, simples, satisfatório e, principalmente, realista.

Não é necessário ser um nutricionista amador para segui-la. Pensamos em tudo antes. Você não precisa contar carboidratos nem gorduras. Já fizemos esses cálculos. Basta escolher alimentos da longa lista de opções e colocá-los no prato de acordo com os percentuais especificados.

É claro que você terá que preparar a maior parte das refeições, mas nós também facilitamos essa tarefa. As receitas que apresentamos não só são rápidas e simples de fazer como se baseiam na culinária de Sonoma, que está entre as mais elogiadas (e saudáveis) do mundo. Você ficará admirado ao ver que está se tornando um grande cozinheiro.

Independentemente de onde você mora, conseguirá emagrecer com a Dieta de Sonoma. É melhor que experimente os alimentos e pratos das listas que são novidade para você. Privilegiamos a variedade, porém não há nada que seja difícil de encontrar.

Não será necessário mudar seus hábitos alimentares. Também não há restrições quanto à hora do jantar, do café da manhã ou de qualquer outra refeição que você faça. Tudo o que pedimos é que se sente, tenha calma e aproveite essas ocasiões. Beba uma taça de vinho numa das refeições, se quiser. Deixe que esses momentos sirvam para ajudá-lo a reduzir o estresse. Esse é o estilo Sonoma.

Os lanches são permitidos nesta dieta. Se eles contribuem para deixá-lo sem fome, não há motivo para abrir mão deles. Obviamente, você não pode comer tudo o que quiser. Assim como nas demais refeições, nos lanches você deverá consumir a quantidade adequada dos alimentos certos. Veja algumas sugestões nas páginas 78 e 93. Nas listas dos cardápios, que começam na página 197, há mais opções.

Nesta dieta há outro ponto realista do qual você gostará: será necessário que abandone seus hábitos alimentares ruins. A variedade das listas de alimentos e a flexibilidade das opções são uma garantia de que você poderá comer da maneira como sempre fez. De fato, comerá menos, de um modo mais saudável e mais lento, porém continuará a escolher os itens que mais aprecia.

Uma dieta simples para quem tem uma vida acelerada

Você constatará que a Dieta de Sonoma é admiravelmente fácil de seguir. Os três fatores básicos que determinam o emagrecimento são a seleção dos alimentos (o que você come), a combinação dos alimentos (em que consistem as refeições) e o controle das porções (o quanto você come). O conceito "prato de comida" que desenvolvemos para esta dieta torna cada um desses fatores uma proposta bem simples.

O que as pessoas estão dizendo sobre a Dieta de Sonoma...

"Estou muito feliz com a Dieta de Sonoma. Fiquei surpresa ao perceber como foi fácil adaptá-la ao meu estilo de vida ativo. E o melhor: não passei fome!"
Jaimie, 27 anos, perdeu 9kg.

A seleção de alimentos não poderia ser mais simples. É só uma questão de listas. Por exemplo: cada grão que pode ser consumido está na lista de Grãos da Dieta de Sonoma. Todas as gorduras liberadas aparecem na lista de Gorduras da Dieta de Sonoma. Há também listas de opções aprovadas nas seguintes categorias: proteínas (carnes, peixes, feijões, etc.), laticínios, frutas, hortaliças, condimentos e bebidas.

As opções de frutas e hortaliças estão divididas em "níveis". Cada nível indica simplesmente que alguns alimentos de determinada categoria favorecem mais o emagrecimento do que outros. Por exemplo: as hortaliças do Nível 1 podem ser ingeridas com freqüência em todas as fases da dieta. Incluem aspargos, berinjela, espinafre e tomate, entre outros vegetais. As hortaliças do Nível 2 (como alcachofra e cenoura) e do Nível 3 (como milho e ervilha) devem ser consumidas de forma moderada – e não são permitidas durante a fase inicial da dieta. Um sistema de níveis semelhante aplica-se às frutas.

Quando as instruções da dieta estabelecem determinada quantidade de proteína, de grãos ou de qualquer outro alimento numa refeição, tudo o que você tem a fazer é consultar a lista pertinente e escolher aquilo que estiver com vontade de comer naquele dia.

Por outro lado, há duas listas que relacionam os alimentos que você não deve comer. A primeira delas, mais restritiva, contém os itens a serem evitados durante os estágios iniciais da dieta. A outra engloba os alimentos que precisam ser descartados durante toda a dieta e até depois que ela for concluída, porque prejudicam o emagrecimento e aumentam o risco de doenças cardíacas e de outros males. Em sua maior parte, são gorduras saturadas, açúcar e produtos à base de farinha de trigo refinada, como pão branco, bolos e biscoitos.

Redefinindo o conceito de prato de comida

Quanto você consome em cada refeição? É nesse ponto que entra o novo conceito de prato de comida. Ele incorpora os conhecimentos nutricionais mais recentes e redefine o prato de comida comum, que é bastante criticado por suas porções enormes, calorias e gordura. A ênfase é uma mudança no foco, para mais hortaliças e grãos como alimentos principais, junto com carnes magras. No café da manhã, você utilizará um prato de sobremesa ou uma tigela com capacidade equivalente à de 2 xícaras. No almoço e no jantar, usará um prato comum. As instruções da dieta (descritas a partir da página 66 para a Fase 1 e a partir da página 82 para a Fase 2) mostram como montar esses pratos e a tigela.

Por exemplo: num jantar típico da Fase 1, o prato será montado com 50% de hortaliças do Nível 1, 30% de proteína e 20% de grãos. Portanto, você pode querer preencher a metade do prato com espinafre e salada de hortaliças, optar por um filé de salmão como os 30% de proteína e escolher o arroz-selvagem (jamais o arroz branco) para completar os 20% de grãos integrais.

Você verá que esse conceito é muito mais fácil de seguir do que contar gramas. O controle das porções é automático. Não é preciso medir nada, basta colocar a comida no prato. Como indicamos a quantidade de cada tipo de alimento que será usado, você terá a garantia de estar fazendo a melhor combinação para o emagrecimento saudável. Esse é um estilo de alimentação que o deixará mais consciente dos itens que compõem sua refeição até mesmo depois que tiver alcançado o peso desejado.

Além da gordura encontrada naturalmente nos alimentos (em carnes, molhos para saladas, etc.), você escolherá outras gorduras para tornar a comida mais saborosa e se manter satisfeito. Sua porção diária de gordura será medida em colheres de chá de óleo vegetal ou em unidades individuais de nozes, por isso ela não aparece como percentual na configuração do prato. As bebidas e os temperos não precisam ser medidos – não há restrições para eles.

Perdendo peso em fases

Algumas semanas após o início da dieta você estará se sentindo muito melhor do que no início. Isso é uma boa notícia: este programa alimentar fica mais fácil à medida que o tempo passa, e não mais difícil. Entre os vários motivos que contribuem para isso dois se destacam.

O primeiro deles é que você passará a gostar mais das suas refeições. Lembre-se de que as receitas que usará são inspiradas na culinária de Sonoma – um estilo conhecido tanto pelos seus sabores acentuados quanto pelo bem que proporciona à saúde.

O outro motivo é que, em algum momento depois de uns 10 dias de dieta, talvez antes, você perceberá que as porções determinadas pelo conceito do prato da Dieta de Sonoma são suficientes para deixá-lo satisfeito a cada refeição. Ficará pensando como conseguia comer as quantidades enormes das quais se servia antes.

Foram essas as razões que nos levaram a dividir a dieta em três "fases" distintas. A Fase 1 dura 10 dias. Durante esse período você superará o hábito de consumir grandes quantidades de açúcar, produtos à base de farinha de trigo branca refinada e outros alimentos de rápida absorção que provavelmente lhe causaram problemas de peso.

A lista de alimentos restritos da Fase 1 é maior. As frutas, tendo em vista seu conteúdo natural de açúcar, são proibidas durante esses 10 dias. Mesmo assim, as refeições serão completas e ricas – com pães ou cereais integrais, carne ou peixe e muitas hortaliças.

Na Fase 1, você reajustará seu organismo naturalmente e transformará os maus hábitos alimentares que adotou ao longo da vida. Porém, esse desafio é estabelecido logo no começo, quando sua confiança e seu entusiasmo estão altos. Os resultados o deixarão animado, uma vez que é nesse período que o emagrecimento ocorre com mais rapidez. E, no momento exato em que estiver completamente adaptado a um novo modo mais saudável de se alimentar, o tamanho das porções e o número de opções quanto ao que comer aumentarão.

Agora, vamos à Fase 2. Essa é a etapa principal da dieta, na qual você permanecerá até atingir o peso desejado. O emagrecimento não será tão rápido quanto na Fase 1, mas será constante. Durante esse período, você continuará a adotar a abordagem da Dieta de Sonoma em sua alimentação – cada refeição permanecerá sendo saboreada lentamente, com ênfase na saúde e no prazer.

Para as Fases 1 e 2, fornecemos guias diários de refeições cujos pratos (com receitas) estão de acordo com as instruções relativas ao equilíbrio, à variedade e às combinações corretas dos alimentos. Esses guias indicam exatamente o que comer no café da manhã, no almoço e no jantar em cada um dos 10 dias da Fase 1 e nos ciclos de 14 dias da Fase 2.

Por exemplo: na Fase 1, o prato do almoço ou do jantar deve conter 50% de hortaliças do Nível 1, 30% de proteína e 20% de grãos. Em cada dia da Fase 1, fornecemos uma refeição de almoço e jantar diferente, que segue precisamente esses percentuais.

Mas isso é opcional. Contanto que siga as instruções relativas aos pratos e às listas de alimentos, você poderá utilizar o que desejar. Orientações específicas ou liberdade de escolha? A decisão é sua.

A Fase 3 terá início no dia em que você atingir o peso desejado. A partir daí, estará de parabéns. Por isso, a bebida que acompanhará a refeição nessa data poderá ser champanhe! Terá chegado a hora de converter a valorização da alimentação saudável de uma dieta de emagrecimento num estilo de vida.

Na Fase 3, você saberá o que funciona melhor no seu caso. Fará o controle das porções e as escolhas dos alimentos naturalmente e não precisará de instruções sobre os percentuais. O consumo de frutas e hortaliças será ilimitado. Você também terá direito a uma guloseima de vez em quando. Se, em algum momento, sentir que seu peso começou a aumentar, basta voltar à Fase 2.

Os Nove Alimentos Poderosos da Dieta de Sonoma

"O que NÃO teremos hoje para o jantar?" Provavelmente essa não é uma pergunta que você faz nem escuta. Não é esse o raciocínio típico dos seres humanos com relação à comida. Queremos saber o que vamos ingerir, e não do que vamos nos privar. Nossa forma de nos alimentar é positiva, e não negativa.

No entanto, as dietas mais populares abordam a questão da maneira exatamente oposta. Com rigorosas proibições com relação às gorduras, aos carboidratos e a outros alimentos essenciais, elas beiram a crueldade. A pessoa entra nesses regimes alimentares com temor, rangendo os dentes, tentando reunir toda a sua força de vontade para, de alguma forma, sobreviver aos longos meses de austeridade imposta.

Não surpreende o fato de tanta gente acabar engordando mais ainda. Ninguém gosta de privações. Mais cedo ou mais tarde, as pessoas se rebelam.

Obviamente, algumas restrições fazem sentido. É impossível emagrecer se empanturrando de sorvete e salgadinhos. No entanto, a privação não pode ser o foco central de uma dieta – moderação, equilíbrio e escolhas inteligentes são o segredo do sucesso.

Alimentos bons para a saúde cardíaca

O foco central da Dieta de Sonoma é a enorme variedade de itens saudáveis, deliciosos e frescos que poderão ser consumidos diariamente. Você não emagrecerá evitando a comida, e sim ingerindo quantidades adequadas dos melhores alimentos.

Sempre que uma pessoa faz uma refeição típica da Dieta de Sonoma – como frango grelhado, arroz integral, brócolis no vapor temperado com estragão e orégano, além de morangos –, acompanhada de uma taça de Pinot Noir, ela não pensa na batata frita nem nos queijos gordurosos que poderia estar comendo. Está muito ocupada saboreando o prato delicioso à sua frente para se preocupar com o que não está ali.

Quando você se sentar à mesa para fazer essa mesma refeição (que, aliás, é perfeita para a Fase 2), se sentirá da mesma forma. O fato de a comida que está diante de você melhorar sua saúde e contribuir para o controle do seu peso é quase um bônus. A última coisa no mundo em que você pensará quando estiver saboreando esse prato é que está "de dieta".

A alimentação mediterrânea

A Dieta de Sonoma dá certo porque herdou dos povos mediterrâneos uma longa lista de alimentos deliciosos que contêm um valor nutricional excepcional e uma quantidade relativamente baixa de calorias. E mais: muitos deles garantem proteção comprovada contra problemas cardíacos e outras doenças graves. Eles são o segredo da dieta mediterrânea.

No jargão científico, esses alimentos são notáveis por sua "riqueza de nutrientes". Numa linguagem mais informal, são aqueles que oferecem a melhor relação valor nutricional/total das calorias. Eles são a espinha dorsal da Dieta de Sonoma e o principal motivo pelo qual a saúde e a perda de peso caminham de mãos dadas.

E tudo isso fica melhor ainda. Determinados alimentos ricos em nutrientes têm mais desses componentes do que outros. Há também aqueles que apresentam qualidades especiais diferentes que lhes garantem um lugar de honra no prato. São os que chamamos de Alimentos

Os Nove Alimentos Poderosos

Amêndoa e outras nozes
Azeite de oliva
Brócolis
Espinafre
Grãos integrais
Morango
Pimentão
Tomate
Uva

Poderosos. Existem muitos deles, mas selecionamos os nove principais para que você se concentre neles ao planejar as refeições.

Antes de passarmos à Fase 1, vamos apresentá-lo aos Alimentos Poderosos. Afinal, se quiser, você poderá consumi-los regularmente pelo resto da vida. E eles serão seus melhores amigos e mais próximos aliados enquanto você estiver tentando atingir o peso almejado.

O poder dos nutrientes

Eis uma pergunta na qual talvez não tenha pensado: por que comemos? Se respondeu "Porque temos fome", errou.

Caso tenha respondido "Para fornecermos energia e condições de desenvolvimento ao organismo", acertou. Mas sua resposta está incompleta.

Comemos também para dar ao organismo determinadas substâncias químicas que agem de forma benéfica: os nutrientes. Mais especificamente, os nutrientes "essenciais", assim denominados porque não são produzidos pelo próprio corpo, mas fornecidos pelos alimentos.

As células usam esses nutrientes para realizar suas funções de modo adequado. Quando elas obtêm os nutrientes necessários em quantidades suficientes, temos mais chances de nos manter saudáveis. Caso elas extraiam esses nutrientes de alimentos com poucas calorias, a probabilidade de que alcancemos o peso desejado é maior. É nesse aspecto que está o valor dos Alimentos Poderosos.

Fitonutrientes

No topo da lista dos Alimentos Poderosos da Dieta de Sonoma estão os itens de origem vegetal, cujo poder é atribuído principalmente aos seus fitonutrientes (*fito* é uma palavra grega que significa "planta"). Vitaminas e minerais obviamente têm uma grande importância. Porém, nas últimas décadas, a descoberta de uma enorme variedade de substâncias químicas vegetais quase mágicas confirmou o que nossas avós já sabiam há séculos – que hortaliças, frutas e grãos fazem muito bem à saúde.

As substâncias fitoquímicas são responsáveis pelas cores, pelos sabores e pelas texturas peculiares das frutas e hortaliças. Existem centenas, talvez milhares, de substâncias fitoquímicas com nomes extremamente difíceis de pronunciar, mas que são excelentes para a saúde. Nesse aspecto, duas amplas categorias dessas substâncias devem ser conhecidas: os flavonóides e os carotenóides. Esses tipos de nutrientes são responsáveis não apenas pela coloração característica da maior parte dos Alimentos Poderosos como pelos grandes benefícios que eles proporcionam à saúde.

Antioxidantes

Flavonóides, carotenóides e outras substâncias químicas presentes nos Alimentos Poderosos atuam de diversas maneiras, porém uma se destaca – sua ação antioxidante.

O que as pessoas estão dizendo sobre a Dieta de Sonoma...

"Fiquei na fase de manutenção cerca de um mês e estabilizei meu peso. O mais importante para mim é que meu colesterol baixou de 120 para 100 nesse período. Meu nível de energia está alto, sinto-me fantástica."

Karen, 48 anos, perdeu 4kg.

Os antioxidantes receberam muita atenção na última década, e esse fato se justifica. Eles protegem o organismo contra substâncias potencialmente prejudiciais, conhecidas como radicais livres, que viajam pelo organismo causando danos às células. Tais danos dão origem ao acúmulo de colesterol nas artérias e podem desencadear doenças cardíacas, determinados tipos de câncer, diabetes, catarata, artrite e talvez até o mal de Alzheimer.

Uma última palavra sobre os fitonutrientes. Apesar de alguns deles (como o licopeno e o betacaroteno) exercerem papéis importantes, quase sempre eles trabalham junto com as vitaminas e os minerais. Por esse motivo, é importante ingerir alimentos integrais variados em diferentes combinações.

Você constatará que é fácil fazer isso com todos os Alimentos Poderosos relacionados a seguir.

AMÊNDOA: UMA NOZ PODEROSA

A amêndoa é um ingrediente bastante comum na culinária de Sonoma. Seu sabor adocicado é um dos motivos da sua popularidade. Assim como ocorre com tantos outros alimentos desta dieta, no caso da amêndoa e de outras nozes, o casamento do prazer com a saúde é bastante sólido.

Excelente para a saúde

Talvez você fique surpreso com o fato de a amêndoa, que contém uma quantidade relativamente alta de calorias, fazer parte da lista dos Alimentos Poderosos. A verdade é que nem todas as calorias, sobretudo as provenientes da gordura, são iguais. A gordura da amêndoa é basicamente monoinsaturada e saudável para o coração – é do mesmo tipo da que se encontra na azeitona, no abacate e em outras nozes. Há um consenso crescente na comunidade médica de que a amêndoa reduz o risco de doenças cardíacas. Estudos científicos revelaram que a ingestão de 30g desse alimento por dia (aproximadamente um punhado), como parte de um estilo de vida saudável, baixa o colesterol LDL (o colesterol ruim) e, portanto, diminui o risco geral de ocorrência de males do coração. Outras pesquisas mostraram que a amêndoa também fornece proteção contra o câncer e a diabetes. Sua ingestão regular pode reduzir outros fatores de risco relacionados ao sangue que estão vinculados à inflamação das artérias. Uma descoberta animadora dessas pesquisas foi que a adição das calorias extras provenientes da amêndoa não fez com que os participantes engordassem.

Compras no estilo da Dieta de Sonoma

Escolha amêndoas comuns, sem sal nem açúcar. Para deixá-las mais saborosas, torre-as durante alguns minutos em forno médio.

Pode haver nutrientes na amêndoa que realmente contribuam para a perda de peso? A resposta mais provável é: sim. Uma explicação talvez seja o fato de a gordura contida na amêndoa não ser totalmente absorvida pelo organismo. Isso está relacionado à composição fibrosa desse alimento. A outra explicação é que a amêndoa fornece a combinação precisa de nutrientes, como proteínas, gorduras, fibras, vitaminas e minerais, para diminuir a fome.

Rica em nutrientes

A amêndoa destaca-se como um alimento altamente rico em cálcio – na verdade, ela é a melhor fonte de cálcio não derivada do leite. Também possui excelentes quantidades de proteína, cobre, zinco, potássio, magnésio e vitaminas B.

E, como todos os outros Alimentos Poderosos, fornece nutrientes antioxidantes, sobretudo a vitamina E.

A amêndoa é o exemplo clássico dos benefícios proporcionados pelos Alimentos Poderosos que estão além dos nutrientes específicos que eles fornecem. Uma dieta típica "pobre em gorduras" talvez desestimule o consumo da amêndoa, o que é contraproducente. A ingestão dessa semente na quantidade adequada pode contribuir para a redução do consumo de gorduras pouco saudáveis. Isso ficou evidente num estudo revelador realizado em 2004 e publicado num periódico médico britânico. Cerca de 80 homens e mulheres foram orientados a consumir 1/4 de xícara de amêndoas diariamente, mas não receberam nenhuma outra instrução alimentar. Após seis meses, os participantes da experiência reduziram por conta própria da sua alimentação as porções de gorduras saturadas e os ácidos graxos trans que vinham consumindo.

Em outras palavras: com a ingestão de uma gordura inteligente – a amêndoa –, eles evitaram automaticamente as gorduras pouco saudáveis. Será exatamente isso o que você fará.

AZEITE DE OLIVA: UMA BÊNÇÃO PARA A PERDA DE PESO

Todos os anos, no município de Sonoma, há um festival especial chamado "Bênção das Azeitonas", que mostra a importância das oliveiras e dos seus frutos para a economia e para os hábitos alimentares da região.

O azeite de oliva, a dádiva mais preciosa dessas árvores abençoadas, é essencial na Dieta de Sonoma. Provavelmente não há alimento que faça mais pela saúde e pelo emagrecimento do que ele.

E essa é uma boa notícia para seu paladar, pois nenhum óleo vegetal tem um sabor tão delicioso quanto o azeite de oliva, que está entre os principais atrativos da culinária mediterrânea.

Gordura saudável

Pesquisas mostram claramente que o grande motivo da baixa incidência de doenças cardíacas entre os europeus das regiões mediterrâneas é o uso ilimitado do azeite de oliva como sua principal fonte de gordura alimentar. Utilizando esse alimento da mesma forma, você obterá benefícios idênticos. E, aprendendo a consumi-lo em quantidades saudáveis, também perderá peso.

Para apreciar o azeite de oliva como Alimento Poderoso, tire da mente a idéia de que ele é a gordura "menos pior". Trata-se de um alimento benéfico para o coração e que faz bem à saúde. Você necessita de gordura alimentar para perder peso, mas deve consumir uma que seja do tipo certo, e o azeite de oliva está entre as melhores. Escolha o extravirgem – assim você também acentuará o sabor da comida.

Compras no estilo da Dieta de Sonoma

Opte sempre pelo azeite de oliva "extravirgem" – esse termo significa simplesmente que o óleo foi extraído na primeira prensagem das azeitonas e, portanto, contém os nutrientes mais benéficos. Além disso, apresenta um sabor muito mais delicado e agradável.

Para simplificar: o principal tipo de gordura da qual o azeite de oliva se constitui (a gordura monoinsaturada) na verdade reduz os níveis do colesterol ruim, o LDL, assim como os de gorduras no sangue, chamadas triglicerídeos. As gorduras que você evitará (as saturadas) elevam esses níveis. Isso qualifica o azeite de oliva como um Alimento Poderoso por excelência.

Um tesouro de antioxidantes

E tem mais. Único entre os óleos vegetais, o azeite de oliva – em especial o extravirgem – é rico na mesma família de fitonutrientes que torna todos os outros integrantes da lista dos Alimentos Poderosos tão eficazes na prevenção de doenças cardíacas. Os mesmos fenóis que conferem a esse azeite seu maravilhoso sabor constituem sua principal catego-

Culinária no estilo da Dieta de Sonoma

Você terá uma grande vantagem ao usar o azeite de oliva regularmente: ele apresenta uma capacidade especial de interagir com outros alimentos. Experimente utilizá-lo para temperar uma salada de espinafre, por exemplo. Além de aprimorar o sabor das folhas suavizando seu gosto amargo, o azeite aumentará a ação de todos os fitonutrientes benéficos dessa hortaliça.

ria de antioxidantes. O azeite de oliva também contém carotenóides (como o betacaroteno) e vitamina E.

Além disso, esse alimento reduz o risco de outras duas doenças cardíacas – a hipertensão e a inflamação das artérias.

BRÓCOLIS: UMA SAUDÁVEL IGUARIA

O brócolis é a mais mediterrânea das hortaliças. Surgiu na Itália, depois os romanos o disseminaram pela Europa e os imigrantes o levaram para a América. Cru ou cozido, é um elemento muito importante da Dieta de Sonoma e deve ser consumido em quantidades praticamente ilimitadas pelo resto da vida.

Vitamina C e cálcio

Provavelmente você não precisa ser convencido dos benefícios proporcionados pelo brócolis. Sua reputação como um dos alimentos mais saudáveis do mundo está estabelecida. Mas você sabia que essa hortaliça é uma das melhores fontes de cálcio e vitamina C?

Pense no seguinte: uma porção de brócolis (1/2 xícara na Dieta de Sonoma) contém a mesma quantidade de vitamina C que uma laranja. Porém a laranja fornece de 60 a 70 calorias – embora essa não seja uma quantidade enorme, é maior do que as cerca de 20 calorias presentes numa porção de brócolis. Por isso, essa hortaliça é um Alimento Poderoso.

O mesmo ocorre com o cálcio – 1/2 xícara de brócolis fornece cerca de 40mg de cálcio, uma quantidade razoável. Com certeza, você obterá mais do que isso em 1 xícara de leite, mas também consumirá de 85 a 150 calorias, dependendo do tipo de leite que estiver

Culinária no estilo da Dieta de Sonoma

Não cozinhe demais o brócolis. Para prepará-lo, use as receitas da Dieta de Sonoma que começam na página 169. Aproveite a enorme seleção de ervas, temperos e outros elementos que realçam o sabor e que podem ser usados em qualquer fase deste programa. Ou saboreie o brócolis cru – você pode consumi-lo fresco da mesma forma que come uma cenoura. Faça isso sempre – será ótimo para sua saúde e para o controle do seu peso.

usando. E o leite – mesmo o desnatado – apresenta alguma gordura saturada. O brócolis não contém nenhuma gordura. Isso mesmo. Nenhuma.

Combate ao câncer

Além de ser uma rica fonte de vitamina C e cálcio, o brócolis é um desintoxicante de luxo. É o "Sr. Limpeza" entre as hortaliças, pois elimina toxinas potencialmente carcinogênicas e até inibe o crescimento de tumores. Isso o torna um forte aliado no combate ao câncer. Há missão mais nobre para um Alimento Poderoso?

O interessante é que a grande arma contra o câncer no arsenal de fitonutrientes do brócolis é um desintoxicante chamado sulforafano. Como o nome indica, essa é a substância responsável pelo cheiro semelhante ao do enxofre (súlfur) que emana durante o cozimento dessa hortaliça.

Mas o brócolis não tem sabor de enxofre. Quando preparado adequadamente, como num cozimento rápido no vapor, seu sabor se acentua. Além de combater o câncer e proteger o coração, esse vegetal é um ingrediente que possibilita o preparo de pratos deliciosos.

ESPINAFRE: UMA CAIXA DE SURPRESAS

O espinafre é a hortaliça de folhas verdes mais recomendada para a saúde geral. Na verdade, sua constituição básica é esta mesmo: grandes folhas verdes, embora os caules também sejam excelentes. E essas folhas são quase milagrosas.

O espinafre é um valioso Alimento Poderoso. Os benefícios nutricionais que ele proporciona são tão abundantes – e as calorias tão insignificantes – que você pode comer praticamente tudo o que quiser desse surpreendente vegetal. Como o tomate, o brócolis e o pimentão, o espinafre é uma hortaliça do Nível 1 e pode ser consumido desde o primeiro dia da dieta.

Rico em nutrientes

O espinafre é cheio de surpresas agradáveis. Trata-se de uma fonte natural de ferro com baixas calorias. Ele é ideal para gestantes, lactantes e mulheres durante o período menstrual. Além disso, assim como o brócolis e a amêndoa, é uma rica fonte de cálcio não derivada do leite. A combinação

Alimentação no estilo da Dieta de Sonoma

O espinafre cru e o espinafre cozido são praticamente dois alimentos diferentes em termos de sabor e apresentação. Quando você cozinhar essa hortaliça, procure deixá-la apenas um pouco no vapor – isso preservará a maior parte de seus fitonutrientes. No entanto, o melhor é consumir o espinafre cru, na forma de salada. Tempere-o com azeite de oliva extravirgem, acrescente nozes tostadas ou escolha um dos molhos apresentados na parte das receitas. Mas não há necessidade de ser muito exigente. Independentemente de como for preparado, esse vegetal é um Alimento Poderoso que você apreciará muito.

de cálcio e vitamina K (que o espinafre também fornece em abundância) contribui para a saúde dos ossos e evita a osteoporose.

Os flavonóides do espinafre retardam o declínio cognitivo, ou seja, podem evitar a perda de memória que freqüentemente acompanha o envelhecimento. O espinafre também é rico em luteína, carotenóide que, segundo um número crescente de pesquisas, está relacionado com a saúde dos olhos e com um risco menor de problemas de vista associados ao envelhecimento.

Assim como a maior parte dos Alimentos Poderosos da alimentação mediterrânea, essa hortaliça contém variados nutrientes antioxidantes, que combatem doenças cardíacas, desestimulando a perigosa oxidação do colesterol existente no sangue. Além disso, protege o coração de muitas outras maneiras, o que lhe confere uma posição de destaque entre os alimentos benéficos à saúde desse órgão.

Por exemplo, o espinafre é rico sobretudo em folato, uma vitamina B que reduz a quantidade de uma proteína prejudicial presente no organismo chamada homocisteína. Uma das descobertas mais importantes sobre a saúde do coração nos últimos anos é a ligação entre altos níveis de homocisteína e o risco de infarto e derrame.

Outra descoberta-chave recente é o papel da inflamação nas doenças cardíacas. O espinafre tem propriedades antiinflamatórias, portanto é possível que ele proteja o coração. (Certamente essa hortaliça ajuda a evitar doenças inflamatórias, como artrite e asma.) Há também indicações de que a proteína do espinafre contém componentes que contribuem para prevenir a hipertensão, importante fator de risco para problemas cardíacos graves.

GRÃOS INTEGRAIS: O SEGREDO DO SEU SUCESSO

Os grãos integrais são um Alimento Poderoso especial. Não são um único alimento, e sim uma categoria, que inclui pão de trigo integral, arroz integral, arroz-selvagem, farelo de aveia, pipoca e cereais, além de pães e bolachas de grãos integrais preparados sem farinha de trigo branca refinada.

Enquanto algumas dietas proíbem ou limitam rigidamente qualquer tipo de grão ou cereal, os grãos integrais são o centro da Dieta de Sonoma. A diferença entre consumir grãos integrais e ingerir alimentos com farinha de trigo branca refinada é a diferença entre atingir e não atingir o peso almejado.

Melhore seu metabolismo

Incorporar os grãos integrais à sua vida é uma das melhores coisas que você pode fazer para melhorar seu metabolismo, facilitar a liberação de insulina e controlar os níveis de açúcar no sangue. Com essa medida, você diminuirá o risco de ter diabetes, câncer, derrame e doenças cardíacas. Estimulamos o consumo do pão de trigo integral e de outros alimentos integrais em todas as fases da dieta, nas quantidades recomendadas.

O que torna um grão "integral"? Simplesmente o fato de o farelo, o germe e o endosperma, ricos em nutrientes, não terem sido eliminados da semente do grão. Quando qualquer grão de cereal, como arroz ou trigo, é processado e convertido em farinha de trigo branca, as fibras naturais, vitaminas e fitonutrientes benéficos são sacrificados, o que transforma uma potente fonte de vitaminas numa coleção de calorias vazias.

E o pior é que a corrente sangüínea absorve a farinha branca tão rapidamente que os níveis de açúcar no sangue primeiro se elevam e depois caem, à medida que entra em cena o hormônio insulina, que atua como o principal gatilho para o armazenamento de glicose e também como o elemento que preserva as células de gordura.

Você aprenderá no próximo capítulo por que tudo isso é tão devastador para a saúde e o peso corporal. Aqui, estamos vendo o lado positivo da moeda – o papel de protagonista dos grãos integrais no emagrecimento.

Ricos em fibras

Em primeiro lugar, os grãos integrais fornecem uma grande quantidade dos melhores tipos de fibras (enquanto a farinha de trigo branca refinada não proporciona quase nada nesse sentido). As fibras são aliadas no que diz respeito ao emagrecimento e à saúde cardíaca, pois têm a capacidade de reduzir a absorção do colesterol e baixar os níveis de gordura no sangue.

Porém, embora as fibras sejam seu elemento de destaque, o que torna os grãos integrais tão importantes é o pacote que eles fornecem como um todo. Os grãos são plantas e apresentam o mesmo tipo de nutrientes que esperamos encontrar nos melhores alimentos de origem vegetal. Isso inclui os fitonutrientes antioxidantes que proporcionam os mesmos benefícios à saúde que todos os outros Alimentos Poderosos.

Da mesma forma que o azeite de oliva, os grãos integrais contêm mais calorias. Portanto, não é possível ingeri-los em grandes quantidades e ainda assim emagrecer. As ilustrações dos pratos e as listas de alimentos indicarão as quantidades certas que você deverá consumir em cada fase.

Compras na Dieta de Sonoma

Procure sempre as palavras "grão integral" ou "trigo integral" como principal ingrediente na embalagem de pães e massas. Caso contrário, o produto pode ter sido preparado com "trigo", mas não incluir realmente grãos integrais.

Depois de examinar a lista dos produtos integrais da Dieta de Sonoma, você verá rapidamente que as opções são quase irrestritas. Tudo o que é feito com grãos refinados pode ser produzido com grãos integrais – pães, massas, bolachas, biscoitos, etc. E, obviamente, trigo, aveia e arroz são apenas os grãos mais conhecidos. A lista de alimentos integrais inclui outros itens, como trigo para quibe, cevada e as variedades do arroz integral.

MORANGO: O PRINCÍPIO DO PRAZER

Em 1/2 xícara de morangos frescos lavados e picados há de 25 a 30 calorias, no máximo. O morango é um Alimento Poderoso de alto nível que fornece não apenas fibras, vitaminas e minerais, mas uma dose generosa de substâncias fitoquímicas especialmente benéficas. A combinação o torna um surpreendente aliado da saúde do coração, das articulações e até da mente.

Culinária no estilo da Dieta de Sonoma
O ideal é comprar morangos orgânicos, pois alguns produtores costumam usar pesticidas fortes no cultivo dessa fruta. De qualquer modo, lave bem os morangos antes de consumi-los, sejam eles orgânicos ou não.

Deliciosamente saudável

Se você é como a maior parte das pessoas, não imagina o morango como um "alimento saudável". Ele tem um ótimo sabor. Em geral, está relacionado a geléias e gelatinas açucaradas, ao sorvete, repleto de gordura hidrogenada, e às tortas e aos bolos feitos com farinha de trigo branca refinada.

Porém, esse é exatamente o tipo de pensamento que você deixará para trás quando emagrecer com a Dieta de Sonoma. O morango é uma delícia para o paladar e um privilégio para a saúde e o emagrecimento. Ponto final. Ao perceber que 1/2 xícara de morangos frescos, maduros e ricos em nutrientes proporciona mais prazer do que uma torta feita com essa fruta, você estará no caminho certo para atingir o peso pretendido.

A partir da Fase 2, poderá consumir uma quantidade moderada de morangos frescos todos os dias. Com isso, estará dando a si mesmo uma variedade única de fenóis (uma ampla categoria de fitonutrientes). Essas substâncias são antioxidantes – agem como exterminadores da oxidação, mantendo as células saudáveis e diminuindo os danos provocados pelo colesterol que se acumula nas artérias.

Está comprovado que os fenóis especiais dos morangos também reduzem as inflamações perigosas em todo o organismo, inclusive nas artérias. Sua ação antiinflamatória parece funcionar como a da aspirina. Isso confere ainda mais proteção ao coração, sobretudo tendo em vista que atualmente a inflamação é considerada um importante fator de risco para as doenças cardíacas.

Compras na Dieta de Sonoma
O morango deteriora-se com facilidade, por isso congele-o (e degele-o) de forma adequada. Compre uma embalagem grande de morangos congelados (ou de polpa de morango) que dure uma semana ou mais ou adquira morangos frescos, colhidos maduros.

Assim como o espinafre, o morango contém flavonóides especiais que parecem exercer um efeito benéfico sobre o cérebro. Por isso, o consumo regular dessa fruta pode literalmente salvar a memória.

Há ainda indicações abundantes de que a ingestão regular de morango ajuda a prevenir o câncer, a deterioração da visão relacionada ao envelhecimento e (dadas as suas propriedades antiinflamatórias) a artrite reumatóide.

PIMENTÃO: ALTAMENTE NUTRITIVO

Como uma hortaliça aparentemente leve pode ser tão rica em nutrientes? Bem, o que torna o pimentão um Alimento Poderoso da Dieta de Sonoma é justamente sua grande quantidade de nutrientes benéficos à saúde e sua ínfima concentração de calorias (aproximadamente 35).

Dica alimentar da Dieta de Sonoma: Prove pimentões de várias cores e observe suas sutis diferenças de sabor. Qualquer que seja a cor, esse alimento é muito rico em nutrientes, portanto você não errará. E é saudável e saboroso cru ou cozido.

O pimentão também é uma hortaliça mediterrânea clássica – basta imaginá-lo recheado ou em tiras numa salada colorida. Levado do Novo Mundo para o sul da Europa pelos espanhóis no século XVI, esse vegetal cresce em qualquer lugar que não seja muito frio.

O poder do pimentão está na sua cor. Não importa se ele é verde, roxo, vermelho, amarelo ou laranja – é sempre rico em nutrientes. Embora a natureza dessas substâncias mude com a cor, isso não faz diferença. Os benefícios que esse alimento, em todas as suas cores, proporciona para o coração, para a visão e para a prevenção do câncer são abundantes.

Proteção do coração

O que todo pimentão tem em comum são as generosas doses naturais das vitaminas antioxidantes A e C. Ambas garantem proteção contra doenças cardíacas, pois retiram da corrente sangüínea o LDL (colesterol ruim) gerado pelo processo de oxidação. Duas outras vitaminas abundantes nos pimentões – a B6 e o ácido fólico – também ajudam, diminuindo os níveis da homocisteína, a proteína que está relacionada a doenças coronarianas.

Combate ao câncer

Os pimentões de todas as cores são ricos em carotenóides antioxidantes. Os vermelhos, porém, oferecem um bônus sob a forma de um fitonutriente chamado licopeno. Trata-se de um poderoso antioxidante que confere a essa hortaliça, assim como ao tomate, a sua cor. A especialidade do licopeno é combater o câncer. Estudos demonstraram que uma dose diária dessa substância, junto com as vitaminas e o betacaroteno (outro carotenóide) presentes no pimentão, reduz o risco de câncer de mama, do colo do útero, de cólon, da bexiga, do pâncreas e de próstata.

A potente combinação dos carotenóides com as vitaminas antioxidantes do pimentão também parece proteger contra câncer de mama, de pulmão e outras doenças que acometem esse órgão. Nesse aspecto, os pimentões vermelho e laranja podem, igualmente, proporcionar benefícios adicionais por causa de um carotenóide especial, chamado betacriptoxantina, encontrado em outros alimentos de cor alaranjada – da abóbora ao papaia.

Preservação da visão

Há indicações também de que os antioxidantes presentes no pimentão ajudam a protelar problemas de visão relacionados à idade, como a catarata. Mais uma vez, o pimentão vermelho mostra-se a melhor escolha, pois só ele contém alguns nutrientes especiais que proporcionam proteção contra a degeneração macular, uma causa comum da perda de visão.

A beleza dos pimentões está na sua variedade. Você descobrirá formas diversificadas de consumi-los à medida que for avançando na dieta – e começará a saboreá-los na Fase 2.

TOMATE: O ORGULHO DA COZINHA

Imagine uma cozinha típica das regiões do Mediterrâneo, com uma grande quantidade de tomates vermelhos, maduros, que podem estar fatiados sobre uma tábua ou cozinhando num molho aromático. A mesma cena é comum nas casas e nos restaurantes de Sonoma, onde tomates amadurecidos nos tomateiros e muitas vezes cultivados em casa são importantes para o estilo de alimentação saudável e farto típico dali.

Sua cozinha também ficará assim a partir de agora. O tomate é um dos principais Alimentos Poderosos – repleto de nutrientes, tem excelente sabor e menos de 40 calorias por unidade. Incentivamos seu consumo desde o primeiro dia da dieta. E você descobrirá que é fácil prepará-lo. A beleza dessa hortaliça está na sua versatilidade.

O poder das substâncias fitoquímicas

O que torna o tomate um aliado tão forte na dieta saudável? Parte de seu poder vem da rica cadeia de substâncias fitoquímicas que atuam em conjunto para proteger o sistema cardiovascular. Isso faz dessa hortaliça um alimento mediterrâneo clássico benéfico para o coração.

Seu componente mais poderoso é o licopeno. Como dissemos antes, é esse carotenóide que dá ao tomate sua cor vermelha. E ele é também um dos nutrientes que mais vêm sendo pesquisados na última década. Estudos mostram com freqüência que o licopeno presente no tomate reduz o risco de vários tipos de câncer.

Isso posiciona o tomate numa categoria única. O argumento científico para os benefícios que a maior parte dos Alimentos Poderosos proporciona ao coração é sólido, enquanto as demonstrações de sua ação no combate ao câncer são sólidas, porém incompletas. Isso não vale para o tomate. A ação dessa hortaliça na prevenção do câncer é ainda mais garantida do que os benefícios que ela confere à saúde cardíaca.

Compras na Dieta de Sonoma

Procure comprar tomates que tenham amadurecido nos tomateiros, isto é, antes de serem colhidos. Alguns produtores costumam colhê-los ainda verdes, deixando-os amadurecer nos mercados ou a caminho desses pontos-de-venda. Isso reduz o número de tomates estragados, mas rouba desse alimento uma grande parte do seu valor nutricional e do seu sabor naturalmente delicioso.

Portanto, a ingestão de tomate ajuda a emagrecer, a manter o coração saudável e a ficar livre do câncer durante o processo natural de envelhecimento. Essa é a marca de um verdadeiro Alimento Poderoso.

Experimente o tomate em muitas das suas variedades: fresco, em conserva, em molho ou como pasta. Ele é rico em licopeno em todas essas formas. Tomates frescos são melhores no verão – saboreie-os em saladas. Nos meses de inverno, faça seu próprio molho com essa hortaliça, além de sopas com tomates em conserva.

Culinária no estilo da Dieta de Sonoma

Tire vantagem do tomate, em toda a sua variedade, como um alimento para perder peso – cortado cru em saladas, picado sobre carnes magras, como sopa ou base para ensopados, borbulhando num saboroso molho e de muitas outras formas. Diferentemente de alguns Alimentos Poderosos, essa hortaliça perde pouco da sua força nutritiva quando cozida. Pesquisas revelam até que as propriedades que evitam o câncer são mais ativas nos tomates cozidos do que nos tomates crus. Por exemplo, o purê e o molho de tomate são excelentes fontes de licopeno.

UVA: A FRUTA DOS DEUSES

Para os gregos e romanos, a uva era uma dádiva dos deuses. E por que não? Há algo de milagroso nas videiras, que geram generosos cachos de pérolas brilhantes de frutas plenas de excelentes qualidades.

Os antigos habitantes do sul da Europa apreciavam o poder benéfico que a uva proporciona à saúde. Mas o que eles realmente adoravam é a capacidade que essa fruta tem de se transformar no mais sensual dos néctares – um bom vinho.

Os gregos e romanos legaram seu amor pela uva e pelo vinho aos seus sucessores europeus da atualidade, que transformaram essa fruta na pedra angular da dieta mediterrânea.

A uva é igualmente venerada na Sonoma de hoje. Lá, as colinas estão cobertas por vinhedos, com suas frutas maduras brilhando verdes e roxas sob a luz do sol antes da colheita.

Proteção do coração

O melhor com relação à uva como Alimento Poderoso é que ela fornece praticamente os mesmos nutrientes que o vinho. Portanto, você poderá obter a maior parte dos benefícios para o coração e para a perda de peso proporcionados pelos fitonutrientes abundantes da uva, mesmo que não possa beber (ou opte por não tomar) uma taça de vinho por dia.

Em primeiro lugar, foram as uvas e o vinho que deixaram os pesquisadores curiosos a respeito da dieta mediterrânea. Por que, se perguntavam eles, os habitantes do sul da Europa sofrem tão poucos ataques cardíacos mesmo comendo tanto? Um motivo importante, como sabemos agora, é a potência especial dos nutrientes protetores do coração que estão presentes na uva e no vinho, itens que eles consomem em grandes quantidades.

Os fitonutrientes da uva agem mantendo todo o sistema cardiovascular saudável na forma habitual. Ou seja, protegem os vasos sangüíneos e o próprio músculo cardíaco de danos no tecido causados por radicais livres e pela "ferrugem" que estes últimos podem gerar.

Seria necessário um livro de química orgânica para descrever a variedade de flavonóides que tornam a uva um alimento tão benéfico ao coração.

As uvas vermelhas e as roxas são mais ricas em flavonóides do que as brancas e as verdes, mas não vamos nos ater a isso. Seja qual for sua cor, a uva é um Alimento Poderoso, e ponto final.

No entanto, seu consumo só será liberado em quantidades ilimitadas quando você atingir o peso almejado. O alto conteúdo de açúcar dessa fruta a coloca no Nível 2. Portanto, você poderá comer 1/2 xícara de uvas por dia a partir da Fase 2. Provavelmente, desejará alterná-la com outras frutas do Nível 2, mas dê prioridade à uva – ela é o próprio símbolo do estilo saudável de Sonoma.

Conheça os Alimentos e Sabores da Dieta de Sonoma

Para emagrecer é necessário gostar de comer.

Se isso lhe parece estranho, pense no lado oposto da moeda: dizem os defensores das dietas tradicionais que, para emagrecer, você deve reduzir o papel das refeições na sua vida e evitar comer ao máximo possível.

No entanto, essa é uma afirmação realmente estranha. Contradiz todas as informações relacionadas ao comportamento programadas em nossos genes ao longo de milhões de anos de evolução. Sabemos que temos que comer para sobreviver, e nossas lembranças mais felizes celebram os alimentos, a família e os amigos. É natural resistirmos a qualquer conselho que diga o contrário.

Se você já tentou emagrecer antes, deve ter sentido intuitivamente que uma abordagem negativa dos alimentos como essa seria um problema. É difícil derrotar um "inimigo" de quem gostamos muito.

A Dieta de Sonoma destaca o prazer com a comida, e não sua rejeição. O segredo, obviamente, está em consumir os alimentos certos nas quantidades adequadas. Essa é a única forma saudável de emagrecer.

A ligação entre a melhora da saúde e o emagrecimento é um dos pontos centrais da dieta. Um dos motivos desse elo é óbvio. Não faz sentido adotar um programa de emagrecimento que não seja saudável (embora, infelizmente, isso ocorra com freqüência).

O outro motivo é o segredo que garantirá seu sucesso. A Dieta de Sonoma enfatiza alimentos integrais e saborosos que satisfazem a fome e, ao mesmo tempo, fornecem um suprimento abundante de nutrientes que proporcionam saúde com um número mínimo de calorias. Ao fazer cada contagem de calorias, este programa alimentar associa saúde à perda de peso – um aspecto assegura o outro.

O que as pessoas estão dizendo sobre a Dieta de Sonoma...

"Se você só pensa no que vai comer quando está diante do cardápio de uma lanchonete, está na hora de assumir as rédeas da sua alimentação. Com a Dieta de Sonoma, consigo passar 20 minutos na cozinha e utilizar alimentos mais saborosos e um melhor equilíbrio nutricional que me devolveram um peso mais saudável."
Bob, 50 anos, perdeu 7kg.

Amor verdadeiro

Talvez você tenha dificuldade de pensar na alimentação saudável como algo a ser desfrutado. Isso é compreensível. Há uma forte tradição, às vezes merecida, de imaginarmos os "alimentos saudáveis" como coisas sem graça, totalmente insípidas.

Vamos acabar com essa imagem. Os povos mediterrâneos mostram que os alimentos mais saudáveis são os que servem ao preparo dos pratos mais saborosos. A culinária de Sonoma levou essas idéias adiante. A Dieta de Sonoma leva isso até você. Siga em frente e dê uma olhada nas receitas que o esperam. Você verá o que queremos dizer.

Muitas pessoas também se perguntam como uma dieta que exclui as três coisas que mais adoram pode lhes agradar. Elas se referem a açúcar, gordura saturada e alimentos à base de farinha de trigo refinada, como pão branco, cereais, bolachas, massas e bolos.

A pergunta faz sentido. E é verdade que esses ingredientes, encontrados exclusivamente em alimentos altamente processados, devem ser evitados. O fato é que, se você quer se livrar dos quilos a mais, precisa esquecer que esse tipo de comida existe até que tenha atingido o peso almejado. E, se pretender manter a forma física e continuar saudável, verá esses alimentos raras vezes em toda a Fase 3 da dieta – o que equivale a dizer pelo resto da vida.

Em pouco tempo você descobrirá que consegue viver facilmente sem pão branco, hambúrgueres gordurosos e sobremesas açucaradas. Na verdade, o que você julgava ser amor era apenas encantamento. Dada a forma como os alimentos processados, como pão branco e açúcar refinado, afetam o metabolismo, consumi-los é mais uma questão de hábito do que de prazer.

Você eliminará esse hábito na Fase 1. Isso o deixará livre para apreciar o verdadeiro contentamento com os alimentos frescos e saudáveis. Confie em nós, a sensação que você terá ao mastigar uma maçã gelada será muito mais deliciosa do que aquela proporcionada pela vigésima batata frita. O sabor de um filé de peixe cozido no vapor lhe dará muito mais prazer do que o de qualquer manteiga, que entope as artérias. A gostosa consistência de um pão ou cereal integral será um atrativo maior do que seu hábito compulsivo de comer biscoitos e cereais carregados de açúcar.

E, assim que você tiver aprendido a saborear verdadeiramente a doçura natural das frutas frescas e maduras, os bolos, as tortas e os biscoitos lhe parecerão doces demais. Prazeres saudáveis duram mais do que prazeres carregados de culpa. Você constatará isso.

GRÃOS INTEGRAIS

Você já foi apresentado aos grãos integrais como um dos principais alimentos da Dieta de Sonoma. E eles merecem a reputação que têm por causa do seu conteúdo rico em fibras e de sua abundância de nutrientes saudáveis, inclusive antioxidantes, vitamina E, selênio, magnésio e vitaminas B.

Há outro importante motivo pelo qual os grãos integrais são tão essenciais para o emagrecimento. Ao consumi-los no lugar da farinha de trigo branca refinada, você estará reduzindo radicalmente a principal causa metabólica do ganho de peso. O processo de moagem dos grãos e sua transformação em farinha de trigo branca (ou em arroz branco, massa branca, etc.) não apenas lhes rouba a maior parte dos nutrientes como transforma esses alimentos saudáveis em velozes fornecedores de gordura corporal.

Alimentação no estilo da Dieta de Sonoma

Muitos dos alimentos que se encontram no novo território talvez não sejam inteiramente desconhecidos. Farelo de milho em vez de flocos de milho, pão integral em vez de pão branco, arroz integral no lugar de arroz branco, farelo de aveia em vez de pão de queijo. A maior parte de nós conhece esses alimentos integrais e já os experimentou pelo menos algumas vezes na vida.

O motivo é o seguinte: todos os carboidratos – grãos, frutas, hortaliças e outros alimentos – fornecem energia levando açúcares para a corrente sangüínea. O organismo libera o hormônio insulina para processar esses açúcares e transformá-los na energia que será usada pelo corpo. O que não pode ser utilizado de imediato é armazenado sob a forma de gordura corporal.

Isso tudo é bom e natural. Porém alimentos refinados, como o açúcar de mesa e o pão branco, são digeridos e absorvidos com muito mais rapidez, e as conseqüências desse processo são prejudiciais. Em primeiro lugar, com o tempo, isso aumenta o risco de ataques cardíacos e diabetes. Além disso, facilita a conversão, pelo organismo, das calorias extras em gordura corporal. O outro fator negativo é que o que minutos antes era excesso de açúcar no sangue logo se transformará em baixos níveis de açúcar no sangue. Em pouco tempo, a pessoa estará ansiando por comer mais quantidades desse mesmo açúcar refinado e dessa mesma farinha de trigo branca que causaram o problema.

Como encontrar e comprar grãos integrais

Na Dieta de Sonoma, você consumirá apenas grãos integrais, jamais os que foram moídos ou refinados. O grão integral apresenta todas as suas partes intactas. No grão refinado, uma parte foi removida, normalmente o farelo (a camada mais externa), rico em fibras; o endosperma (a camada do meio), que contém energia; e/ou o germe (a camada mais interna), repleto de nutrientes.

Vivemos num mundo de grãos refinados, portanto nem sempre é fácil saber se estamos ingerindo o verdadeiro pão ou cereal integral. A seguir, veja o que procurar quando for fazer as compras:

- Palavras que lembram alimentos saudáveis, como "100% trigo", "multigrãos" e "trigo moído", nada têm a ver com o fato de o pão ou cereal ser integral.
- Procure na lista de ingredientes que consta da embalagem as palavras "100% grãos integrais" ou "trigo integral".
- Verifique os ingredientes. O primeiro grão da lista deve estar identificado como "integral" e não deve haver nenhum grão que não seja "integral".
- Não se iluda com a cor marrom. Ela pode ser devida ao acréscimo de melaço ou à cor do alimento.
- O melhor tipo de pão de trigo integral apresenta a indicação "trigo integral moído" na embalagem. Mas lembre-se de que o trigo não é o único grão integral saudável para o pão ou cereal.

- Opte por pães de trigo integral com pelo menos 2g de fibras por fatia e cereais de trigo integral com pelo menos 8g de fibras por porção. Você encontrará a contagem de fibras no rótulo dos valores nutricionais presente na embalagem.

Grãos integrais para a saúde

Se você for como a maior parte das pessoas, certamente inclui pão branco e bolachas na sua alimentação. Portanto, trocar os produtos de farinha de trigo branca refinada por grãos integrais pode ser uma grande mudança. No entanto, como ocorre com qualquer alteração para melhor, o desafio se estabelecerá apenas no começo. Em pouco tempo, você perceberá que os grãos integrais são muito mais saborosos, oferecem mais variedade, têm uma textura deliciosa e ajudam a prolongar a sensação de saciedade.

Esses alimentos também proporcionam benefícios à saúde. Por manterem o açúcar no sangue e a insulina sob controle, eles não apenas evitam o ganho de peso desnecessário como reduzem o risco de diabetes, câncer, derrame e doenças cardíacas. As evidências desses fatos são coerentes e convincentes.

Por exemplo: a Harvard School of Public Health realizou um estudo de seis anos com 65 mil mulheres e descobriu que aquelas que adotavam uma dieta rica em pão branco, arroz branco e massas comuns corriam um risco duas vezes e meia mais alto de desenvolver diabetes do tipo 2 (que tem início na fase adulta) do que as que seguiam um programa alimentar que privilegiava alimentos com muitas fibras, como pães de trigo integral e outros itens feitos com grãos integrais. As que comiam principalmente grãos integrais (o equivalente diário a uma tigela de mingau de aveia e duas fatias de pão de trigo integral) tinham 30% menos probabilidade de apresentar essa doença.

Culinária no estilo da Dieta de Sonoma

Experimente vários métodos de cozimento. Por exemplo: os grãos podem ser torrados no forno para ficarem crocantes, cozidos em fogo brando (na forma de mingau) ou refogados – quando preparados deste último modo, são perfeitos para saladas, como acompanhamento e até como prato principal. Vejas as receitas com grãos e cereais a partir da página 289.

Ótimos grãos

A variedade é a alma da Dieta de Sonoma. Ofereceremos alguns caminhos alternativos para o preparo de sua porção de grãos em cada refeição. É importante também que você experimente grãos integrais novos e diferentes, aproveitando a rica variedade que se encontra hoje nos supermercados. Até mesmo o trigo integral, o mais conhecido grão desse tipo, é oferecido em diferentes formas, como trigo para quibe, trigo moído, trigo em grão, fibra de trigo e flocos de trigo, entre outras.

Algumas dessas variações estão presentes também nos pães integrais. Na verdade, procurando um pouco mais, você poderá comer pães integrais durante um bom tempo sem repetir o mesmo tipo duas vezes. E, obviamente, há outros pães integrais além dos de trigo, como o de aveia, o de centeio e o *pumpernickel*. Desde que seja integral, e não refinado, qualquer um deles é bom.

Compras na Dieta de Sonoma

Ao escolher pães, leia o rótulo e verifique se o pão é 100% integral, mas também se contém pelo menos 2g de fibras por fatia. De outra forma, ele não é um Alimento Poderoso com a quantidade suficiente de fibras.

Da mesma forma, existem hoje muitas variedades de arroz integral, como o vermelho e o *basmati*. Todos são excelentes fontes de vitamina B e também contêm fitonutrientes da mesma categoria que algumas frutas e hortaliças. Outra opção é o arroz-selvagem, alimento integral maravilhoso, que talvez você tenha experimentado apenas em restaurantes. O arroz integral e o selvagem são um pouco mais difíceis de preparar do que o arroz branco, que tampamos e deixamos cozinhar, mas valem a pena por seu sabor e por contribuírem para o controle do peso.

As massas têm uma merecida má reputação nos círculos de emagrecimento, mas isso só se aplica às que são feitas com farinha de trigo branca refinada, a comum (e, obviamente, a qualquer massa em quantidades excessivas). A massa de trigo integral é saudável e recomendada. Além disso, vem se tornando cada vez mais popular nos últimos anos.

Para fugir das massas comuns, experimente uma das receitas da Dieta de Sonoma. Elas são preparadas basicamente com macarrão instantâneo e outros itens de trigo-sarraceno, que são excelentes alternativas de grãos integrais às massas feitas com farinha de trigo branca (o trigo-sarraceno na verdade não é trigo).

Você também observará na lista de Grãos da Dieta de Sonoma um item pouco conhecido, a quinoa. Procure esse alimento em lojas de produtos naturais.

Originária da América do Sul, ela é uma alternativa ao trigo e tem sabor de nozes. Os grãos são basicamente carboidratos com um pouco de proteína, mas a quinoa proporciona algo que nem todo grão é capaz de oferecer – a mesma proteína de alta qualidade obtida com a carne e com os ovos. Em geral, é preparada como um arroz leve e fofo, mas também pode ser torrada no forno. Se você ainda não a conhece, experimente a receita Pilafe de Quinoa Tostada (veja a página 177).

Finalmente, há os cereais integrais frios, que são consumidos com leite desnatado pela manhã. Existem diversas opções entre as marcas comerciais, entre as quais o All Bran, da Kellogg's. Certifique-se, porém, de verificar o rótulo nutricional para informar-se sobre o conteúdo de fibras. Qualquer cereal da Dieta de Sonoma deve ter pelo menos 8g de fibras por porção.

HORTALIÇAS

As pessoas em geral comem muito poucas frutas e hortaliças. Quando fazem isso, não as consomem na variedade necessária. Esse fato está altamente relacionado com o motivo pelo qual muita gente está acima do peso e, ainda assim, alimenta-se de forma deficiente.

Infelizmente, dietas pobres em carboidratos contribuem para o problema, restringindo severamente frutas e hortaliças, às vezes quase chegando a eliminá-las. A Dieta de Sonoma, por outro lado, dá às hortaliças uma posição de destaque. Assim como a dieta mediterrânea, ela se baseia em alimentos de origem vegetal. Isso não quer dizer que seja vegetariana – o consumo de carne e peixe é muito estimulado –, no entanto uma grande parte das calorias provém de alimentos ricos em nutrientes, como hortaliças, grãos, frutas, nozes e óleos vegetais. Lembre-se de que todos os Alimentos Poderosos da Dieta de Sonoma são de origem vegetal.

Também não se esqueça de que sete desses nove itens são frutas ou hortaliças. Você emagrecerá porque lhe mostraremos como tirar proveito desses e de outros Alimentos Poderosos para suprir seu organismo de todos os nutrientes que melhoram a saúde com uma quantidade de calorias suficientemente baixa para permitir o emagrecimento.

O segredo para ter as hortaliças como aliadas na melhora da saúde e na perda de peso é apreciar seu consumo. Já se foi a época em que as considerávamos um mal necessário no prato. As receitas que apresentamos acentuam os sabores inatos das hortaliças naturais, bem como das ervas e dos temperos que as acompanham. Você descobrirá uma nova maneira de apreciar os benefícios que esses vegetais frescos proporcionam.

A maior parte das pessoas que segue uma dieta tem consciência de que as hortaliças "fazem bem". No entanto, comer mais frutas e hortaliças também contribui para a perda de peso. Para ajudá-lo a entender como esses alimentos são importantes neste programa alimentar, dedicaremos algumas páginas ao que eles oferecem. Começaremos abordando principalmente as hortaliças, pois você só começará a consumir frutas após 10 dias de dieta. Mas a maioria dos benefícios também se aplica às frutas.

Trabalhando juntos

Já vimos como os benefícios à saúde proporcionados por todos os Alimentos Poderosos são provenientes da abundância de nutrientes vegetais – os fitonutrientes – que eles fornecem às células. Pesquisas recentes obtiveram sucesso na identificação dos fitonutrientes, sobretudo daqueles que protegem as células atuando como antioxidantes. Portanto, surge uma pergunta: se sabemos quais são as substâncias químicas benéficas, por que simplesmente não as consumimos em forma de cápsulas?

Como você deve saber, esses suplementos existem. Os de quercetina, betacaroteno e licopeno são bastante populares. Há muitos outros.

No entanto, esses produtos contribuem muito pouco para o emagrecimento. A proposta geral da Dieta de Sonoma é satisfazer a fome por meio do consumo de alimentos que contêm o máximo de nutrientes. Os suplementos certamente se qualificam como ricos nesses elementos – eles apresentam um grande número de nutrientes e poucas calorias –, mas não têm efeito sobre o sabor da comida. Nenhuma fome passa com a ingestão de pílulas.

O outro problema dos suplementos é que eles isolam os nutrientes mais ativos ou fornecem vários nutrientes em proporções não naturais. Isso é uma espécie de sabotagem de uma grande parte dos benefícios proporcionados pelas hortaliças ricas nessas substâncias.

Por quê? Porque os nutricionistas estão convencidos pelos estudos de que as vitaminas, os minerais e os fitonutrientes presentes em qualquer hortaliça trabalham em harmonia para fortalecer o sistema cardiovascular, retardar a perda da visão relacionada ao envelhecimento, evitar determinados tipos de câncer ou proporcionar outros benefícios à saúde. Separar um fitonutriente, por mais poderoso que ele seja, arruína essa sinergia. Passamos a ter um solista no lugar da orquestra.

É por esse motivo que as hortaliças integrais e frescas são a melhor opção. No entanto, isso não quer dizer que elas não possam ser cozidas nem que algumas de suas partes nunca devam ser removidas para que determinado prato adquira um sabor mais agradável. De qualquer modo, é essencial deixar a linha completa de fitonutrientes o mais intacta possível.

Nesse sentido, as hortaliças congeladas geralmente podem ser consumidas. Porém as enlatadas muitas vezes são processadas e perdem seus nutrientes. Além disso, é comum conterem ingredientes como sal, conservantes e até gordura saturada. Se você optar por hortaliças enlatadas, verifique atentamente as informações nutricionais na embalagem.

O que o consumo de frutas e hortaliças faz por você

Diminui o risco de derrame e infarto.
Protege contra vários tipos de câncer.
Reduz a pressão sangüínea.
Melhora a digestão e desestimula distúrbios intestinais.
Retarda o surgimento da catarata e de outros problemas de visão relacionados à idade.
Preserva a memória durante o processo de envelhecimento.
Ajuda a perder peso fornecendo nutrientes vitais com um mínimo de calorias.

Em destaque a variedade

As substâncias fitoquímicas não se limitam a atuar de forma sinérgica na mesma hortaliça – os benefícios que elas proporcionam à saúde somam-se a cada alimento desse tipo que consumimos. Esse é o maior argumento para a variedade que defendemos com tanta veemência na Dieta de Sonoma. Quanto maior a variedade de hortaliças que você comer, maior a quantidade de nutrientes vegetais que o beneficiará.

Outro motivo óbvio para consumirmos uma grande quantidade de hortaliças diferentes é o sabor específico que cada uma delas oferece. A ingestão de uma ampla seleção desses vegetais, aliada a formas de preparo variadas, torna cada refeição uma aventura no que diz respeito ao sabor.

Ao observar as três listas de hortaliças recomendadas da Dieta de Sonoma, você saberá, de forma geral, como agrupá-las por cores de acordo com as categorias a seguir.

Compras na Dieta de Sonoma

A maneira mais fácil de obter variedade em suas escolhas de hortaliças é optar por aquelas que tenham cores diferentes. Em geral, as hortaliças que pertencem a um grupo específico de cor – vermelho, amarelo, verde, etc. – contêm tipos distintos de substâncias fitoquímicas, embora haja muita superposição. Montar o prato com vegetais de cores variadas e mudar as cores mais uma vez na refeição seguinte assegura uma diversidade maior de nutrientes; ao mesmo tempo, esses alimentos satisfazem o paladar. A Miscelânea de Hortaliças Assadas (veja a receita na página 186) leva para o prato as cores mais vivas: amarelo, laranja e vermelho.

Hortaliças verdes

Se você se lembra do que o espinafre e o brócolis oferecem como Alimentos Poderosos da Dieta de Sonoma, terá uma boa noção da potência dos fitonutrientes presentes nas hortaliças verdes. Além de garantir proteção contra doenças cardíacas e câncer, a ingestão de hortaliças dessa cor preserva a visão e mantém os ossos e dentes fortes à medida que envelhecemos.

Os membros de destaque da equipe verde são as hortaliças da família das crucíferas – brócolis, couve-de-bruxelas, repolho, couve e repolho-chinês (*bok choy*), conhecido ainda como couve-da-china. (A couve-flor também é uma hortaliça crucífera, mas faz parte da equipe branca.) Essas hortaliças são especialmente ricas numa enorme variedade de fitonutrientes antioxidantes, assim como em vitaminas e minerais.

Outra subcategoria consiste nas hortaliças de folhas verdes, que geral-

Compras na Dieta de Sonoma

Uma forma rápida e fácil de obter uma boa variedade de hortaliças verdes e frescas é escolher diferentes versões das misturas para saladas à venda nos supermercados.

mente são usadas em saladas, mas que também podem ser refogadas ou cozidas no vapor. O espinafre é o principal Alimento Poderoso dessa variedade, embora existam muitos outros. Alguns exemplos seriam as folhas da couve-crespa, da mostarda, do nabo e da beterraba. Grande parte das hortaliças verdes e das que têm folhas verde-escuras, como acelga, couve, couve-de-bruxelas, rúcula e dente-de-leão, apresenta um sabor mais amargo, que, no mínimo, não contribui para sua popularidade. Porém, esse gosto revela a personalidade de antioxidantes poderosos. Quando esses vegetais são preparados com os ingredientes certos, o sabor amargo é suavizado, tornando-se delicioso; além disso, o organismo consegue absorver melhor os antioxidantes. Experimente acrescentar a essas hortaliças itens como azeite de oliva, nozes, suco de limão ou pequenas quantidades de queijos saborosos. Leia as receitas da Dieta de Sonoma para ver mais sugestões.

Alimentação no estilo da Dieta de Sonoma

Use radicchio para dar cor e um sabor característico às saladas. Experimente refogá-lo antes com um pouco de azeite de oliva ou grelhá-lo.

Saladas que satisfazem

Uma salada de hortaliças frescas variadas acrescida de folhas verdes é o tipo de comida ideal na Dieta de Sonoma. Supre a necessidade de vegetais em qualquer orientação de refeição. Vamos até fazer vista grossa se você exagerar nas saladas na Fase 2. Incremente as saladas com hortaliças cruas ricas em nutrientes. Experimente diferentes ingredientes para realçar os sabores desse prato e transformá-lo em algo delicioso.

- A alface-americana está sempre presente, mas essa é a variedade com menos nutrientes. Essencialmente, é apenas um veículo vazio para os molhos de salada. Experimente outro tipo.
- Quanto mais escura a folha, em geral mais nutrientes ela contém. Por exemplo: a alface-romana e o agrião têm oito vezes mais betacaroteno e duas vezes mais cálcio e potássio do que a alface-americana.

- Outras folhas verde-escuras muito boas são as de beterraba, nabo e mostarda, bem como o espinafre e a couve-crespa.
- Experimente as hortaliças menos comuns. Há muitas variedades de origem européia e asiática disponíveis nos supermercados, como rúcula, azeda-miúda, chicória e escarola. Elas são deliciosas e nutritivas. Vale a pena mudar e arriscar.
- Não há regras dizendo que as hortaliças verdes têm que ser verdes. Experimente o radicchio (de cor vinho), que é uma variedade da chicória, e a endívia roxa.
- Acrescente os Alimentos Poderosos da Dieta de Sonoma crus às suas saladas – pimentões de todas as cores, amêndoas, brócolis, tomate, espinafre e até mesmo uvas picadas e grãos torrados.
- O azeite de oliva e os molhos à base de vinagrete constituem uma parte importante da Dieta de Sonoma. Lembre-se de que o azeite de oliva extravirgem acentua o sabor de todas as hortaliças verdes e ajuda o organismo a absorver seus nutrientes. Você também pode experimentar azeites de nozes, como o Portell, e vinagres aromatizados para dar variedade aos molhos das saladas.

Hortaliças vermelhas

Rabanetes, pimentão vermelho, cebola roxa e beterraba encabeçam essa categoria. As hortaliças vermelhas são especialmente úteis para preservar o funcionamento da memória e a saúde do sistema urinário, assim como para proteger contra doenças cardíacas e câncer.

O tomate, com seu conteúdo de licopeno, é a hortaliça vermelha mais poderosa. Saiba que, para obter o máximo benefício dos seus fitonutrientes, é melhor cozinhar essa hortaliça (com pele e tudo) e acrescentar azeite de oliva. Essa forma de preparo ajuda na absorção do licopeno pelo organismo e também aumenta o sabor e a doçura do próprio tomate.

Se você ainda não experimentou radicchio, faça isso. Trata-se de uma hortaliça de folhas vinho, proveniente da Itália, atualmente bastante popular. Seu ingrediente mais importante, uma substância fitoquímica chamada intibina, auxilia na digestão e fortalece o fígado.

Hortaliças brancas

Couve-flor, nabo, cebola e cogumelo vêm à mente quando pensamos em hortaliças brancas, assim como alguns temperos, como gengibre e alho.

Todos são excelentes – proporcionam muito sabor e nutrientes saudáveis e têm pouquíssimas calorias.

A cebola, em especial, garante proteção ao coração. Compartilha com o alho um fitonutriente chamado alicina, que ajuda a evitar a aterosclerose, ou enrijecimento das artérias.

Hortaliças amarelas e alaranjadas

São especialmente eficazes na proteção da visão e do sistema imunológico. Cenoura, milho, rutabaga (ou couve-nabo), vários tipos de abóbora e as versões amarela e laranja dos tomates e pimentões são membros dessa família de cores.

Nesse grupo de vegetais, você encontrará algumas das categorias mais benéficas de fitonutrientes, como os carotenóides e flavonóides antioxidantes. Esses são também exemplos de hortaliças que contêm antioxidantes e que proporcionarão mais benefícios ao seu organismo quando combinadas com tipos saudáveis de gorduras. O interessante é que algumas das variedades amarelas e alaranjadas têm um teor relativamente alto de açúcares naturais, motivo pelo qual estão classificadas no Nível 2 ou 3.

Hortaliças roxas

Sim, existem hortaliças roxas. Esqueceu-se da berinjela, da endívia roxa, da alface roxa e do repolho roxo? Há também pimentão roxo, aspargo roxo e, em alguns países, até cenoura roxa. Os fitonutrientes responsáveis pela cor (em geral na categoria do fenol ou da antocianina) parecem ser úteis para desacelerar os danos causados pelo envelhecimento. Essas hortaliças beneficiam igualmente a saúde do sistema urinário e o funcionamento da memória. Se você estiver procurando uma forma de comer berinjela, comece pela Salada de Berinjela Assada (veja a receita na página 180).

GORDURAS

A gordura alimentar é a gordura que ingerimos. A gordura corporal é a que desejamos reduzir. A gordura alimentar pode gerar gordura corporal, mas não de forma tão direta ou inevitável quanto você talvez imagine.

A filosofia da Dieta de Sonoma é simples. O tipo certo de gordura alimentar na quantidade adequada não só é bom para a saúde como é essencial para a perda de peso. Dietas com um teor muito baixo de gorduras não dão resultado para a maior parte das pessoas. Pesquisadores de Harvard descobriram que os participantes de um estudo que seguiram uma dieta no estilo mediterrâneo tiveram mais sucesso em emagrecer do que aqueles que adotaram um regime alimentar pobre em gordura. Os tipos de gordura ingeridos na dieta no estilo mediterrâneo eram basicamente monoinsaturados: nozes, azeite de oliva e óleo de canola. Qual a mensagem? Quanto mais gostoso e satisfatório o alimento, maior o sucesso geral. Outra descoberta interessante nessa pesquisa foi que a qualidade da dieta de orientação mediterrânea era muito melhor e mais rica em nutrientes do que o regime com baixo teor de gorduras. Para perder peso de forma saudável, é preciso manter o equilíbrio certo entre gorduras, carboidratos e proteínas. Os cardápios que você seguirá na Dieta de Sonoma foram elaborados para permitir exatamente isso.

A gordura é necessária na sua dieta por muitos motivos – principalmente por causa da saúde, do sabor e do prazer. Já vimos como o azeite de oliva extravirgem e as nozes – que são as estrelas entre as gorduras da alimentação mediterrânea – reduzem os níveis do LDL, o colesterol ruim, e fornecem nutrientes benéficos para o coração. Outras gorduras, como a do abacate e do amendoim, bem como os óleos ômega-3 (encontrados no salmão, nas nozes e na semente de linhaça), também fornecem ótimos nutrientes, como antioxidantes e fitonutrientes.

Outro aspecto igualmente importante é que as gorduras ajudam a manter a sensação de saciedade depois de terminada a refeição. Na ausência dessa sensação, a tendência é comer em excesso só para obter algum tipo de satisfação. Qualquer pessoa que já tenha feito uma dieta muito pobre em gorduras sabe do que estamos falando.

Uma gordura terrível

O azeite de oliva extravirgem é a gordura boa, a gordura saturada é a ruim e a gordura hidrogenada ou parcialmente hidrogenada é terrível. Ela é encontrada nos alimentos processados, nas frituras, na margarina e em muitos produtos de confeitaria, como bolos, biscoitos e tortas.

Também chamadas de gorduras do tipo trans, as gorduras hidrogenadas são quimicamente alteradas e têm uma consistência sólida e cremosa. Concebidas originalmente como uma alternativa barata às gorduras saturadas, elas são ainda mais prejudiciais ao coração e à saúde geral.
Evite-as a todo custo. Comprando alimentos frescos em vez de produtos industrializados, você jamais cruzará com esse tipo de gordura. Se adquirir alimentos embalados ou processados, verifique a lista de ingredientes. Caso encontre ali as palavras gordura "hidrogenada" ou "parcialmente hidrogenada", "gordura trans" ou "ácido graxo trans", coloque a mercadoria de volta na prateleira e escolha outra coisa.

As gorduras também aumentam os benefícios proporcionados por outros alimentos ricos em nutrientes. Por exemplo: o licopeno, o supernutriente presente no tomate, não é absorvido adequadamente pelo sistema digestivo se não houver uma gordura alimentar por perto. A utilização estratégica das gorduras como forma de maximizar os benefícios gerados pelos nutrientes é um dos segredos da dieta mediterrânea. Para dar um exemplo simples: os italianos conhecem muito bem o valor da combinação do molho de tomate com o azeite de oliva.

E, por último, mas não menos importante: não subestime o valor das gorduras como sabor. As que são permitidas na Dieta de Sonoma tornam as refeições ainda mais saborosas. As receitas foram criadas com esse objetivo. Lembre-se, é essencial que você goste das refeições.

Há gorduras e gorduras

Como o título diz, nem todas as gorduras são iguais. Existem três tipos de gorduras: a saturada, a monoinsaturada e a poliinsaturada, assim como a manufaturada, conhecida como gordura hidrogenada, ou trans.

A maior parte dos tipos de gordura que você deve comer está presente nos óleos vegetais. As mais saudáveis são lideradas pelas gorduras monoinsaturadas, como o azeite de oliva extravirgem, as nozes, o óleo de canola e o abacate. Outras gorduras saudáveis estão na categoria poliinsaturada, como o óleo de semente de uva, o óleo de girassol e os óleos ômega-3, encontrados em alguns peixes de água doce, nas sementes de linhaça e nas nozes.

O tipo de gordura cujo consumo dever ser limitado é a gordura saturada, presente sobretudo nos alimentos de origem animal, como a carne e os laticínios, assim como no azeite-de-dendê e no óleo de coco. Isso não quer dizer que você não possa consumir carne nem laticínios. Você pode. Porém deve procurar as versões magras ou sem gordura desses alimentos.

Benefícios dos óleos ômega-3

Os óleos ômega-3 têm uma longa história de proteção do sistema imunológico e desempenham um importante papel fortalecendo o organismo contra doenças cardíacas, depressão, mal de Alzheimer, diabetes, inflamações, colite, psoríase e artrite.

É possível reconhecer a gordura saturada, pois ela é sólida na temperatura ambiente e em temperaturas mais baixas, como é o caso da manteiga e da parte branca que vemos ao redor da carne bovina e da costela de porco, bem como na superfície de uma sopa de frango congelada. Seu principal malefício é elevar os níveis do LDL, o colesterol ruim, nas artérias, favorecendo a ocorrência de doenças cardíacas. Na verdade, a gordura saturada aumenta o nível de colesterol no sangue mais do que o próprio colesterol alimentar.

Gorduras hidrogenadas devem ser evitadas, pois provocam efeitos piores para a saúde e o coração do que as gorduras saturadas.

Equilíbrio das gorduras

O ditado "você é o que você come" é absolutamente verdadeiro. Um exame mais preciso do seu organismo mostra o tipo de gorduras que você consome diariamente. Essas gorduras, ou ácidos graxos, constituem a camada mais externa das células, conhecida como membrana celular. Dependendo do tipo, do equilíbrio e da quantidade de gordura ingerida, o sistema imunológico pode ser influenciado, tornando maior ou menor o risco de ocorrência de inflamações, doenças cardíacas, diabetes, artrite, câncer e até depressão.

O que significa esse equilíbrio exatamente? Isso quer dizer que você deve optar principalmente por itens da categoria das gorduras monoinsaturadas e consumir quantidades menores de óleos vegetais (como os óleos de milho e de soja), ingerir gorduras saturadas num nível mínimo e evitar gorduras hidrogenadas. No último século, a ingestão de alimentos processados e de óleos vegetais aumentou com relação aos óleos ômega-3. Quanto maior o consumo de óleos de sementes vegetais, mais difícil é para o organismo colher os benefícios dos óleos ômega-3. No caso das pessoas que ingerem baixas quantidades de alimentos ricos em ômega-3, isso estabelece uma desvantagem ainda maior. Entre as boas fontes de ômega-3 estão salmão, cavalinha, atum, semente de linhaça, soja e nozes.

Nozes para você

Foi comprovado que consumir nozes várias vezes por semana reduz de 30 a 50% o risco de doenças cardíacas. Qual a quantidade a ser ingerida? Cerca de um punhado de nozes – 30g por porção – fornece uma ótima fonte de proteína, quase a mesma presente na maior parte das carnes. Essas sementes são excelentes como lanche e perfeitas para incrementar o sabor de saladas e de pratos quentes. Sua concentração de calorias é quase igual à de nutrientes, portanto você deverá ingeri-las em quantidades controladas. E irá gostar. Saboreá-las em pequenas porções lhe permitirá desfrutar mais do seu gosto especial do que se consumi-las aos montes. Lembre-se: esses alimentos contêm muitas calorias, por isso não exagere. As porções devem estar de acordo com as orientações do seu cardápio.

Você já conheceu a amêndoa, um item rico em nutrientes que está entre os Alimentos Poderosos. Existem mais sementes desse tipo na lista da Dieta de Sonoma – nozes, amendoins e nozes-pecã (embora outras variedades também possam ser usadas). Todas elas contêm os três tipos de gordura, incluindo as preferidas, as monoinsaturadas.

Há uma abundância de nogueiras em Sonoma, assim como nas regiões mediterrâneas. As nozes são a fonte vegetal mais rica (em oposição ao peixe) em ácidos graxos ômega-3. Além de protegerem o sistema cardiovascular, elas favorecem a função cognitiva (como a memória) e têm um efeito antiinflamatório que ajuda a combater problemas respiratórios, artrite e doenças de pele.

Nozes, amêndoas, amendoins e azeite de oliva extravirgem seriam alimentos proibidos numa dieta pobre em gordura. Na Dieta de Sonoma, no entanto, podem ser consumidos com freqüência.

PROTEÍNA

Haverá proteína de uma forma ou outra no seu prato em cada refeição, todos os dias. Se você observar a lista de Proteínas e Laticínios da Dieta de Sonoma (veja a página 80 para a Fase 1 e a página 97 para a Fase 2), constatará que há um número enorme de opções à sua disposição.

Carnes e peixes

A carne é uma proteína perfeitamente aceitável na Dieta de Sonoma. Ela tem a vantagem de ser uma proteína "completa", ou seja, fornece ao organismo todos os aminoácidos (componentes da proteína) de que ele precisa. Por outro lado, qualquer fonte específica de proteína vegetal, com exceção da quinoa e da soja, está longe de proporcionar esse benefício. Portanto, se você é vegetariano, precisa de mais variedade para garantir a ingestão de todos os aminoácidos. Além disso, a carne fornece o ferro alimentar, que é absorvido mais facilmente pelo organismo.

Na hora de escolher a carne, sua principal preocupação deve ser com a quantidade de gordura que ela contém: qualquer peça com alto teor de gordura saturada causará mais danos do que benefícios a você e à sua dieta.

A qualificação "magra" descarta de imediato diversos tipos de carne. Bacon, salsicha, carnes escuras de aves, miúdos e costela, por exemplo, contêm muita gordura. Você só consumirá essas variedades depois de atingir o peso almejado e, mesmo assim, apenas uma vez ou outra.

Isso ainda nos deixa muitas opções de carne, como a de cordeiro, de vitela, de boi, de porco e a carne branca das aves (sempre sem a pele). Porém nenhum desses tipos é naturalmente magro o suficiente para se ajustar à sua necessidade de perder peso. Será necessário que você escolha os cortes que tenham menos quantidade de gordura.

Obviamente, o peixe é outra alternativa. Além de conter menos calorias, apresenta toda a proteína e todos os nutrientes necessários e, em alguns casos, até os óleos ômega-3. Para obter ainda mais variedade, não se esqueça dos frutos do mar.

Compras na Dieta de Sonoma

Uma forma inteligente de consumir carne bovina é limitar-se aos cortes magros (e isso também vale para a carne de porco, de cordeiro e de vitela) especificados na lista de Proteínas e Laticínios da Dieta de Sonoma (veja a página 80 para a Fase 1 e a página 97 para a Fase 2), que foram cuidadosamente selecionados. Um corte desse tipo pode apresentar uma quantidade de gordura quatro vezes menor e fornecer mais proteína com metade das calorias. É assim que se perde peso.

Ovos

Os ovos são outra boa fonte de proteína. Embora não forneçam tanta proteína por caloria quanto a maior parte das carnes, quase toda a sua gordura é monoinsaturada. E mais: a gema é uma boa fonte de luteína, um carotenóide que é facilmente absorvido pelo organismo e que preserva a visão. Ele também é encontrado no espinafre e em outras hortaliças verdes.

A propósito, a injusta reputação que os ovos têm de elevar os níveis de colesterol na corrente sangüínea foi totalmente desmentida. Um estudo recente revelou que não há diferença no risco de doenças cardíacas entre as pessoas que consomem um ovo por semana e aquelas que ingerem esse alimento diariamente. Outra pesquisa concluiu que comer dois ovos por dia durante seis semanas não causa nenhum impacto nos níveis de colesterol. Entretanto, a maneira de prepará-los é importante. Consumi-los com grandes quantidades de manteiga, queijo e creme de leite ou na companhia de salsicha e bacon definitivamente não contribui para a perda de peso.

Outras opções de proteína

Os alimentos de origem animal não são as únicas fontes de proteína. A soja é a principal fonte de proteína de origem vegetal. É rica também em genisteína, um tipo de nutriente da categoria do fitonutriente isoflavona. Ela atua como estrogênio vegetal, e tudo indica que protege a mulher contra o câncer de mama e o homem contra o câncer de próstata.

A soja também tem a vantagem de ser comercializada em várias formas, o que lhe permite satisfazer paladares diversos. Além do feijão-de-soja e do tofu, há muitos itens elaborados com esse vegetal. Os fabricantes de alimentos naturais conseguiram usar a soja para imitar a textura e o sabor de uma interessante seleção de produtos de carne, entre os quais o hambúrguer e o bacon. O *edamame*, que é a soja verde e fresca, é excelente como salgadinho, em saladas e com um *mix* de grãos.

Você também pode usar determinadas leguminosas e feijões como proteína, incluindo grão-de-bico, lentilha, feijão-de-lima, feijão-preto, feijão-mulatinho e feijão-fradinho. Esses alimentos são, em sua maior parte, carboidratos, portanto sua proporção proteína/caloria não é ideal. Porém são uma opção de proteína razoável na Fase 2 para os vegetarianos.

Laticínios, como queijo e leite, são ricos em proteína. No entanto, estão em listas separadas das outras proteínas e não podem ser utilizados para suprir a necessidade protéica nas orientações das refeições. Só os consuma quando forem especificamente mencionados.

Os laticínios não são um componente de destaque da Dieta de Sonoma. Como costumam apresentar muita gordura saturada, suas porções são limitadas. Você pode acrescentar leite desnatado aos cereais que ingerir pela manhã e, de vez em quando, optar por queijos que contêm menos gordura, como o de cabra, o mussarela, o parmesão e o cottage light. Procure também por versões light dos queijos prato e cheddar. Além disso, ocasionalmente você poderá utilizar pequenas quantidades de queijos de sabor forte, como o *blue cheese* ou o gorgonzola, para incrementar as refeições.

Fase 1

Provavelmente agora você tem uma boa noção das qualidades especiais que garantem o sucesso desta dieta. Já conhece a abordagem que a distingue dos demais programas alimentares. Sabe quais são os alimentos indicados. Está ciente da sua ênfase na grande melhoria da saúde, que caminha de mãos dadas com a perda de peso.

Chegou a hora de começar. Pronto para perder alguns quilos?

A dieta terá início com a Fase 1, a primeira das suas três etapas. Cada uma delas foi elaborada de forma um pouco diferente, baseada no que é melhor para você e para seu organismo em todos os trechos do caminho.

A Fase 1 dura apenas 10 dias. O principal objetivo nesse período é apresentá-lo ao prazer das refeições boas, mas simples. Você começará imediatamente a apreciar deliciosos cafés da manhã, almoços e jantares preparados com os saudáveis alimentos integrais.

Sua atitude no que diz respeito à alimentação mudará de forma geral. A refeição deixará de ser algo que você ingere depressa, sem pensar muito. Ao contrário, será apreciada como uma dádiva preciosa da natureza a ser saboreada lentamente.

Ao mesmo tempo, a Fase 1 o livrará dos três hábitos alimentares destrutivos que engordam. O primeiro é a dependência excessiva de alimentos altamente refinados que transformam o metabolismo numa fábrica de produção de gordura corporal. Sobremesas açucaradas, pão branco, bolachas, cereais com açúcar e produtos do gênero serão substituídos por alternativas igualmente satisfatórias, sobretudo grãos integrais.

O segundo hábito que você perderá é o de consumir ao acaso qualquer coisa que esteja disponível, seja fácil de obter ou conhecida. Isso pode ser conveniente na hora, mas não proporciona saciedade a longo prazo e engorda. Refeições balanceadas, com a combinação correta de tipos de alimentos, são um pré-requisito para o emagrecimento saudável. Elas são fáceis de preparar, pois já fizemos todo o trabalho para você. Sua única tarefa será seguir os cardápios, que são bastante simples, e usar as ilustrações dos pratos e as listas de alimentos que apresentamos.

O terceiro mau hábito que você eliminará é comer demais. Alimentar-se de modo excessivo não é algo que a maior parte das pessoas faça intencionalmente. Muitos indivíduos que estão acima do peso não têm noção de que exageram nas porções. Para eles, tudo parece normal.

Para mantê-lo na direção certa, apresentaremos instruções claras e precisas sobre o espaço que cada tipo de alimento deve ocupar no prato. Não há como errar.

Nos 10 dias da Fase 1, o emagrecimento será mais acelerado. No início, sua atenção estará mais voltada para o tamanho das porções e para a ausência dos antigos hábitos alimentares. Porém em pouco tempo você descobrirá o prazer proporcionado pela comida de qualidade e pelas receitas no estilo da Dieta de Sonoma. E será inspirado pelo emagrecimento rápido. Sentirá sua vida mudando para melhor.

PRONTO PARA A DIETA DE SONOMA?

O dia em que você começar a seguir os cardápios da Fase 1, apresentados neste capítulo, será considerado o Dia 1 da sua dieta. Haverá 10 dias assim na Fase 1. Porém antes do Dia 1 vem o Dia 0. Será a data da diversão.

O Dia 0 é aquele em que você transforma sua vida – abre mão dos antigos hábitos prejudiciais e desencorajadores que o fazem engordar e caminha na direção de um novo estilo de vida, o da alimentação saudável para o emagrecimento. Você fará isso com um gesto simbólico que também servirá como preparação para sua nova maneira de comer. Será necessário que providencie uma lata de lixo, recipientes para acondicionar material reciclável, muitas caixas e dinheiro para cerca de uma semana de compras no supermercado.

Leve a lata de lixo e os recipientes para a cozinha. Eles têm que estar vazios (embora não devam ficar assim por muito tempo). Coloque as caixas na mesa da cozinha ou da copa. Você as encherá com doações para a comunidade carente mais próxima.

Livre-se do que é velho...

Agora, comece a ver os alimentos que estão na despensa e nas prateleiras. Os produtos embalados são os que têm menos probabilidade de permanecer na sua cozinha após essa limpeza, portanto comece por eles. Verifique a lista de ingredientes. Se o alimento contiver farinha de trigo branca refinada ou qualquer outro grão processado, coloque-o numa das caixas. Caso ele apresente gordura hidrogenada ou açúcar, livre-se dele também.

Provavelmente você descartou cada pão, bolo, biscoito, bolacha e doce que encontrou na cozinha. Muito bem. O objetivo era esse.

E todos aqueles pacotes de espaguete e de outras massas feitas com farinha de trigo branca refinada? Fora. Os pacotes de macarrão instantâneo e os queijos gordurosos? Fora. Os pacotes de arroz branco que se acumularam porque você comprou mais deles quando ainda tinha alguns fechados? Fora. Os sucrilhos cobertos de açúcar, os folheados de frutas e qualquer cereal não integral, com açúcar ou não? Fora também.

Sacos de açúcar com certeza devem ser retirados. Esconda o mel – esse alimento só será permitido na Fase 2. Batata de saquinho? Salgadinhos? Tchau. Achocolatados? Adeus.

O conteúdo da gaveta ou prateleira de condimentos é seguro. Assim como o suprimento de café e chás.

Agora preste atenção nas garrafas e vidros. Procure sobretudo gorduras saturadas ou hidrogenadas nos rótulos nutricionais. Descarte a maionese, a não ser que ela seja light ou feita com óleo de canola, como a da marca Goodlight. A mostarda pode ficar, assim como qualquer tipo de vinagre. Porém todos os molhos cremosos para salada têm que ser descartados. O mesmo deve ser feito com qualquer óleo que não seja azeite de oliva extravirgem, óleo de nozes ou óleo de canola.

Refrigerantes comuns, sucos de frutas, drinques à base de frutas, geléias, gelatinas, melado, marshmallow, doces, balas – tudo isso precisa sair da sua despensa.

No caso do refrigerador, as regras são as mesmas. Todo produto que contenha farinha de trigo branca refinada, gordura saturada ou hidrogenada e açúcares precisa ser descartado. Isso engloba margarina, manteiga, requeijão, creme de leite, iogurte e sorvete. Qualquer leite que não seja desnatado deve ser eliminado. Os ovos podem ficar, assim como as carnes que estejam na lista de Proteínas e Laticínios da Dieta de Sonoma. Porém as carnes gordas e aquelas que não são permitidas neste programa alimentar, como bacon, salsicha e similares, têm que desaparecer.

Limpeza na cozinha

Os seguintes alimentos devem sair:

- Açúcar
- Pães (exceto os de trigo integral)
- Bolos e misturas para bolo
- Biscoitos
- Bolachas (exceto as de trigo integral)
- Balas e outros doces embalados
- Arroz branco
- Cereais (exceto os de trigo integral)
- Salgadinhos
- Maionese comum
- Molhos cremosos para salada
- Óleos (exceto azeite de oliva extravirgem, óleo de nozes e óleo de canola)
- Refrigerantes comuns
- Sucos de frutas
- Geléia e gelatina
- Margarina
- Manteiga
- Queijos gordurosos e requeijão
- Sorvetes
- Leite (exceto o desnatado)
- Carnes gordas, como bacon e salsicha
- Frutas (a não ser que sejam congeladas para uso posterior)

Verifique as listas de ingredientes nas embalagens dos produtos. Retire-os da cozinha se nessa relação você encontrar os seguintes:

- Trigo (em grãos) refinado
- Grãos processados
- Gordura hidrogenada
- Gordura saturada
- Açúcar
- Farinha de trigo branca refinada

No caso das hortaliças e frutas, será necessário pensar um pouco. Você não consumirá frutas durante 10 dias, portanto qualquer fruta fresca que não dure esse tempo deverá ser descartada. No entanto, reserve as que podem ser congeladas, como banana e frutas vermelhas. E, obviamente, as que foram compradas congeladas poderão ser mantidas.

Quanto às hortaliças, verifique as listas da Dieta de Sonoma. As que pertencem ao Nível 1 permanecerão. Você as consumirá imediatamente. Mas, se elas estiverem nas listas dos Níveis 2 ou 3, não poderão ser ingeridas durante 10 dias. Hortaliças não duram tanto tempo.

Agora, a inspeção final. Examine o que sobrou e certifique-se de que cada um dos itens que permaneceu está em algum lugar nas listas de alimentos aceitáveis da Fase 1 – ou seja, em qualquer uma delas, exceto nas de frutas e hortaliças dos Níveis 2 e 3. Se ele não estiver ali ou se for um doce... bem, você sabe o que fazer. Descarte-o.

Talvez você tenha pensado no seguinte: não seria mais divertido eliminar todos esses alimentos proibidos num último banquete de despedida? Pode ser. Mas isso não estaria de acordo com o espírito do estilo de vida da Dieta de Sonoma.

Lembre-se: você não está apenas se livrando dos alimentos que engordam. Está fazendo uma declaração sobre sua nova forma de viver e sobre a alimentação que adotará de agora em diante.

O que as pessoas estão dizendo sobre a Dieta de Sonoma...

"Já perdi 5kg, mas vou emagrecer mais. Gosto de abrir a despensa e a geladeira e ver que posso comer tudo o que está ali. Ter a cozinha 'pronta para a Dieta de Sonoma' elimina as tentações e poupa tempo na hora de preparar a comida. Estou surpresa com o fato de que os pratos elaborados com grãos sejam os meus favoritos, pois eles são novos para meus hábitos alimentares. E, embora isso possa parecer um pouco entediante, como hortaliças em todas as refeições."

Jean, 57 anos, perdeu 5kg.

Vivendo com o novo

Sua cozinha ficou praticamente vazia. Agora vamos reabastecê-la. Mas com o quê?

As melhores diretrizes são as listas de alimentos da Dieta de Sonoma (veja as páginas 80 e 81), como a de Grãos, a de Proteínas e Laticínios, a de Gorduras, e assim por diante. Tudo o que elas contiverem poderá ser estocado.

Mas lembre-se: você seguirá os cardápios da Fase 1 durante os próximos 10 dias, portanto há alguns limites extras. Por exemplo: por enquanto não compre frutas nem doces, mesmo que estes últimos não contenham açúcar. Adquira apenas as hortaliças da lista do Nível 1 – as dos Níveis 2 e 3 devem esperar até à Fase 2.

Compre hortaliças em quantidade suficiente para cinco dias. Depois, reabasteça a cozinha para os últimos cinco dias da Fase 1. Isso é importante porque os nutrientes são mais potentes quando as hortaliças maduras são consumidas num prazo curto. E não se esqueça da variedade. Lembra-se das categorias das cores de que falamos no último capítulo? Chegou sua vez de fazer algumas compras coloridas.

Refazer o estoque de proteínas é uma parte fácil dessa tarefa, afinal as opções são muitas. Por onde começar? Provavelmente, você desejará ter uma dúzia de ovos. Quanto ao restante, deixe a variedade guiá-lo e compre o suficiente para duas ou três porções moderadas de proteína por dia. Como os alimentos poderão ser congelados, você terá aquilo de que precisa para os 10 dias – talvez carne bovina magra, peixe e ave. Armazene também leguminosas, como feijões, lentilha e soja. Elas serão uma boa pedida quando você não estiver com vontade de comer carnes vermelhas, aves, peixes nem ovos.

Vá devagar – pelo menos uma vez por dia

O segredo do emagrecimento não é apenas o que você come ou o quanto come, mas de que maneira come. Há indicações de que engordamos mais quando nos alimentamos na rua, em pé ou diante da geladeira do que quando comemos sentados, apreciando uma refeição completa e refinada.

Há até evidências mais seguras de que as pessoas que comem rápido tendem a se alimentar em excesso, uma vez que continuam ingerindo o alimento mesmo quando o estômago já está enviando para o cérebro a mensagem de que está satisfeito. Comer correndo desencadeia também os mesmos problemas de controle da glicose no metabolismo, uma causa importante do excesso de gordura corporal.

Alimentar-se sem estresse e com prazer é importantíssimo na Dieta de Sonoma. Você deve saborear a refeição, deliciar-se e apreciar cada mordida dos alimentos deliciosos que estiver ingerindo. Não poderá fazer isso com pressa. Será necessário que desacelere seu passo e torne as refeições uma parte prazerosa da vida.

Sabemos que no ritmo do mundo de hoje isso nem sempre é fácil. De qualquer forma, essa deve ser sua meta. Durante a Fase 1, comprometa-se a fazer pelo menos uma refeição por dia no estilo de vida da Dieta de Sonoma – calma, sem estresse e prazerosa. Nessa hora, não tenha pressa, não coma fora de casa nem em pé, não se alimente falando no telefone nem assistindo à televisão.

Um modo lógico de planejar suas compras de proteína – e de todos os outros alimentos – é seguir os cardápios sugeridos para os 10 dias da Fase 1. Nas páginas seguintes a esses guias, você encontrará as receitas de que precisará e poderá usá-las para planejar a lista de compras.

Como fonte de gordura, você deverá ter, além do óleo de canola, uma garrafa de azeite de oliva extravirgem. Existem diversas marcas no mercado. Assim como o vinho, esse produto é encontrado em muitas variedades, de acordo com a região onde é produzido, e apresenta diferenças sutis de sabor. Compre garrafas pequenas para ter a chance de experimentar várias opções durante as semanas seguintes. O abacate também poderá ser usado como fonte de gordura.

Armazene ainda as quatro nozes aprovadas como fontes de gordura – amêndoas, nozes, nozes-pecã e amendoins. Compre essas sementes inteiras e não processadas. Se preferir, adquira-as com casca, mas não salgadas, fritas nem misturadas com outros ingredientes. Você deverá consumi-las em seu estado natural.

As opções de laticínios são limitadas. Compre mussarela e parmesão light. Concentre-se em descobrir queijos saborosos dos quais você não precise usar muito para apreciar todo o sabor. O queijo cottage também é bom, mas escolha a versão light. Você pode acrescentar leite desnatado aos cereais integrais pela manhã. O iogurte natural desnatado como alternativa ao leite desnatado só poderá ser usado na Fase 2. Pense na possibilidade de tomar um suplemento de cálcio, pois a quantidade de laticínios na Fase 1 é restrita.

Obviamente, você precisa de grãos. Eles fazem parte da dieta desde o começo. Consulte as dicas da página 49 para comprar pães e cereais integrais verdadeiros. Certifique-se de que qualquer pão tenha pelo menos 2g de fibras por fatia e de que todo cereal apresente pelo menos 8g de fibras por porção. Para sugestões de grãos que não sejam nem pão nem cereal, veja as receitas da Fase 1 (a partir da página 169).

FASE 1

CAFÉ DA MANHÃ

Opção 1

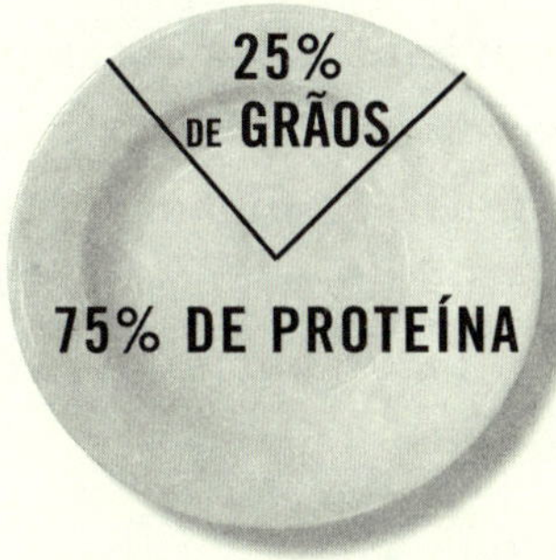

Prato de sobremesa

ou

Opção 2

Tigela com capacidade equivalente à de 2 xícaras

ALMOÇO

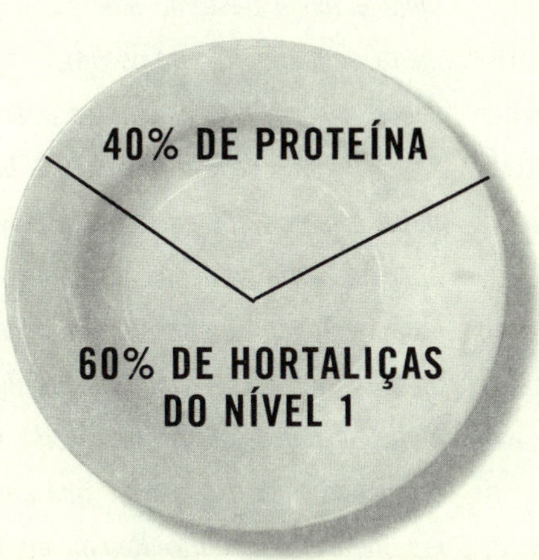

Prato comum

JANTAR

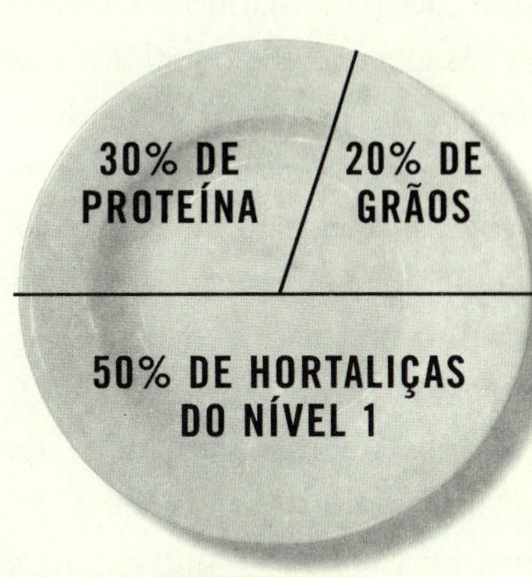

Prato comum

Seus pratos e sua tigela

Após abastecer a cozinha com um farto suprimento de alimentos da Dieta de Sonoma, você precisará saber que quantidade de comida será colocada nos pratos e na tigela.

No café da manhã, a tigela (para cereais com leite ou para qualquer outro alimento que não possa ser comido no prato de sobremesa) tem que conter o equivalente a 2 xícaras de líquido – se ela possuir uma capacidade maior, verifique até onde enchê-la para não ultrapassar a quantidade especificada. No almoço e no jantar, use um prato comum e siga as percentagens especificadas.

O CAMINHO DA FASE 1

Repetindo: o objetivo da Fase 1 é reajustar seu peso corporal naturalmente, estabelecer seus novos hábitos alimentares, apresentar você ao prazer das receitas deliciosas elaboradas com alimentos integrais e fazer com que se reacostume a ingerir porções de tamanhos razoáveis.

As exigências são grandes, mas tudo acontecerá no período de 10 dias. A transição ocorrerá rapidamente. Não será gradual. Você deixará para trás seus velhos hábitos e começará a emagrecer a partir do Dia 1.

Para que isso ocorra, a Fase 1 deve ser mais restritiva do que a Fase 2. As porções têm os mesmos tamanhos em ambas as etapas, porém as da Fase 1 apresentam menos calorias do que as da Fase 2. Esse é, de longe, o modo mais seguro de curá-lo do hábito de comer em excesso. Passos graduais simplesmente não funcionam. Mas a transição mais importante será tirá-lo da caravana açúcar/farinha de trigo refi-

O que as pessoas estão dizendo sobre a Dieta de Sonoma...

"Gosto muito desta dieta. Foi ótimo ter visto os resultados já na primeira semana. Também adoro estar comendo os alimentos que me satisfazem. Nunca sinto fome e tenho bastante energia. A primeira semana foi a mais difícil, mas, depois que meu organismo se adaptou ao novo estilo de vida, ficou tudo bem. Outra coisa de que gosto neste programa é não estar perdendo massa muscular à medida que emagreço. Estou ficando mais definido e, ainda assim, mantendo os músculos. A única coisa que estou perdendo é aquilo de que desejo me livrar: a gordura. Realmente não quero ser 'pele e osso'. Minha intenção é ter uma aparência saudável, e esta dieta está me ajudando nesse sentido."

Bruce, 29 anos, perdeu 11kg.

nada/pão branco, que causou tantos danos ao seu metabolismo. Você tem um hábito a romper.

No entanto, essa não será absolutamente uma experiência infeliz. Ao contrário do que estabelecem as dietas pobres em carboidratos e outros programas alimentares do gênero, os pães e cereais continuarão a ser consumidos, até mesmo na Fase 1 – porém nas suas versões integrais, cuja absorção é mais lenta. Elas o ajudarão a eliminar o hábito de comer pão branco.

Você tem que parar imediatamente de ingerir açúcar refinado. Mais uma vez: o hábito de consumir açúcar deve ser eliminado ou você continuará sentindo vontade de comer doces e não perderá peso. Embora a maior parte dos doces preparados com açúcares artificiais não tenha o mesmo efeito sobre o metabolismo, esses alimentos estão proibidos na Fase 1. Há um bom motivo para isso. A vontade de saboreá-los permanecerá se você não deixar de satisfazer seu desejo, mesmo que seja com itens adoçados artificialmente. Estudos científicos sugerem que até as bebidas dietéticas estimulam o apetite. Mas, caso você não consiga abrir mão do refrigerante, limite-se a beber duas latas por dia. Isso também vale para os adoçantes – consuma apenas dois pacotes diariamente.

Alimentação na Dieta de Sonoma

Eliminar todos os açúcares e doces que você vem consumindo desde a infância não será uma tarefa fácil. Mas lembre-se: quanto mais você ceder aos desejos, menos chances terá de superá-los. Contudo, sabemos como é difícil abrir mão dessas guloseimas de forma radical. Se você conseguir passar pela Fase 1 sem comer doces de qualquer espécie, esperamos que seja capaz de continuar a evitar açúcares refinados. Não agüenta mais? Consuma, no máximo, duas latas de refrigerante diet e dois saquinhos de adoçante artificial por dia. Não exceda essas quantidades e agradecerá depois.

Até as frutas estão proibidas na Fase 1. Mais uma vez, o motivo é seu conteúdo de açúcar. Em geral, os açúcares naturais das frutas (como a frutose) são benignos porque as fibras desses alimentos desaceleram sua absorção pelo sistema digestivo. Porém o objetivo mais importante da Fase 1 é eliminar seu vício de consumir açúcar. Dessa forma, tudo o que faça você se lembrar do sabor doce – até mesmo as frutas saudáveis – precisa ser deixado de lado nesse período.

Tudo vale a pena. Você ficará surpreso com a rapidez com que perderá a vontade de comer pão branco e doces. Seus esforços na Fase 1 serão recompensados nas Fases 2 e 3 e pelo resto da vida.

Você observará outras restrições na Fase 1 que não existem na Fase 2. Uma delas diz respeito ao vinho. Por motivos que explicarei no próximo capítulo, incentivamos o consumo de uma taça de vinho junto com uma refeição para os que apreciam essa bebida. Mas não durante a Fase 1. Há duas razões para isso. Uma delas é que o vinho, feito da uva, tem seu próprio tipo de açúcar. A outra é que a contagem mais baixa de calorias calculada para as refeições da Fase 1, de modo que seu emagrecimento comece logo, simplesmente não deixa espaço para o vinho. Portanto, espere 10 dias – eles passarão rápido.

As opções de hortaliças também são mais limitadas na Fase 1 – apenas as do Nível 1 são permitidas. Isso ocorre porque aquelas que estão listadas nos Níveis 2 e 3 contêm menos fibras e mais açúcares naturais. Não que isso seja uma característica negativa, mas ingerir esses alimentos não ajudará seu organismo a dar um basta no turbilhão metabólico, e essa é a principal prioridade da Fase 1.

Há uma hortaliça que não será incorporada à dieta por um bom tempo: a batata. Ela tem seus encantos e benefícios, mas sua alta concentração de amido a torna prejudicial. Você terá que esquecer esse alimento até atingir o peso desejado – e, mesmo depois disso, será necessário limitar a freqüência com que a consome.

O que beber

Na Dieta de Sonoma, não liberamos uma grande variedade de bebidas às refeições (embora recomendemos a ingestão de oito copos de 200ml de água por dia). A sensação de satisfação com o alimento é muito importante, e os líquidos não proporcionam isso. Na Fase 1, você poderá beber água, chás – como o chá verde (o mais saudável para o coração), o preto e os de ervas (como o de camomila) – e também café. Na Fase 2, se desejar, acompanhe uma das refeições com uma taça de vinho. Refrigerantes diet são permitidos, no entanto limite-se a duas latas por dia.

Por que não beber sucos de frutas? Porque eles fornecem os açúcares naturais das frutas sem as fibras e sem a dose completa de nutrientes. Ingeri-los não satisfaz nossa necessidade psicológica de mastigar, algo que a fruta proporciona. Quando tomamos sucos de frutas, estamos consumindo calorias, mas sem sentir o prazer que a mastigação e o ato de engolir nos proporcionam. Estudos mostram de forma segura que as calorias provenientes dessas bebidas acabam se somando à ingestão total diária de calorias.

Como montar o prato

As instruções alimentares da Dieta de Sonoma são tão simples que você será capaz de entendê-las num piscar de olhos. Basta examinar as ilustrações na página 73 e montar o prato e a tigela de acordo com elas.

Na Fase 1 há duas opções para o café da manhã. A primeira é montar o prato de sobremesa com 75% de proteína e 25% de grãos integrais. Uma boa pedida seria preencher o espaço destinado à proteína com um omelete feita com dois ovos e um pouco de presunto picado em cubos e completar os 25% destinados aos grãos integrais com uma fatia de torrada integral (sem manteiga). A segunda opção da Fase 1 para essa refeição lhe permite encher uma tigela com metade de laticínios e metade de grãos integrais. O modo mais simples de fazer isso é juntar um cereal integral, como o All Bran, da Kellogg's, e leite desnatado. Vamos lhe dar também a dica de uma terceira opção: encher o prato com 100% de proteína – um omelete de cogumelos, por exemplo.

Contanto que você não empilhe a comida nem repita a refeição, estará seguindo as recomendações da Fase 1.

No almoço e no jantar, as opções são mais substanciais. Você pode ver pelas ilustrações que existem duas maneiras de montar o prato comum – uma delas para o almoço e a outra para o jantar. Não importa que divisão você usará em cada uma dessas refeições, contanto que não seja a mesma (a repetição romperia o equilíbrio das proporções gerais).

Digamos que você escolha para o almoço a combinação que estabelece 40% de proteína e 60% de hortaliças. Você pode dividir o espaço destinado às hortaliças entre uma salada verde e tomates e brócolis no vapor. Uma boa opção para preencher os 40% de proteína pode ser um peito de frango grelhado.

A propósito, não se intimide com a precisão dos percentuais. Você pode interpretar 60% como um pouquinho mais do que a metade e 40% como um pouquinho menos do que a metade.

Lanches? Claro que sim

Sentir fome entre as refeições é prejudicial a seus esforços para perder peso. Você simplesmente ficará tentado a comer demais na hora do almoço ou do jantar.

Por isso, a Dieta de Sonoma permite os lanches. Mas, assim como no caso das outras refeições, eles são mais restritos durante a Fase 1 do que no restante da dieta. Entre o café da manhã e o almoço e entre o almoço e o jantar, você poderá fazer um pequeno lanche. Quando chegar à Fase 2, haverá muitas opções. Na Fase 1 há somente esta: uma hortaliça do Nível 1.

Permitimos uma exceção. Se você tem uma constituição física robusta ou se pratica exercícios com regularidade, levando uma vida fisicamente ativa, tem permissão para expandir um pouco o cardápio dos lanches. Veja algumas sugestões:

- 1/2 xícara de queijo cottage light com hortaliças cruas do Nível 1.
- 90g de homus (pasta de grão-de-bico com tahine) caseiro ou não, com hortaliças.
- 1 fatia média de queijo light com cenoura e aipo.
- 1 fatia de pão integral.
- 60g de peito de frango ou de peru, cozido.

Na Fase 2, essas e muitas outras opções estarão disponíveis. No momento, o ideal é tentar fazer lanches rápidos e simples – experimente 1 xícara de tiras finas de pimentão cru, um pouco de brócolis cru ou tomate em fatias com manjericão desidratado e outras ervas.

Seguindo as ilustrações, o prato do jantar deve ter 30% de proteína, 20% de grãos e 50% de hortaliças do Nível 1, uma vez que você escolheu a proporção 60-40% para o almoço. O que acha de preencher a metade do prato com hortaliças assadas, 20% dele com arroz-selvagem e completar os 30% destinados à proteína com 100g de filé mignon grelhado?

E a gordura?

Nos pratos não há indicações de percentuais para as gorduras adicionadas. Você tem direito a três porções diárias desse componente alimentar, distribuídas da forma que melhor lhe convier. Uma porção de gordura equivale a 1 colher de chá de azeite de oliva, a 11 amêndoas, a 14 amendoins, a 10 metades de nozes-pecã ou a 7 metades de nozes.

Um exemplo do uso das gorduras por um dia seria: 1 colher de chá de azeite de oliva extravirgem sobre uma salada de espinafre, 1 colher de chá de azeite de oliva sobre uma porção de hortaliças assadas e 11 amêndoas misturadas à salada ou como lanche.

Escolha ou siga

No começo da seção dedicada às receitas (veja a página 165) você encontrará um guia para cada refeição ao longo dos 10 dias da Fase 1. Isso tem a óbvia vantagem de eliminar a necessidade de estimativas. Garantimos também que você fará refeições deliciosas e saudáveis, perfeitamente planejadas para permitir seu emagrecimento. Cada recomendação o levará a uma receita do livro inspirada na culinária de Sonoma.

Não é obrigatório seguir o guia. Se você preferir escolher as refeições de acordo com seu gosto pessoal, faça isso. Desde que respeite os percentuais e opte pelos alimentos adequados à Fase 1, estará comendo segundo o estilo de vida proposto por esta dieta. E notará a perda de peso imediata.

Aproveite. A Dieta de Sonoma começa agora.

Uma força extra

Em qualquer dieta, sobretudo num programa de emagrecimento, é difícil obter todos os nutrientes de que precisamos por dia. Por isso, se você considerar adequado, tome um polivitamínico diariamente. Talvez ache importante ingerir também um suplemento de 500mg de cálcio. Converse com seu médico sobre suas necessidades específicas.

Fase 1

Hortaliças do Nível 1 da Dieta de Sonoma

Quantidade ilimitada

Abóbora, cozida
Abóbora-moranga
Abobrinha
Agrião
Aipo
Alho-poró
Aspargo
Berinjela, cozida
Brócolis, cru ou cozido
Broto de bambu
Brotos – alfafa, feijão-mulatinho, feijão-mungo, sementes de rabanete
Cebola, crua ou cozida
Cebolinha verde
Chuchu
Cogumelo, cru e cozido
Couve-crespa, cozida
Couve-de-bruxelas, cozida
Couve-flor, crua ou cozida
Couve-rábano
Erva-doce
Ervilha-torta
Espinafre, cru ou cozido
Folhas verdes, de qualquer tipo – Alface-romana, folhas de beterraba, folhas de mostarda, folhas de nabo, acelga, couve ou qualquer outro tipo de folha verde-escura, amaranto, rúcula, endívia
Pepino
Pimentão amarelo, vermelho ou verde
Quiabo, cozido
Rabanete
Radicchio
Repolho, cru ou cozido
Repolho-chinês, ou couve-da-china (*bok choy*)
Tomate, cru
Vagem e vagem-manteiga

Proteínas e Laticínios da Dieta de Sonoma

PROTEÍNAS

Aves – carne branca, sem pele; peito de peru; salsicha de peru
Carne bovina
Cortes magros – lagarto, filé mignon, alcatra
Carne de porco
Cortes magros – presunto, cozido ou defumado; presuntada; filé de porco; costeleta; lombinho canadense
Cordeiro – músculo dianteiro, pernil, músculo traseiro, lombo, paleta, quarto dianteiro
Feijões/leguminosas – limite o consumo a 1/2 xícara por dia na Fase 1 – grão-de-bico, feijão-preto, feijão-fradinho, lentilha, soja (*edamame*, tofu)
Frutos do mar – vôngole, camarão, caranguejo, lagosta, mexilhão, ostra, vieira
Ovos – 1 ovo inteiro = 2 claras
Peixes
Cortes magros: bacalhau, garoupa, hadoque, linguado, perca, tamboril
Gordura moderada: cherne, badejo, pescada, congro-rosa, atum, bagre, espadarte, vermelho (pargo), perca listrada, robalo, sardinha
Mais gordurosos: cavalinha, salmão, truta
Soja – proteína de soja texturizada,

hambúrguer de soja
Vitela – moída, pernil, lombo, paleta, filé

LATICÍNIOS
Leite desnatado – até 1 xícara no cereal, apenas no café da manhã
Queijo cottage light
Queijos light ralados – mussarela e parmesão – 30g

Grãos da Dieta de Sonoma

1/2 xícara = 1 porção
Arroz integral cozido
Arroz-selvagem
Aveia – grãos de aveia, aveia trilhada, farelo de aveia
Cereal de trigo integral, com 8g de fibras ou mais por porção (como o All Bran, da Kellogg's)
Cevada, cozida
Macarrão instantâneo, cozido
Massa de trigo integral, cozida
Pão de trigo integral, 1 fatia (2g de fibras ou mais por fatia)
Pipoca de microondas, sem manteiga*
Quinoa, cozida
Trigo – trigo moído, trigo para quibe e trigo em grãos (também cozidos)
*Para ser consumida somente como lanche.

Bebidas

Água, comum ou com gás
Café preto sem açúcar ou com até 2 pacotes de adoçante artificial e no máximo 1 colher de sopa de creme
Chá preto, chá verde ou chá de ervas, sem creme nem açúcar

Gorduras da Dieta de Sonoma

Até 3 porções por dia
1 colher de chá = 1 porção
Abacate – 1/4
Azeite de oliva
Óleo de canola

Nozes
Amêndoa – 11
Amendoim – 14
Noz – 7 metades
Noz-pecã – 10 metades

Temperos

Quantidade ilimitada
Condimentos – Açafrão, canela, cardamomo, cominho, cravo-da-índia, cúrcuma, curry, noz-moscada, pimenta vermelha em flocos, pimenta-de-caiena, pimenta-do-reino, sementes de aipo
Ervas – Alecrim, cebolinha, coentro, endro, erva-doce, estragão, hortelã, manjerona, manjericão, orégano, sálvia, tomilho
Alho
Baunilha
Capim-limão
Gengibre, raiz de gengibre
Mostarda (todos os tipos)
Pimentas chili, como a *jalapeño*
Raiz-forte
Suco ou casca de lima ou limão
Vinagre – balsâmico, de arroz

FASE 2

Bem-vindo à Fase 2, a parte principal da Dieta de Sonoma. Você permanecerá nela até atingir o peso desejado. Ela é o bife com batata frita deste programa alimentar – sem a batata frita.

Enquanto a Fase 1 o ajudou a passar por um período de transição de emagrecimento rápido, a Fase 2 fará com que você continue a perder peso, embora num ritmo não tão veloz. Mesmo assim, será um processo constante, saudável e notável – ao qual você poderá recorrer sempre que quiser, por toda a vida.

Na Fase 2 você desfrutará de todo o deleite do estilo de vida da Dieta de Sonoma. Portanto, é muito importante que você continue a fazer pelo menos de uma refeição diária um acontecimento calmo e agradável, uma ocasião que lhe dê a chance de saborear cada mordida sem pressa. E siga em frente com a prática de qualquer exercício físico que escolher (veja o capítulo "Acompanhe seu emagrecimento", a partir da página 98).

Mais do que qualquer outra coisa, a Fase 2 oferece variedade – uma mensagem que vem sendo transmitida desde o começo deste livro não apenas pelo sabor extra que proporciona às refeições como por seu papel na saúde e no emagrecimento. Agora, vamos levar a variedade ao próximo nível. Suas opções alimentares vão aumentar significativamente, bem como as sugestões de receitas.

Na Fase 2 você poderá consumir todos os alimentos apresentados anteriormente. As frutas serão incluídas na sua alimentação diária. Dois novos níveis de hortaliças também serão incorporados. Existem diversas opções de frutas e hortaliças, e você será incentivado a ingeri-las em grande quantidade.

O iogurte desnatado (natural) será uma nova opção entre os laticínios. Você poderá saborear alguns doces sem açúcar, se ainda tiver vontade de comer esses alimentos. Talvez até um pequeno pedaço de chocolate amargo de vez em quando. O mel também estará de volta e será particularmente útil para adoçar algumas receitas da Dieta de Sonoma. Uma taça de vinho estará liberada para acompanhar uma de suas refeições diárias. Os lanches também serão um pouco mais variados e substanciais.

A lista de Grãos da Dieta de Sonoma permanece a mesma na Fase 2, porque já inclui a maior parte dos grãos integrais que são encontrados com facilidade. A quantidade liberada de gordura também será idêntica à da fase anterior – três porções por dia, que podem estar na forma de azeite de oliva extravirgem, óleo de canola, nozes, amêndoas, amendoim, nozes-pecã e abacate. (Contudo, lembre-se de que essas gorduras são acrescentadas às gorduras presentes nas suas fontes de proteína e em outros alimentos.)

No geral, é provável que você considere a Fase 2 muito mais fácil do que a Fase 1, pois ela foi desenvolvida para ser cumprida a longo prazo. Além disso, a variedade aumentará bastante. Mais satisfação e variedade o deixarão mais confiante. E manter a abordagem da Dieta de Sonoma para perder peso tem tudo a ver com consumir porções satisfatórias de alimentos deliciosos e saudáveis.

Talvez você atinja o peso desejado em algumas semanas, alguns meses ou até mais. O ritmo varia de pessoa para pessoa. No entanto, a Fase 2 não será cansativa nem lhe exigirá sacrifícios, independentemente do tempo que durar. Pense nela como a possibilidade de empreender novas aventuras na área da alimentação, e não como uma dieta. Os quilos extras vão desaparecer de qualquer maneira.

UM GUIA ALIMENTAR PARA A FASE 2

As instruções para a Fase 2 são até mais simples do que as estabelecidas para a Fase 1. Não será necessário inspecionar a cozinha novamente, mas estará na hora de estocar algumas das novas frutas e hortaliças que você será incentivado a consumir.

Escolha também garrafas de bons vinhos que tenham preços razoáveis. Invista em rolhas especiais para não desperdiçar o que não beber. (Quando bem vedado, o vinho conserva-se bem por alguns dias.)

Você usará exatamente os mesmos pratos e tigelas da Fase 1. Ao examinar as ilustrações dos pratos, verá que as opções para o café da manhã são basicamente as mesmas. Mas agora há uma quarta sugestão (não ilustrada) – uma porção de laticínios. Isso corresponde essencialmente a um café da manhã com iogurte natural light. Se você gosta de iogurte, é uma pedida excelente. Caso contrário, poderá escolher entre a opção do leite com cereais, o prato com 75% de proteína (com 25% de grãos – provavelmente uma fatia de pão integral ou uma torrada integral) e o prato com 100% de proteína. Lembre-se de que os ovos estão na categoria das proteínas.

No almoço e no jantar, as proporções estabelecidas para o prato serão as mesmas, mas talvez você queira escolher alimentos diferentes nessas duas refeições. Divida o prato em quatro partes e preencha uma delas com grãos, uma com hortaliças, uma com frutas e uma com proteína ou laticínio (que pode ser um queijo light, como mussarela ou cottage).

Em relação às gorduras, empregue as mesmas quantidades indicadas para a Fase 1 – salpique nozes sobre a salada ou use um pouco de azeite de oliva, seja para cozinhar as hortaliças ou para incrementar seu sabor como parte do molho.

Criamos muitas receitas para orientá-lo. Lembre-se de que elas contêm as combinações mais saborosas e benéficas. Portanto, aproveite-as.

Há também a opção de seguir o guia de refeições, que lhe mostra exatamente o que comer ao longo do dia. O guia fornece cardápios diferentes para duas semanas. Se, após esse período, você ainda não tiver alcançado o peso desejado (e provavelmente não terá, a não ser que estivesse muito pouco acima do peso), basta repetir o ciclo.

A CONEXÃO DAS FIBRAS

A Fase 2 parecerá mais fácil também por outro motivo. A essa altura, sua vontade de comer açúcar e farinha de trigo branca refinada já terá diminuído. Talvez você tenha até descartado completamente tais alimentos. Caso contrário, não se desespere. Isso acontecerá em breve.

Usar a Fase 1 para se livrar do hábito de comer pão branco e doces renderá dividendos na Fase 2. E, sem nenhuma dúvida, "hábito" é a palavra adequada para descrever esse comportamento. Há maneira melhor de classificar seu costume de consumir uma barra de chocolate e refrigerantes todos os dias? Ou de devorar um pacote de biscoito enquanto assiste à televisão ou lê um livro?

FASE 2

CAFÉ DA MANHÃ

Opção 1

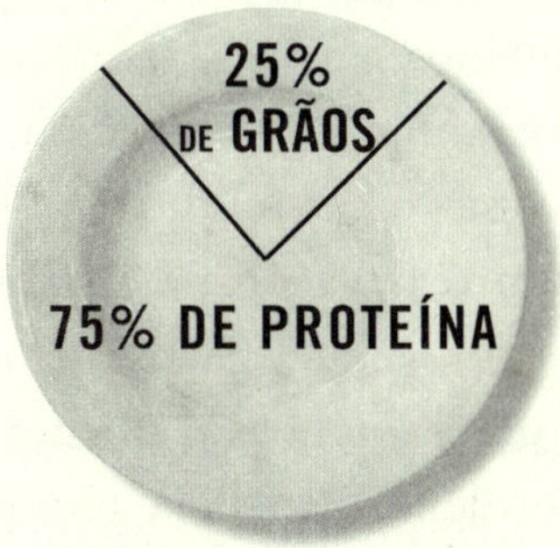

Prato de sobremesa

ou

Opção 2

Tigela com capacidade equivalente à de 2 xícaras

ALMOÇO E JANTAR

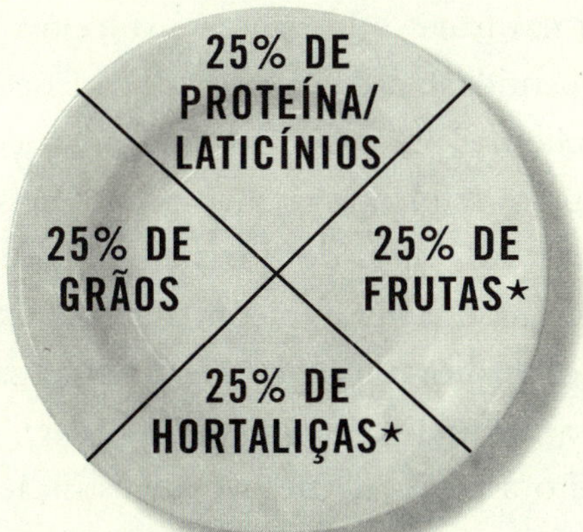

Prato comum

★ Escolha entre os alimentos dos Níveis 1, 2 e 3.

Na Fase 2 você continuará a banir o açúcar refinado da alimentação. Agora, porém, poderá substituí-lo por frutas doces de grande valor nutritivo, como o morango. Você terá trocado produtos de farinha de trigo branca refinada por grãos integrais. Apenas essas duas mudanças já são muito importantes para que a Fase 2 dê resultados.

O benefício mais relevante dessas duas trocas inteligentes, porém, é seu efeito sobre o metabolismo, isto é, a forma como o organismo processa os alimentos e os transforma em energia. Mais um vez: o açúcar e a farinha de trigo branca refinada convertem-se em açúcar no sangue (glicose) e depois, com muita rapidez, em gordura corporal. Os grãos integrais e a maior parte das frutas e hortaliças, no entanto, são digeridos de forma lenta e têm menos probabilidade de se transformar em gordura corporal. As fibras são o principal motivo dessa diferença. Consumir alimentos ricos nesses componentes é também uma forma natural de saciar a fome. Com o tempo, você perceberá os benefícios de uma digestão mais vagarosa ao verificar seu peso na balança.

Fibras a seu favor

As fibras são mais abundantes em grãos integrais, leguminosas, hortaliças e frutas. Não por coincidência, esses itens constituem a base da Dieta de Sonoma. A presença das fibras nas frutas e hortaliças é o motivo pelo qual você pode comer uma grande quantidade desses alimentos na Fase 2, embora contenham açúcares naturais. Também é por causa das fibras que aceitamos os grãos integrais e proibimos os grãos refinados, que são pobres nesses componentes.

Na verdade existem dois tipos de fibras alimentares: as que são solúveis em água e as que não são. Em geral (e com algumas exceções importantes), os grãos integrais e as hortaliças contêm fibras não solúveis. Nozes, sementes, leguminosas e frutas contêm fibras solúveis.

No que diz respeito à perda de peso, essa distinção não faz muita diferença. Todas as fibras ajudam na lenta liberação do açúcar no sangue. De qualquer forma, na Fase 2 você consumirá uma quantidade substancial desses dois tipos de fibra, pois haverá uma grande variedade de alimentos de origem vegetal na sua alimentação.

Fibras para melhorar a saúde

Assim como quase todos os alimentos da Dieta de Sonoma, as fibras têm uma função complementar, auxiliando no emagrecimento e protegendo a saúde. Há uma ligação óbvia entre as dietas ricas em fibras e a prevenção da diabetes, que se caracteriza pela incapacidade que o organismo apresenta de processar adequadamente os níveis de açúcar no sangue. Não apenas a própria perda de peso reduz o risco da diabetes como há indicações de que as dietas que privilegiam grãos integrais cheios de fibras diminuem as chances de ocorrência dessa doença.

Como nos mostram os povos mediterrâneos, as fibras protegem contra problemas cardíacos. De acordo com um estudo de Harvard realizado com 40 mil indivíduos, o alto consumo de fibras está associado a um risco 40% menor de doenças cardiovasculares, comparado ao baixo consumo de fibras.

As fibras solúveis, em especial, reduzem os níveis de colesterol no sangue. Por isso, o mingau de aveia é uma ótima opção para o café da manhã – a aveia é um dos poucos grãos com mais fibras solúveis do que não solúveis. Por esse motivo, ela ao mesmo tempo reduz o colesterol de forma eficaz, desacelera a digestão e aumenta os níveis de energia.

E não ignore os benefícios gastrintestinais das fibras. Elas ajudam a evitar inflamação intestinal e são também conhecidas por sua capacidade de aliviar e até evitar a constipação. Mais uma vez: as fibras dos grãos, sobretudo as do farelo de trigo e as do farelo de aveia, parecem surtir mais efeito.

O índice glicêmico

Naturalmente, nem todos os alimentos de origem vegetal têm a mesma quantidade ou tipo de fibra. Tampouco apresentam a mesma quantidade e tipo de açúcar. Portanto, diferentes frutas, hortaliças, grãos e outros alimentos de origem vegetal elevam o nível de açúcar no sangue em velocidades e quantidades distintas.

Os especialistas sugeriram uma forma de medir essas taxas. Trata-se do índice glicêmico. Em linhas gerais, o conceito atribui ao açúcar o índice arbitrário de 100 e mede o índice de todos os outros alimentos com relação a ele. Quanto maior o número, mais rápido o alimento eleva os níveis de açúcar no sangue. E, assim, mais depressa esses níveis caem, à medida que a insulina entra em ação para controlar o açúcar.

Alimentos com índice glicêmico (IG) mais baixo metabolizam-se mais lentamente, transformam-se em gordura corporal com menos rapidez e proporcionam maior sensação de saciedade. Por exemplo: a batata assada tem IG alto – em geral 85. Espinafre e brócolis têm um IG praticamente igual a zero.

Em sua maior parte, os alimentos com IG alto devem ser evitados – como pão branco, cereais industrializados refinados e açúcares. Geralmente, os alimentos com IG baixo são os preferidos.

Porém, por mais útil que o índice glicêmico possa ser, não será necessário pensar nele na Dieta de Sonoma. Já fizemos as medições e classificações de todos os alimentos para você. Sua tarefa é escolher seus itens favoritos, montar o prato com as quantidades certas e aproveitar.

Misture e combine

Quando você vir alimentos ou combinações de alimentos diferentes nas receitas, saiba que estão lá por um motivo. As misturas e combinações foram cuidadosamente planejadas para proporcionar os máximos benefícios. De algo simples, como nozes salpicadas sobre a salada, até pratos mais complexos, como misturar carne bovina magra e um vinagrete cítrico numa fritada de hortaliças, tudo isso é resultado do trabalho de nutricionistas especializados no processo de emagrecimento.

Um item problemático como a massa, por exemplo, fornece uma clara demonstração da abordagem da Dieta de Sonoma no que se refere à saúde e à perda de peso; basta examinar as receitas de pratos com esse ingrediente. Neste programa alimentar, a massa transforma-se num alimento que contribui para o emagrecimento saudável por quatro motivos. Primeiro, consumimos sua versão integral. Segundo, a preparamos com ingredientes que desaceleram a liberação de açúcar no sangue. Terceiro, limitamos o uso de gorduras saturadas em seu preparo (como as encontradas nos queijos ricos em gordura) e usamos, por exemplo, versões light de mussarela e parmesão. Quarto, a ingerimos de forma lenta e em porções controladas.

AS FRUTAS ESTÃO DE VOLTA

Um dos maiores sacrifícios exigidos na Fase 1 é deixar de consumir frutas durante 10 dias. Isso está estritamente relacionado ao açúcar. As frutas têm esse sabor maravilhoso por causa do seu conteúdo de açúcar, sob a forma de frutose. O mais benéfico de todos os açúcares, a frutose é liberada lentamente na corrente sangüínea e sem efeitos adversos.

No entanto, açúcar é açúcar. Forçá-lo a eliminar tudo o que contém açúcar era uma prioridade tão grande na Fase 1 que não queríamos que você consumisse nenhum alimento que o fizesse se lembrar do sabor desse alimento. Sabemos que abrir mão por 10 dias das propriedades benéficas das frutas para a saúde e o emagrecimento foi um preço alto a pagar, mas vale a pena. Você só atingirá o peso pretendido ou ficará realmente saudável depois que sair do círculo vicioso açúcar/farinha de trigo refinada/pão branco.

Na Dieta de Sonoma você consumirá duas porções de fruta por dia na Fase 2. No caso das frutas de tamanho médio (maçã, laranja, pêssego, etc.), uma porção corresponde a uma unidade. No caso das frutas maiores (como papaia e abacaxi) e das frutas vermelhas, da uva e similares, uma porção corresponde a 1/2 xícara da fruta fatiada.

Há dois níveis de frutas, com base em seu conteúdo de calorias e de açúcares naturais. Não há frutas do Nível 1, pois esses alimentos não são permitidos na Fase 1. Portanto, as frutas são encontradas somente nos Níveis 2 e 3. As frutas do Nível 3 (como banana, figo, manga e pêssego) contêm mais açúcar e/ou menos água, portanto sua quantidade de nutrientes por caloria é menor. Uma das suas porções diárias de frutas pode vir desse grupo, mas a outra deve ser do Nível 2.

A tentação das frutas

Como você sabe, morango e uva fazem parte da lista dos Alimentos Poderosos da Dieta de Sonoma. São também exemplos de como uma fruta pode servir de sobremesa no jantar. Embora essas duas que acabamos de citar estejam no topo da lista, elas não são as únicas frutas poderosas. Todas as que são recomendadas na Dieta de Sonoma têm constituições químicas benéficas à saúde, e a maioria delas as apresenta em quantidades que se igualam às dos Alimentos Poderosos. Quase todas proporcionam proteção ao coração.

Um ponto a ser lembrado é a natureza sinérgica dos nutrientes de todas as frutas – ou seja, eles funcionam em conjunto para fortalecer o coração e torná-lo mais saudável. Por isso, o ideal é que as frutas sejam compradas inteiras, frescas e maduras. Assim, você obterá cada grama de benefício de tudo o que consumir.

Como mencionamos antes, optar pelos sucos de frutas não é uma boa idéia. Os sucos industrializados geralmente são destituídos dos nutrientes originais e recebem açúcar. Até os melhores sucos feitos na hora comprometem o conceito de "alimento poderoso" da Dieta de Sonoma. Eles não proporcionam a sensação de "comer com satisfação" porque não há mastigação envolvida nesse processo. Portanto, o suco geralmente acaba acrescentando calorias. Isso desacelera o ritmo da perda de peso.

Maçã: uma alternativa poderosa

Use a maçã como um item alternativo da lista dos Alimentos Poderosos da Dieta de Sonoma. Quando você come uma maçã fresca e crocante, está consumindo uma grande quantidade de antioxidantes que combatem doenças. Apenas as frutas vermelhas e as ameixas contêm mais antioxidantes do que a maçã. Ela fornece também uma dose dupla de fibras, a parte não digerida de seus carboidratos que facilita a eliminação dos resíduos e das toxinas do organismo. Uma maçã típica contém pelo menos 3g de fibras.

Tenha cuidado com frutas em conserva, pois elas costumam conter açúcar, que é proibido. Muitas vezes são também descascadas ou reduzidas em seu tamanho. Opte pelas frutas frescas. No entanto, as que se prestam bem ao congelamento, como as frutas vermelhas, podem ser compradas congeladas.

Não vamos falar dos fitonutrientes de todas as frutas que o estimulamos a consumir na Fase 2. Você já tem uma boa idéia do poder dos nutrientes especiais que elas contêm, pois apresentamos informações sobre o morango e a uva na seção referente aos Alimentos Poderosos da Dieta de Sonoma.

A gaveta de hortaliças ficará mais cheia

Na Fase 2, toda a variedade de hortaliças que vimos na última seção poderá ser consumida. Além daquelas liberadas para a Fase 1, você agora terá permissão para comer as que pertencem aos Níveis 2 e 3.

Mais uma vez: quanto mais alto o nível em que o vegetal está, maior seu conteúdo de açúcar e calorias. No Nível 3, o mais elevado, encontram-se abóbora, ervilha, milho e batata-doce. São ótimas hortaliças, mas escolha apenas uma porção dessa lista por dia. E lembre-se de que uma porção não corresponde necessariamente a uma unidade inteira. Porém, depois que essa unidade cozida for cortada, é possível que a maior parte dela caiba em 1/2 xícara.

Durante a Fase 2, escolha uma hortaliça do Nível 2 e uma hortaliça do Nível 3 por dia. Lembre-se: assim como na Fase 1, você pode consumir também quantidades ilimitadas das hortaliças do Nível 1, ao longo de todo o dia, nas refeições ou como lanche.

Doces da Fase 2

Se você ainda estiver sentindo vontade de comer doces, simplesmente não consuma doce nenhum. Pode parecer repetição, mas eliminar esse desejo deve continuar a ser seu objetivo. Agora que você está na Fase 2, há a possibilidade de saciar essa vontade comendo frutas vermelhas ou manga, por exemplo. E você ficará surpreso ao constatar como elas o deixarão satisfeito. Considere-as sua opção de sobremesa. Experimente reservar a porção de fruta do almoço e/ou jantar (25% do prato) para aplacar o desejo por doces que surge após as refeições.

Caso não consiga realmente abrir mão de uma sobremesa especial, opte pelo chocolate amargo. É permitido consumir pequenas quantidades desse alimento como um prazer ocasional – um pedaço mínimo por dia e não mais do que três deles por semana.

QUE TAL UM COPO DE VINHO?

Quando você imagina uma família no sul da Itália ou da França sentada à mesa para fazer uma refeição, presume que haverá vinho nessa ocasião. Esse é o estilo mediterrâneo.

E é também o estilo desta dieta. Sonoma e sua vizinha Napa formam uma das mais importantes regiões vinícolas do mundo. A produção local dessa bebida é um símbolo do estilo de vida em Sonoma tanto quanto o é na França, na Espanha e na Itália. O vinho está sempre sobre a mesa.

Nos primeiros 10 dias da dieta, essa bebida teve que ser evitada – em parte por causa do açúcar, em parte porque a restrição de calorias na etapa inicial do programa é maior. Mas isso terminou. Na Fase 2, o vinho é permitido.

A partir de agora, você será estimulado a beber uma taça de vinho tinto ou branco durante uma refeição por dia (de preferência no jantar). Falamos que você será "estimulado", e não "autorizado", a consumir vinho porque a ingestão moderada dessa bebida proporciona benefícios à saúde ao mesmo tempo em que segue perfeitamente a filosofia da Dieta de Sonoma. Nos últimos anos, estudos demonstraram que uma taça diária de vinho, que contém uma pequena quantidade de calorias, reduz o risco de doenças cardíacas. Não há dúvida quanto a isso entre cardiologistas e nutricionistas.

Ao mesmo tempo, o vinho desencadeia uma sensação de relaxamento e prazer durante a refeição que é essencial ao seu novo estilo de vida voltado para o emagrecimento. Além do prazer gustativo proporcionado por essa bebida, o ato de escolher o vinho, abri-lo, colocá-lo na taça e bebê-lo desacelera todo o processo da alimentação – exatamente do que você precisa.

O ritual do vinho volta nossa atenção para o deleite da ocasião, afastando-nos da ansiedade que nos leva a simplesmente encher a boca de comida. O vinho nos lembra que a hora da refeição tem a ver com prazer, e não com se empanturrar.

Observe, contudo, que em nenhum momento dissemos que você é obrigado a ingerir vinho. Se, por algum motivo médico ou de saúde, essa bebida lhe é contra-indicada, não a tome. Caso simplesmente não goste do seu sabor, aja da mesma forma.

Mas, se você está acostumado a beber vinho, acrescente-o a uma de suas refeições diárias. Limite-se a uma taça e saboreie-a lentamente. O vinho não está ali para matar a sede. Sua função é valorizar o momento.

O vinho e a saúde

Muitas pesquisas demonstram que o próprio álcool, quando ingerido com moderação, proporciona benefícios cardiovasculares. Porém o efeito positivo do vinho para a saúde cardíaca não se limita à ação do álcool. Ele resulta de uma enorme quantidade de fitonutrientes, entre os quais os flavonóides, sobretudo o impressionante resveratrol. Sua ação como antioxidante protetor do coração é até mais forte no vinho do que na uva.

Muitos estudos científicos concluíram que, por causa desses nutrientes especiais, o consumo moderado de vinho está mais fortemente relacionado a um menor risco de morte por doenças cardíacas do que o do álcool em geral. Nesses estudos, "consumo moderado" corresponde à ingestão de uma a três doses diárias.

Lanches na Fase 2

Os lanches servem para evitar a desconfortável sensação de fome que surge entre as refeições. A melhor opção ainda é uma hortaliça do Nível 1, preparada da forma como você quiser. O truque proporcionado pelos lanches é manter-se na linha, isto é, abrandar a fome para não comer demais nas refeições. Portanto, não os use como desculpa para exagerar, desacelerando o processo de emagrecimento. Agora que você está na Fase 2, o número de opções à sua disposição é maior, caso necessite. E não se esqueça daquelas sugestões que foram apresentadas na Fase 1 para pessoas de ambos os sexos que sejam fisicamente ativas.

- 1 fruta do Nível 2, mantendo o tamanho da porção em 1/2 xícara.
- 1 ou 2 colheres de queijo cottage light com 1 fruta do Nível 2 pequena e fatiada.
- Metade de 1 pacote de pipoca light para microondas – pura, sem óleo nem manteiga.
- 1 pedaço de queijo mussarela light ou 1 fatia de carne magra.
- 1/2 xícara de queijo cottage light com hortaliças cruas do Nível 1.
- 90g de homus (pasta de grão-de-bico com tahine) caseiro ou industrializado, com hortaliças.
- 1 fatia média de queijo light com cenoura ou aipo.
- 1 fatia de pão integral.
- 60g de peito de frango ou de peru cozido.
- 1 porção de nozes (lembre-se de que já usou 1 porção de gordura dessa forma).

Nem todas as pessoas que vivem nos países banhados pelo Mediterrâneo seguem a dieta mediterrânea. Muitas delas simplesmente sucumbiram aos maus hábitos alimentares adotados em grande parte do mundo ocidental. Mas na França, por exemplo, até os indivíduos que fazem uma alimentação mais rica em gordura apresentam menos doenças cardíacas do que os outros ocidentais.

Essa curiosidade foi chamada de "paradoxo francês". E sua explicação tem a ver com o vinho. Concluiu-se que o consumo regular dessa bebida proporciona proteção contra doenças cardíacas até mesmo para quem considera a manteiga um tira-gosto. Associe a ingestão constante e moderada de vinho a uma alimentação de melhor qualidade, no estilo mediterrâneo, e você terá a fórmula para a saúde.

Estudos realizados pela Universidade de Harvard coletaram informações sobre a base de um estilo de vida saudável. Os pesquisadores descobriram hábitos comuns para uma saúde melhor: evitar a obesidade, manter uma dieta saudável, não fumar, praticar uma atividade física moderada e beber 1/2 a 2 porções de uma bebida alcoólica – como vinho – diariamente. As pessoas que tinham esses hábitos incorporados ao seu estilo de vida apresentavam uma incidência 80% menor de infarto e 90% menos casos de diabetes do que outros indivíduos.

Além disso, estudos recentes revelam que beber vinho junto com alimentos favorece a absorção de antioxidantes, tanto dos que se encontram na comida quanto dos que estão presentes no próprio vinho. E mais: melhora o metabolismo das gorduras alimentares no organismo. É isso o que a Dieta de Sonoma faz. Alguma dúvida sobre por que gostamos da idéia de tomar uma taça de vinho no jantar?

Algumas informações básicas sobre vinhos na Dieta de Sonoma

Não é preciso ser *sommelier* para gostar dessa bebida. O bom vinho é aquele que você aprecia. Ponto final. Experimente algumas variedades para analisar quais tipos lhe parecem mais saborosos. Teste também diferentes combinações de vinhos com alimentos para identificar as que mais lhe agradam. Você já sabe que há associações inteligentes de alimentos que são boas para a saúde e acentuam o sabor da comida – como suco de limão fresco sobre frutos do mar e azeite de oliva misturado a hortaliças de folhas verde-escuras. O vinho exerce um papel similar, acentuando sabores. De forma geral, prefira consumir os mais leves com alimentos mais leves, de preparo mais delicado. Os vinhos mais encorpados são melhores para acompanhar pratos de sabores mais fortes. Nos cardápios da Fase 2 você encontrará sugestões de vinhos que podem ser saboreados no jantar. Veja algumas idéias de como combinar essa bebida com alimentos:

VINHOS BRANCOS

- Chardonnay: frutos do mar, frango, presunto, vitela
- Sauvignon Blanc: ostras, salmão, queijo de cabra, saladas, massas
- Riesling: queijos suaves, carne de porco, frango tandoori, frutos do mar
- Vinhos brancos espumantes: comida asiática, tailandesa, molho curry e pimentas fortes

VINHOS TINTOS

- Cabernet Sauvignon: pato, carne bovina condimentada, frango, alimentos mais temperados de um modo geral
- Pinot Noir: frango ensopado, peru, cordeiro, cogumelos, sabores naturais
- Merlot: frango ensopado, rosbife, cordeiro
- Borgonha: salmão, atum, frango assado
- Chianti: massa com molho de tomate, pizza

FASE 2

Hortaliças do Nível 1 da Dieta de Sonoma

Quantidade ilimitada, consulte a lista da Fase 1

Frutas e Hortaliças do Nível 2 da Dieta de Sonoma

Limite o consumo a 1 fruta e a 1 hortaliça desta lista por dia
1/2 xícara = 1 porção ou 1 pedaço pequeno da fruta

FRUTAS

Abacaxi
Ameixa
Amora
Amora-preta
Carambola
Damasco
Framboesa
Grapefruit
Jamelão
Kiwi
Laranja
Lima
Limão
Maçã
Marmelo
Melancia
Melão
Morango
Papaia
Pêra asiática
Tangerina
Uva

HORTALIÇAS

Abóbora, crua ou cozida
Alcachofra
Alcachofra-de-jerusalém
Beterraba, cozida
Cenoura, crua ou cozida
Couve-nabo-da-suécia (rutabago), cozida
Pimentas chili, como a jalapeño
Salsão, cru ou cozido

Frutas e Hortaliças do Nível 3 da Dieta de Sonoma

Limite o consumo a 1 fruta e a 1 hortaliça desta lista por dia
1/2 xícara = 1 porção ou 1 pedaço pequeno da fruta

FRUTAS

Banana
Banana-da-terra
Caqui
Figo
Goiaba
Jaca
Manga
Maracujá
Nectarina
Pêra
Pêssego
Romã

HORTALIÇAS

Abóbora
Batata-doce, cozida
Broto de ervilha
Ervilha, cozida
Inhame

Inhame, cozido
Milho
Raiz de wasabi
Vagem da ervilha, crua ou cozida
Atenção: Para medir as frutas e hortaliças, corte-as em fatias ou em pequenos pedaços.

Proteínas e Laticínios da Dieta de Sonoma

PROTEÍNAS

Consulte a lista da Fase 1

LATICÍNIOS

Iogurte natural desnatado, 1 xícara
Leite desnatado, 1 xícara
Queijo cottage light
Queijos light ralados – parmesão e mussarela – 30g

Grãos da Dieta de Sonoma

1/2 xícara = 1 porção
Consulte a lista da Fase 1

Bebidas

Água, comum ou com gás
Café preto sem açúcar ou com até 2 pacotinhos de adoçante artificial e, no máximo, 1 colher de sopa de creme
Chá preto, chá verde ou chá de ervas, sem creme nem açúcar
Vinho (branco ou tinto) – 170ml por dia

Gorduras da Dieta de Sonoma

Até 3 porções por dia
1 colher de chá = 1 porção
Consulte a lista da Fase 1

Temperos

Quantidade ilimitada
Consulte a lista da Fase 1

Acompanhe seu emagrecimento

A Dieta de Sonoma tem uma vantagem importante: é mais fácil de seguir, pois o objetivo dos cardápios e das receitas é proporcionar prazer. Há menos tentação para voltar aos velhos tempos porque agora você está se alimentando melhor do que antes.

Mas também há um desafio, que é comum a todos os programas alimentares: a Dieta de Sonoma é realizada no mundo real. E, no mundo real, nada é fácil o tempo todo.

Talvez você fique impaciente com o que pode parecer um ritmo lento para perder peso. Embora conheça as regras da dieta até o último detalhe, pode considerá-las difíceis de seguir. Ou, quem sabe, você sinta o entusiasmo diminuir, deixando-o propenso a uma certa tristeza.

E pior: no mundo real há tentações por toda parte. Assim como deslizes e erros, que às vezes envolvem colheres cheias de sorvete. A frustração pode surgir. Aparentemente sem nenhum motivo, você atinge uma fase de estagnação – talvez passe uma semana ou mais sem perder 1g.

E, às vezes, você não dá a mínima para a qualidade dos alimentos da Dieta de Sonoma. Só deseja comer alimentos prejudiciais, muitos deles, e já.

Parece familiar? Todos esses desvios são esperados e totalmente normais. Por isso, esse é o chamado mundo real.

Nos primeiros cinco capítulos, explicamos o que fazer e por que fazer. Agora, vamos lhe dizer como fazer sempre que as coisas ficarem difíceis. Você verá que os obstáculos do mundo real fazem parte de qualquer programa alimentar e que há formas simples de superar cada um dos problemas presentes no caminho que conduz ao peso almejado.

Não tenha dúvida: você será mais forte do que todas as armadilhas, sejam elas grandes ou pequenas. Seu corpo quer alcançar o melhor peso. Tudo o que você está fazendo é ajudá-lo.

Você não está sozinho

A primeira coisa a perceber é que, num dado momento, todas as pessoas têm dificuldade em seguir uma dieta. Todas elas lutam contra os desejos. Todas elas cedem às tentações de vez em quando. E todas elas passam por momentos em que pensam em desistir.

Portanto, isso não acontece apenas com você. Outros indivíduos enfrentaram a mesma situação. E chegaram ao outro lado mais magros, saudáveis e felizes.

A questão é que o organismo e a mente resistem à mudança. Não importa se ela é para melhor nem se nos faz sentir bem. Continua sendo uma mudança, e nosso cérebro foi programado para resistir a isso. Ou, pelo menos, para aceitar processos desse tipo com muita cautela.

Pense em quantos hábitos novos você tem adotado. Está comendo menos. Está se alimentando mais devagar. Está consumindo alimentos mais saudáveis e muito mais variados. Descartou o que provavelmente seria um hábito para toda a vida – o de se empanturrar de açúcar e farinha de trigo branca refinada. Substituiu também o tipo de gordura que ingere.

Seu organismo agradece todos os dias por essas mudanças. Ao mesmo tempo, seu cérebro fica imaginando o que terá acontecido com tudo o que você adorava. De vez em quando, ele o lembrará disso.

Desejos e tentações são lembranças daquilo que foi modificado. Não passam de pensamentos. E você é capaz de lidar com pensamentos.

Expresse-se abertamente

Lide com esses pensamentos de forma aberta e direta. Desejos e outras armadilhas não são aborrecimentos vagos que acabarão indo embora. Eles são reações específicas a situações específicas. Portanto, podem ser isolados, confrontados e compreendidos. É isso o que você deve fazer para livrar-se deles.

Essa atitude o ajudará a enfrentar a situação e lembrar que os deslizes fazem parte da dieta. São subprodutos naturais de qualquer mudança de regime alimentar. E foram levados em consideração desde os primeiros estágios do planejamento deste programa.

Em outras palavras: o desenvolvimento da Dieta de Sonoma levou em conta que as pessoas que a adotam podem sair da linha de vez em quando. Isso já é esperado. Portanto, quando você cede a um desejo ou ingere muitos alimentos proibidos, isso já estava previsto.

É claro que você perderá peso mais rápido quando esses deslizes ocorrerem com menos freqüência. Com certeza, apreciará mais a dieta se não estiver lutando o tempo todo contra desejos e tentações. Esse é o motivo pelo qual o incentivamos a tratar desses problemas da mesma forma metódica como você lida com a parte alimentar deste programa.

Com isso queremos dizer o seguinte: você sabia que, para atingir o peso que pretende ter, não bastaria comer um pouco menos nem simplesmente eliminar alimentos "engordativos". Por esse motivo, sua opção foi seguir os cardápios da Dieta de Sonoma e se alimentar de acordo com nossas orientações. O mesmo acontece com os desejos. Decidir "ser forte" ou esperar que eles por fim desapareçam não é suficiente. Você precisa de um plano.

Colocando no papel

De longe, a estratégia mais bem-sucedida para minimizar as dificuldades enquanto você estiver seguindo a dieta é manter um diário dos alimentos que consumir. Só o fato de relacionar esses itens todos os dias servirá para fixar sua atenção na alimentação correta.

Mas um diário faz muito mais do que isso. Com o passar das semanas, ele começará a esclarecer a confusa inter-relação entre fome, comida, desejos, humor, pensamentos e todas as outras coisas que você sente e faz ao longo do dia. Em pouco tempo, as causas dos seus problemas com a dieta se tornarão mais evidentes.

É compreensível que, para algumas pessoas, manter um diário – sobretudo um "diário de dieta" – seja algo desinteressante, para dizer o mínimo. Há quem deteste a idéia. Se esse é seu caso, relaxe. Não se trata de uma tarefa obrigatória. Mas seja flexível. Você precisará lidar com os obstáculos de uma forma ou de outra. Escrever sobre sua alimentação num diário é uma boa maneira de fazer isso.

Dicas para emagrecer mais rápido

Se você conseguisse emagrecer mais rápido do que no ritmo usual da Dieta de Sonoma, faria isso? Conheça algumas dicas simples para acelerar o processo da perda de peso sem sacrificar os benefícios à saúde.

- Dê preferência às hortaliças do Nível 1, usando apenas o suficiente das que estão nos Níveis 2 e 3 para manter a variedade. As que pertencem ao Nível 1 contêm mais nutrientes e menos calorias.
- Da mesma forma, escolha a maior parte das frutas do Nível 2, pois elas têm uma quantidade menor de açúcares naturais e de calorias. Reserve as do Nível 3 para ocasiões especiais.
- Alimente-se ainda mais lentamente. Quanto mais tempo você demorar para terminar o prato, menos terá vontade de comer e mais satisfeito se sentirá. Encontre maneiras de fazer isso nas três refeições, e não apenas na que for a mais prazerosa do dia.
- Como fonte de proteína, opte mais por frango e peixe em vez de carne vermelha, feijões e ovos.
- Diminua a quantidade de comida no prato. Não há regra dizendo que você tem que lotá-lo até à borda. Porções ligeiramente menores compensarão a longo prazo.
- Mantenha os lanches no nível da Fase 1. Isso corresponde simplesmente a uma hortaliça do Nível 1. Se for o suficiente para satisfazê-lo até à próxima refeição, por que comer mais?
- Use um líquido no lanche. Experimente substituir o lanche habitual por 1 xícara de chá quente ou por 1 copo grande de água. Talvez você esteja sentindo mais sede do que fome. Contanto que não fique faminto até à próxima refeição, essas calorias que deixou de ingerir compensarão.
- Compre itens frescos em vez de produtos embalados. Desafie-se a fazer isso por uma semana. Adquira carnes no açougue, peixes na peixaria, frutas e hortaliças nos hortifrútis ou feiras, grãos integrais nas lojas de produtos naturais, etc. Ao comprar "alimentos" em vez de "pacotes", você eliminará qualquer chance de que processamentos indesejados, grãos refinados, gorduras hidrogenadas e substâncias químicas misteriosas entrem sorrateiramente na sua dieta.
- Se não tem feito exercícios, comece a realizar uma atividade física agora. Caso já venha se exercitando, aumente um pouco a intensidade.

Essa é uma ferramenta que ajuda a perder peso de modo mais rápido e fácil. Se dá resultados, por que não utilizá-la? Todos os dias, escreva o que você comeu, a hora em que comeu, o quanto comeu, onde estava comendo (à mesa na sua casa, no restaurante, no carro) e se gostou ou não da comida. Anote a intensidade da sua fome quando começou a comer e como estava se sentindo naquele momento (chateado, indiferente, animado). Isso vale para lanches e refeições, assim como para qualquer alimento adicional que você consuma.

Ao longo do dia, anote também quaisquer pensamentos, sentimentos ou atividades que mereçam registro e o momento em que estiverem ocorrendo. Sentiu-se estressado? Escreva quando foi e (se souber) por quê. Uma reunião ou encontro especial? Escreva sobre ele e como se sentiu antes e depois. Um desejo? Escreva quando o sentiu e pelo que estava ansiando.

Pode parecer que você ficará fazendo anotações durante todo o dia, mas logo encontrará uma forma de registrar essas coisas no papel com rapidez e sem esforço. Afinal, você é o único que precisa decifrar suas anotações. O principal objetivo, obviamente, é ser honesto e meticuloso – você não conseguirá lidar com aquele lanche extra se fingir que ele não existiu.

Depois de passar alguns dias escrevendo o diário, você poderá começar a procurar padrões que esclareçam os problemas que vem tendo com a dieta. Sua tendência é comer à noite enquanto assiste à televisão? Sente um desejo intenso por comida quando está estressado ou entediado? Em geral come em excesso quando há um tipo específico de alimento no prato? Seus desejos parecem surgir algumas horas após a ingestão de determinados tipos de alimentos? Sente muita vontade de consumir açúcar na segunda-feira?

As ligações entre seus desejos, humores e hábitos específicos podem estar bem claras. Ou podem ser bem sutis. De qualquer forma, observar os padrões desmistifica as vontades e as torna muito mais fáceis de dominar. Confie em nós.

Vale a pena saber tudo isso. O conhecimento contribuirá para que você perca peso de modo mais rápido e eficiente.

Controladores de desejos

Mesmo que isso pareça algo mágico, a própria consciência dos seus

Alimentação no estilo da Dieta de Sonoma

Outra boa medida temporária para eliminar o excesso nos lanches é satisfazer suas vontades apenas em parte. Coma uma versão menor e mais saudável do alimento que você deseja. Se está pensando em consumir um saco de batata frita, coma 1/4 de batata-doce fatiada em seu lugar. Pincele as fatias com uma pequena quantidade de azeite de oliva e polvilhe-as com sal ou com uma erva. Asse em forno médio até que estejam crocantes. Satisfação garantida, sem os carboidratos e as gorduras prejudiciais – e com muito menos calorias.

padrões de desejo pode ajudá-lo a dominá-los. Às vezes é mais fácil controlarmos uma vontade quando sabemos que ela está vindo.

Mas, para não cair na mesma armadilha toda hora, você também precisa agir. Em grande parte do tempo, seu curso de ação será óbvio. Se você costumava lanchar sem pensar enquanto assistia a programas de TV tarde da noite, não ligue mais a televisão nesse horário. É altamente recomendado que não faça as refeições dessa forma em nenhuma circunstância. Em vez disso, tente ir para a cama um pouco mais cedo. Estudos mostram que dormir por um número adequado de horas é importante para o emagrecimento.

Outra opção é tentar tomar medidas preventivas. Caso você sinta desejo de comer doces regularmente às 22h, transfira um de seus lanches diários do meio da tarde para as 20h30. Se houver necessidade, coma nesse horário o pequeno pedaço permitido de seu chocolate amargo. Desfrute o sabor e faça essa guloseima durar mais do que na última vez em que a ingeriu. É melhor deliciar-se lentamente com ela às 20h30 do que devorar uma barra de chocolate inteira às 22h.

QUANDO A BALANÇA NÃO MUDA

Assim como se digladiam com os desejos, todas as pessoas que fazem dieta passam, de vez em quando, por períodos de estagnação, em que a perda de peso parece suspensa. O organismo nem sempre se comporta da forma como queremos. Portanto, mesmo que estejamos (ou acreditemos estar) seguindo à risca as diretrizes do programa alimentar, há fases em que o ponteiro da balança simplesmente se recusa a se mexer. Não parece justo, mas acontece.

A primeira e melhor reação nesses casos é esperar. Atenha-se aos bons hábitos alimentares e não deixe a frustração tomar conta de você. Em geral, é uma questão de dias até você começar a emagrecer novamente.

Quase sempre é fácil explicar a causa desses períodos de estagnação. Em geral, eles são mais comuns durante a mudança da Fase 1 para a Fase 2. Lembre-se de que, na verdade, você está acrescentando calorias à sua alimentação nesse momento, bem como muitos itens novos. Retenção de líquido, um ajuste do metabolismo do açúcar no sangue e outros fatores podem conspirar contra a perda de peso à medida que você se estabelece na Fase 2. Agüente firme.

No entanto, se a situação continuar por uma semana ou se você estiver engordando, é hora de ver o que está acontecendo e fazer adaptações.

O primeiro passo é verificar se está seguindo corretamente as diretrizes da dieta. É comum alguém se convencer de que está fazendo tudo de acordo com as regras e, depois de um exame minucioso, descobrir que vem errando em alguma coisa.

Mais uma vez: é nesse ponto que o diário da sua alimentação pode ajudá-lo a ver a realidade. Porém, quer você faça esse registro ou não, examine bem seus hábitos alimentares e observe onde pode estar falhando.

Você está seguindo com exatidão as proporções indicadas para os pratos ou tem o hábito de colocar um pouco mais de um ou outro alimento? Está escolhendo frutas e hortaliças da lista certa? Perdeu o controle nos lanches? (Lembre-se de que uma hortaliça do Nível 1 é o melhor lanche, a não ser que você sinta necessidade de algo mais.) Está escolhendo cortes de carne que não são tão magros quanto deveriam ser?

Os pães e cereais são 100% integrais ou também contêm grãos refinados? (Verifique a lista de ingredientes na embalagem com atenção.) Está trapaceando com os doces? Há uma porção extra de gordura nas suas refeições ou nos seus lanches?

Passe um pente fino em todo o seu regime alimentar. Prometa mais uma vez que seguirá exatamente as regras, pelo menos até que seu peso comece a cair de novo. É provável que você logo veja o ponteiro da balança se mexer. A Dieta de Sonoma sempre dá certo – mas só se você a seguir.

Mexa-se

Uma prioridade para manter a continuidade do emagrecimento é aumentar o nível de atividade física. Fazer algum tipo de exercício de que você goste é vital para a perda de peso eficiente e a saúde.

Na Dieta de Sonoma, você deve se exercitar desde o início da Fase 1. O principal motivo dessa necessidade é simples. Este não é um programa alimentar com baixo teor de calorias. Você consumirá grãos e muitas hortaliças, além dos carboidratos presentes nos laticínios. O primeiro e melhor uso para um carboidrato que foi consumido é ser queimado sob a forma de energia. O segundo e pior uso é ser armazenado como gordura.

Mais atividade física equivale a mais gasto de energia. Um gasto maior de energia corresponde a uma queima maior de carboidratos e de gordura corporal; portanto, menos gordura corporal será armazenada. Essa pode ser uma forma simples de apresentarmos a questão, mas é basicamente o motivo pelo qual os exercícios ajudam a emagrecer.

As calorias nada mais são do que unidades de energia. Se você queimar o mesmo número de calorias que consome, não haverá alteração no seu peso. Caso queime mais do que ingere, emagrecerá. A Dieta de Sonoma tem o cuidado de proporcionar calorias suficientes para que você consiga perder peso sem ficar insatisfeito. Sua contribuição será gastar uma quantidade maior dessas calorias realizando exercícios físicos para entrar em forma ainda mais rápido.

E, é claro, obterá os benefícios decorrentes da própria atividade física. Eles são tão bem documentados e amplamente divulgados que não vamos aborrecer você com mais um texto sobre o assunto. Basta dizer que a proteção proporcionada ao coração pela prática regular de exercícios cardiovasculares – ou seja, atividades de resistência, como caminhada, corrida, bicicleta, *step* e natação – é perfeitamente adequada à abordagem saudável da Dieta de Sonoma. Grande parte da longevidade e da baixa incidência de doenças cardíacas entre os povos do Mediterrâneo é atribuída ao seu estilo de vida ativo, assim como à sua dieta saudável.

ENTÃO, O QUE EU FAÇO PARA ME EXERCITAR?

Este é um livro de dieta. Já é bastante longo com as diretrizes do programa alimentar, orientações, cardápios e receitas. Portanto, vamos poupar

Benefícios dos exercícios físicos

Aumento do nível de energia
Melhora dos padrões do sono
Fortalecimento do sistema imunológico
Abrandamento da artrite
Proteção contra alguns tipos de câncer
Diminuição dos fatores de risco associados a doenças cardíacas
Alívio da depressão
Aceleração e manutenção da perda de peso
Redução da tensão muscular
Melhora da saúde dos olhos
Queda do nível de estresse

você de muitas instruções sobre exercícios. De qualquer modo, um professor de Educação Física poderá fornecê-las.

Não pretendemos atormentá-lo falando de exercícios. Com eles ou sem eles, a Dieta de Sonoma fará com que você atinja o peso desejado. No entanto, você emagrecerá mais rápido se praticar uma atividade física, mesmo que seja apenas um pouco. Além disso, ficará mais saudável e se sentirá mais bem-disposto.

Esses são os fatos. Cabe a você a decisão de praticar ou não uma atividade física (bem como estabelecer a intensidade que ela terá). Estamos confiantes de que sua escolha será a melhor para seu caso.

De qualquer forma, existem alguns fatores que devem ser conhecidos, sobretudo se você nunca fez nem cinco minutos de exercícios na vida. Em primeiro lugar, opte por um tipo de atividade física do qual você goste. Escolha algo que aprecie em vez de fazer o que as pessoas consideram "o melhor" para seu caso. Se os exercícios o deixarem extenuado ou lhe causarem horror, você acabará por desistir deles.

A segunda orientação essencial é: comece aos poucos. No início, o simples fato de você praticar uma atividade física regularmente importará muito mais do que a modalidade ou a intensidade dos exercícios. Basta dar uma caminhada pelo quarteirão após o almoço ou o jantar. Brinque de pique com seus filhos. Coloque um CD para tocar e dance por alguns minutos. O importante é ter o hábito de movimentar-se todos os dias. Depois, você conseguirá chegar gradualmente à meia hora de atividade física recomendada para melhorar a saúde cardiovascular.

O treinamento de força – ou seja, qualquer tipo de atividade que faça os músculos trabalharem numa intensidade maior do que estão acostumados – também contribui para o emagrecimento. Isso ocorre porque músculos mais fortes e tonificados aumentam o que chamamos de massa muscular magra, que é basicamente tudo o que não é gordura corporal. Pesquisas revelam que, quanto maior o percentual de massa muscular magra, mais eficiente é o funcionamento do metabolismo. Isso equivale a uma perda de peso mais rápida.

Os exercícios de fortalecimento muscular complementam o treinamento cardiovascular. Você pode começar se exercitando em casa com um simples par de halteres leves ou entrar para uma academia e se beneficiar de uma grande variedade de pesos e equipamentos.

O mais importante é tornar o exercício algo divertido. Talvez se sinta um pouco desajeitado no início, não importa o que faça. Mas, se você for persistente, seu corpo lhe mostrará o quanto aprecia a chance de se mexer. Você se sentirá melhor e emagrecerá mais rápido.

FASE 3: O ESTILO DE VIDA DA DIETA DE SONOMA

A Fase 3 da Dieta de Sonoma começa no dia em que você atinge o peso almejado.

Vamos dizer isso de um modo mais realista. A Fase 3 tem início no dia seguinte àquele em que você alcança o peso desejado. Quando a balança finalmente registrar o número mágico e tão esperado, você estará se sentindo muito mais disposto a comemorar do que a voltar sua atenção para a próxima fase da dieta.

Isso é perfeitamente compreensível. Portanto, vá em frente e celebre. Você merece.

O fato é que você conquistou muito mais do que um peso corporal saudável (e atraente). Seguindo as Fases 1 e 2 da Dieta de Sonoma, toda a sua abordagem em relação à alimentação se modificou – e para melhor.

O mais importante é que você fez a ligação entre três objetivos: comer por prazer, comer visando à saúde e comer para manter o peso ideal. Já não vê mais a vida como uma escolha entre gostar de comida e ter uma boa forma física. Ao contrário: descobriu que o modo mais eficiente de atingir o peso adequado é festejar o prazer proporcionado pelos alimentos mais saudáveis e mais naturalmente deliciosos.

Além de ter aprendido essas lições, você também as colocou em prática. Nem sempre foi fácil, sobretudo no começo. Porém agora tem os resultados que mostram seus esforços – o peso ideal, o corpo mais magro que almejava, um coração mais saudável, roupas que lhe cabem bem, mais energia, mais auto-estima e a profunda compreensão do contentamento quase espiritual que vivenciamos ao saborear lentamente uma refeição deliciosa e saudável com a família ou com os amigos.

Em suma: você está vivendo no estilo da Dieta de Sonoma.

COLHA AS RECOMPENSAS

A Fase 3 amplia esse conceito de estilo de vida – da estratégia para emagrecer até uma forma permanente de viver feliz. Ela parte do prazer que podemos ter com a alimentação e com todas as outras coisas boas que a vida tem a oferecer sem que precisemos nos preocupar com o excesso de peso. A Fase 3 é o período em que você colherá os frutos do estilo de vida da Dieta da Sonoma.

> **O que as pessoas estão dizendo sobre a Dieta de Sonoma**
>
> *"A Dieta de Sonoma me ajudou a retornar aos elementos básicos da vida – comer de forma saudável, fazer boas escolhas e aumentar a atividade física. Não é uma dieta, e sim um estilo de vida."*
>
> Eva, 57 anos, perdeu 10kg.

Aproveite-a plenamente. Continue buscando novas fontes de variedade para suas refeições. Nas grandes cidades é possível encontrar alimentos de todo o mundo. Experimente tudo o que considerar interessante, desde que esteja dentro das diretrizes da Dieta de Sonoma.

Existem diversos tipos de frutas e hortaliças exóticas e deliciosas, muitas das quais você não encontrará em nossas listas. Na Fase 3, terá liberdade para experimentá-las.

Continue a manter a ligação entre saúde e prazer. Agora que a perda de peso não é o item mais importante no seu cardápio, a satisfação que você tem ao consumir porções razoáveis de alimentos saudáveis e integrais é realmente maior. Você está comendo bem para seu próprio bem. E isso é ótimo.

SEU PESO PERFEITO PARA A VIDA

Sua primeira tarefa na Fase 3 é, obviamente, continuar no peso ideal. No jargão da área, é a chamada fase de "manutenção". Aqui, no entanto, não utilizaremos essa palavra.

Tecnicamente não há nada de errado com esse termo – afinal, você está buscando "manter" determinado peso. Porém "manutenção" soa como algo a ser feito em máquinas, não em seres humanos. O que você realmente deve fazer na Fase 3 é beneficiar-se o máximo possível do estilo de vida da Dieta de Sonoma. Aja assim, e seu peso se estabilizará naturalmente.

Por exemplo: você se esforçou para transformar pelo menos uma de suas refeições diárias num acontecimento longo e prazeroso. Nessas ocasiões, come devagar e saboreia cada mordida. Sabe que esse passo básico não apenas torna a refeição uma experiência que satisfaz o espírito como também faz maravilhas para o controle do peso, ajudando-o a comer menos e a digerir melhor os alimentos.

Compras na Dieta de Sonoma

Visite mercados e feiras. Os produtores locais muitas vezes são os primeiros a introduzir novas variedades numa região e, em geral, são eles que fornecem os alimentos mais frescos e mais interessantes.

Na Fase 3, você pode se dedicar a transformar as outras duas refeições em experiências semelhantes. É verdade que, para a maioria de nós, a hora do almoço não favorece um ritmo tão prazeroso quanto o do jantar. Mas provavelmente essa ocasião pode se tornar mais agradável do que tem sido.

Isso também vale para o café da manhã. Sim, nessa hora você está com pressa. Todos nós ficamos apressados nesse período do dia. Mas há realmente necessidade dessa correria tão grande que quase o deixa em pânico? Quem conhece o estilo de vida da Dieta de Sonoma acorda meia hora antes e usa o tempo para se alimentar com mais tranqüilidade. Aproveite o café ou o chá. Vá com calma. Cada segundo extra que você tem durante uma refeição facilita a manutenção do peso.

Uma forma extra de intensificar o estilo de vida da Dieta de Sonoma é buscar mais maneiras para se divertir com a atividade física. Na Fase 3, qualquer programa de exercícios que você tenha escolhido já terá se tornado um hábito, ou seja, está incorporado à sua vida. Por isso agora você não se sente bem quando não faz a caminhada, não corre ou não pratica qualquer outra atividade que tenha planejado.

É claro que você continuará a se exercitar regularmente. Seu coração e seu peso não aceitariam algo diferente. Na Fase 3, no entanto, sentirá vontade de buscar oportunidades de se desafiar fisicamente, experimentando coisas que nada têm a ver com exercícios de rotina. Na região de Sonoma, por exemplo, o ciclismo e as longas caminhadas são tão naturais para a maior parte das pessoas quanto respirar e dormir são para habitantes de outros lugares.

Onde quer que você more, acostume-se a fazer uma caminhada depois do jantar em vez de assistir à televisão. No fim de semana, troque a ida ao cinema por um pouco de dança ou por uma caminhada mais longa. Prefira a escada ao elevador. Se você tem jardim em casa, passe um tempo cuidando das plantas.

São pequenas iniciativas, mas ajudam a manter o peso e a energia. O fato de você estar mais magro fará com que considere essas atividades mais interessantes. Elas também promovem um estilo de vida mais ativo. Seus dias serão mais ricos, saudáveis e divertidos.

Alimentação no estilo da Dieta de Sonoma

Se tiver que almoçar sentado à mesa de trabalho, pelo menos desligue o computador e o telefone. Melhor ainda é comer em outro lugar – no refeitório, num banco de parque ou em qualquer local onde possa curtir a refeição em vez de fazer outra coisa ao mesmo tempo em que mastiga.

Agora é sua própria dieta

As instruções para a Fase 3 convergem para uma regra: faça o que considerar melhor para se manter de acordo com as diretrizes da Dieta de Sonoma. Isso pode parecer algo vago, mas se baseia num fato simples. Agora você sabe o que funciona melhor no seu caso. Portanto, continue a agir dessa forma.

Mantenha a cozinha abastecida com os alimentos da Dieta de Sonoma. Não há necessidade de ter na despensa e na geladeira itens que não sejam saudáveis. E, provavelmente, você não desejará vê-los mesmo.

As listas de alimentos ainda servem e sempre servirão. Continue a comer mais hortaliças do Nível 1 e frutas e hortaliças do Nível 2 do que do Nível 3. Permaneça afastado dos alimentos que você tem evitado desde o Dia 1 – carnes gordas, sucos de frutas, batata, laticínios integrais, gorduras saturada e hidrogenada, grãos refinados e doces açucarados.

Essas são as diretrizes que você tem adotado desde o início. Mais uma vez:

são opções de estilo de vida. A única diferença agora é que você as seguirá por motivos de saúde e manutenção do peso, e não mais para emagrecer. Portanto, elas continuam a ser tão importantes quanto sempre foram.

Uma bela recompensa

O motivo que torna a Fase 3 da Dieta de Sonoma mais fácil do que a correspondente etapa de "manutenção" de outros programas alimentares é que o cardápio da maior parte da dieta (Fase 2) foi desenvolvido para ser usado por toda a vida. Quem segue a Dieta de Sonoma gosta mais das refeições da Fase 2 do que das que fazia antes de iniciar este regime. Portanto, ninguém sente ânsia de voltar aos velhos tempos depois que alcança o peso almejado. Se você já seguiu uma dieta antes, sabe o que é sentar-se à mesa e ter que dizer aos que estão ali que sua refeição é diferente da deles. A verdade é que isso é ruim para todos. A Dieta de Sonoma está centrada em alimentos que podem ser consumidos por qualquer pessoa. Tudo o que você tem a fazer é montar o prato de acordo com as diretrizes que especificamos – com os mesmos itens deliciosos que as pessoas à mesa estão saboreando.

Por outro lado, nas dietas pobres em carboidratos ou gorduras, o peso desejado é alcançado com a adoção de um programa alimentar baseado em quantidades artificialmente reduzidas de alimentos necessários. Portanto, a pessoa e seu organismo estão naturalmente prontos e dispostos a recuperar a nutrição perdida, por assim dizer, e comer carboidratos e gorduras para compensar. É nesse ponto que entra o infame efeito ioiô, ou sanfona.

Na Dieta de Sonoma, isso não é um problema, pois todas as refeições são balanceadas e dão a sensação de saciedade. Você não "se privará" de pão branco e doces porque está esperando o dia em que poderá consumi-los novamente. Em vez disso, abandonará o hábito de ingerir doces e produtos feitos com farinha de trigo

O que as pessoas estão dizendo sobre a Dieta de Sonoma

"Estou tão animado com o sucesso que tive em emagrecer que sinto como se fosse explodir de alegria. De todas as dietas que experimentei, esta é a que estabelece uma fácil transição para uma mudança de estilo de vida. Todos os dias como alimentos altamente saborosos, graças às ervas e aos temperos. Por isso, espero ansiosamente por todas as refeições."
Marv, 42 anos, perdeu 18kg.

branca refinada e os substituirá por alternativas mais saudáveis. Não é um sacrifício. É uma mudança positiva na sua vida.

Mesmo assim, a folga é maior na Fase 3. Há realmente alguns itens extras que você poderá comer sem comprometer as diretrizes básicas da dieta.

Isso faz todo o sentido. Numa interpretação rigorosa, até aqui as regras foram desenvolvidas para que você perdesse peso de forma estável. De fato, até chegar à Fase 3, você emagreceu, mas agora não precisa mais perder peso. Se continuar a comer exatamente como fazia na Fase 2, o processo de emagrecimento prosseguirá. E não é isso o que você deseja – seu objetivo é manter-se onde está. Portanto, poderá implementar algumas mudanças sutis na sua alimentação.

Ajustes saudáveis

De longe, o mais recomendável é aumentar as porções de frutas e hortaliças. Isso obedece à lei mais básica do estilo da Dieta de Sonoma – obter a máxima quantidade de nutrientes e o mínimo de calorias. Consumir mais desses vegetais será ainda melhor para o coração e para a saúde geral. Provavelmente, você descobrirá que pode acrescentar várias porções por dia e não engordar. Experimente primeiro essa estratégia.

Outra técnica de manutenção do peso surpreendentemente eficaz é permitir-se uma delícia proibida de vez em quando. Não se force a comer uma trufa de chocolate se realmente não quiser. Mas agora você pode experimentar o bolo de aniversário na festa de um amigo, algo que, em outra fase da dieta, teria recusado. Também está liberado para consumir aquele folheado tentador do carrinho de sobremesas do fantástico restaurante que você freqüenta apenas em raras ocasiões. Pode até comer uma feijoada completa num domingo especial.

Em outras palavras: você não tem que ser melhor do que o resto do mundo 365 dias por ano, 24 horas por dia, 7 dias por semana. Mas deve procurar chegar perto disso.

Agora, pode saborear impunemente essas delícias por três motivos. Primeiro, trabalhou duro e merece. Segundo, agora é diferente – não estará mais fazendo isso por hábito, e sim por escolha. Terceiro, você sente que é uma concessão especial, e não uma necessidade desesperada. Sendo assim, tudo bem.

Concessões especiais

Agora que você atingiu o peso que desejava, pode sair da dieta em ocasiões especiais. Evite escorregar, comendo uma guloseima todos os dias ou até todas as semanas. Quando fizer uma concessão desse tipo, opte por saborear algo delicioso que realmente valha a pena, e não guloseimas rançosas que estejam há dias na mesa ou na geladeira de alguém. Considere as seguintes opções:

Manteiga
Batata
Chocolate amargo
Pretzels, biscoitos chips
Refrigerantes comuns
Sobremesas, itens de padaria
Sucos, vitaminas e bebidas energéticas

O mais importante é que você pode fazer isso porque seu metabolismo realmente mudou para melhor. Esse é um dos elementos mais importantes e menos considerados da perda de peso. É também uma das grandes vantagens de estar na Fase 3 depois de emagrecer de forma saudável com a Dieta de Sonoma. Vamos ver o que isso representa.

Pode lhe ter ocorrido que muitos franceses, italianos e outros habitantes das regiões mediterrâneas, apesar de todos os seus hábitos alimentares saudáveis, consomem porções de pão branco, massa comum e doces. Como eles escapam ilesos disso? Bem, alguns obviamente não escapam. Nessa parte da Europa, assim como em Sonoma, também existem indivíduos gordos.

Porém, a maioria deles escapa, pois ingere esses itens em pequenas quantidades, e isso é compensado por uma alimentação com azeite de oliva, frutas, hortaliças, vinho, grãos integrais e outros itens que caracterizam a dieta mediterrânea. E essas pessoas não têm aquele pneu ao redor da cintura, portanto seu metabolismo consegue lidar com o açúcar e a farinha de trigo branca refinada.

Sua situação provavelmente era oposta à deles quando você escolheu este livro. Estava acima do peso e consumia doces e produtos de farinha de trigo branca refinada habitualmente. Pessoas com excesso de peso têm mais problemas com a liberação de insulina e com o controle do açúcar no sangue depois de comerem doces e esse tipo de farinha de trigo, o que é um dos principais motivos da obesidade.

Portanto, você estava num círculo vicioso. Foi por esse motivo que estabelecemos a proibição do consumo do açúcar e da farinha de trigo branca refinada desde o primeiro dia da dieta. Você simplesmente tinha que romper com isso.

E, na Fase 3, realmente conseguiu. Já perdeu o excesso de peso. Portanto, seu metabolismo está em condições muito melhores de lidar com os aumentos súbitos dos níveis de açúcar no sangue causados por suas passagens ocasionais pelo território do pão branco e do açúcar. Desde que essas situações sejam esporádicas, você será capaz de controlá-las.

SE AS COISAS DEREM ERRADO

O que fazer se seu peso começar a aumentar de novo? Em primeiro lugar, entenda que isso não é motivo para vergonha, muito menos para pânico. Na verdade, trata-se de algo que pode acontecer até mesmo com os mais dedicados seguidores do estilo de vida da Dieta de Sonoma em algum momento. As coisas são assim. E é exatamente por essa razão que a Fase 3 existe. Ela é uma rede de segurança.

O motivo mais óbvio para o novo ganho de peso é o fato de você ter exagerado. Em outras palavras: sua adaptação a partir da perda de peso até à manutenção foi longe demais e se refletiu na balança.

Talvez você tenha exagerado nas frutas e nos pães extras, pode ter deixado que as porções aumentassem demais ou mesmo comido guloseimas "ocasionais" em excesso. Volte um ponto. Vá com calma no consumo de frutas e pães, observe o tamanho das porções e torne a ingestão das guloseimas mais esporádica. Além disso, verifique se não está se excedendo nos lanches.

É possível que essas medidas não façam seu peso baixar tão depressa quanto você gostaria. Tudo bem. Nesse caso, a solução é simplesmente voltar à Fase 2 até atingir o peso almejado. Afinal, você já tem experiência nisso, portanto basta seguir de novo as diretrizes da Fase 2. É para isso que elas existem, e você pode retomá-las mais de uma vez durante anos. A boa saúde é um compromisso para toda a vida.

A atitude mais radical a ser adotada na Fase 3 só deve ser tomada se, além de estar ganhando peso novamente, você estiver readquirindo o hábito de comer açúcar e farinha de trigo branca refinada. E essa atitude nem é tão radical assim. Mas é preciso cortar o problema pela raiz, e a forma de fazer isso não é voltar à Fase 2, e sim à Fase 1.

Depois de 10 dias, se tiver retomado o peso pretendido, volte para a Fase 3. Caso contrário, passe para a Fase 2 e mantenha-se nela até que o peso chegue aonde deveria estar.

SITUAÇÕES DE EMERGÊNCIA

São 22h, você está sozinho e, de repente, se sente ameaçado por uma vontade terrível de devorar um prato de salgadinhos. O que fazer? Para quem ligar?

Esse tipo de emergência pode derrubar até mesmo o mais dedicado seguidor da Dieta de Sonoma. Por esse motivo, incluímos este capítulo: fornecer soluções rápidas para problemas urgentes quando você mais precisar delas.

Considere estas páginas o número de emergência da sua dieta, o lugar ao qual recorrer durante uma crise. A ênfase aqui está nas respostas rápidas. Começaremos com soluções para as principais emergências. Depois passaremos às estratégias para lidar com problemas menos graves.

SERVIÇO EMERGENCIAL

Estou morrendo de vontade de comer açúcar na Fase1, e você não me deixa comer nem balas adoçadas artificialmente. Piedade, por favor!

É verdade que até o consumo das balas adoçadas artificialmente é desencorajado na Fase 1 para ajudá-lo a acabar com o vício de comer açúcar. Seja forte e no final da Fase 1 você descobrirá que é possível viver sem doces açucarados. E definitivamente vale a pena, afinal não se pode comer açúcar e emagrecer ao mesmo tempo. Além disso, sentimos muito mais o sabor natural das frutas e hortaliças depois que nos curamos do hábito de comer açúcar.

No momento em que pensar em desistir, resista mais um dia antes de considerar isso uma situação de emergência. Esse único dia fará a diferença. Depois, se realmente acreditar que não será capaz de ficar 10 dias sem ingerir doce, coma gelatina diet ou use adoçante no chá ou no café. Será muito melhor do que se desesperar e devorar um pudim inteiro. De qualquer forma, isso não resolve o problema. Sempre que fizer uma concessão desse tipo, tente passar todo o dia seguinte sem consumir doce.

Se você conseguir agüentar 10 dias, terá várias opções de doces sem açúcar quando chegar à Fase 2. O ideal é que até lá seu desejo esteja menor – de qualquer forma, elas estarão disponíveis.

Socorro! Parei de emagrecer na Fase 2.

Certifique-se de que você está seguindo as instruções corretamente. Adote esta lista de verificação:

_____ Estou montando os pratos e a tigela com a quantidade certa de grãos, proteínas, frutas, hortaliças e laticínios.
_____ Não estou empilhando as porções.
_____ Não estou ultrapassando minhas três porções diárias de gordura.
_____ A carne vermelha que estou comendo é magra.
_____ Não estou ingerindo nem a carne escura nem a pele das aves.
_____ Não estou consumindo porções extras das hortaliças dos Níveis 2 e 3.
_____ Lancho apenas o suficiente para saciar a fome entre as refeições.
_____ Os pães e cereais que estou comendo são 100% integrais.
_____ Não há açúcar na minha dieta.
_____ Estou limitando meu consumo de álcool a um copo de vinho por dia.

Estou emagrecendo muito lentamente. Nunca terei paciência para continuar nesse ritmo.

Se você ainda não começou a praticar exercícios, faça isso agora. Mesmo o mínimo de atividade física – andar 30 minutos por dia, por exemplo – ajuda a queimar calorias.

Escolha também hortaliças do Nível 1 e apenas frutas do Nível 2. Não encha o prato até à borda – basta uma pequena diminuição no tamanho da porção para constatar os resultados ao longo dos dias (e você ainda estará ingerindo mais calorias do que na Fase 1). Como fonte de proteína, escolha frango sem pele e peixe com mais freqüência do que carne vermelha. Coma ainda mais devagar, pois assim comerá menos.

Continuo sentindo uma vontade enorme de comer alguns alimentos. Às vezes, entrego os pontos e devoro uma grande quantidade de biscoitos, batata frita ou balas. Impeça-me antes que eu ataque novamente.

Assim que sentir o desejo chegando, faça algo que não envolva comida. Saia para dar uma caminhada. Entre no chuveiro. Telefone para um amigo – e não use o celular ou o telefone sem fio, pois eles podem ser levados para a cozinha. Esses desejos normalmente são temporários. Evite-os. Ou coloque outra coisa na boca, como chiclete ou bala sem açúcar.

Distraia-se comendo algo aceitável – uma hortaliça do Nível 1 ou qualquer outro lanche permitido.

Beba um grande copo d'água ou um refrigerante diet. Às vezes, o que está desencadeando essa vontade é a sede.

Ingira uma pequena porção do que você está desejando. Um quadrado de chocolate amargo é permitido como doce ocasional. Coma um se a ânsia de consumir esse alimento surgir, mas mantenha distância do restante da barra de chocolate. Em vez de se entregar à vontade de devorar batata frita, saboreie fatias de batata-doce assadas num pouco de azeite.

ORIENTAÇÕES

Agora que cuidamos das crises maiores, como ficam as outras perguntas inquietantes que surgem durante a evolução da Dieta de Sonoma? Todas as pessoas que a seguem têm dúvidas ou se sentem confusas em algum momento. Na verdade, percebemos que os tópicos que surgem ocasionalmente costumam ser os mesmos.

Portanto, aqui está uma relação das perguntas mais freqüentes e as respectivas respostas, que poderão ajudá-lo durante a maior parte deste programa alimentar. Elas estão listadas aleatoriamente, e não por assunto. Vamos começar.

E se eu fizer a maioria das minhas refeições fora de casa?

Simplesmente peça a comida de acordo com as instruções e ingira quantidades controladas que correspondam aos percentuais do prato (em geral, 25% de proteína, 25% de grãos integrais, 25% de hortaliças e 25% de frutas). É raro o restaurante que não oferece uma opção que se encaixe na Dieta de Sonoma.

Até as lanchonetes têm saladas com molhos de baixa caloria, peito de frango grelhado, peito de peru e sopas de hortaliças e carne. Em restaurantes comuns é fácil pedir frango, peixe ou carne vermelha magra. Frutas e hortaliças sempre estão no cardápio. No entanto, não seja escravo dos pratos da casa – solicite exatamente o que desejar.

Você terá que adotar algumas atitudes especiais. Não aceite a cesta de pães, não use manteiga nem molhos cremosos e rejeite queijos, *croûtons* e itens do gênero. Peça o prato sem arroz branco e sem batata – se lhe oferecerem arroz integral, ótimo. Caso contrário, há sempre aquele pãozinho integral. Muitos restaurantes fazem saladas com cortes magros de proteína ao molho vinagrete. Além disso, as saladas da Dieta de Sonoma são elaboradas com ingredientes oferecidos pela maior parte desses estabelecimentos. Descreva uma dessas receitas e pergunte se ela pode ser preparada para você.

Alguém para apoiá-lo

Nada como um companheiro para ajudá-lo a se beneficiar ao máximo da Dieta de Sonoma e superar os momentos difíceis. Se um amigo ou parente seu também seguir este programa alimentar, vocês dois estarão na metade do caminho. Terão alguém para ligar quando os desejos surgirem, uma pessoa para conversar quando as coisas ficarem difíceis e um parceiro para compartilhar as experiências.

Em geral, os garçons estão acostumados a pedidos especiais, e a maioria dos restaurantes onde vale a pena comer atenderá o seu com prazer. Lembre-se de que você está ali para consumir o que quiser e se satisfazer. Ficará surpreso ao ver como é simples e divertido se alimentar e ao mesmo tempo respeitar as diretrizes da Dieta de Sonoma.

Como lidar com parentes que insistem para que eu coma um pouco mais, como costuma acontecer nas reuniões de família?

Se sua reunião familiar for anual, aceite o que a anfitriã ou anfitrião servir – mas coma bem devagar e fale bastante. É possível manter o dano num nível mínimo e, ao mesmo tempo, deixar o parente feliz.

Porém, se as refeições familiares forem mais freqüentes, assuma a ofensiva. Explique que está tentando adotar um novo estilo de alimentação e que alguns itens não se encaixam na sua dieta. Peça à pessoa que não insista em relação aos alimentos que você prefere evitar. Não importa o que ela diga nem o que faça, coma o que planejou comer, nada mais. Ela acabará entendendo.

O que devo fazer com receitas que contêm tipos diferentes de alimentos – como uma mistura de grãos e hortaliças? Como posso adaptá-las aos percentuais?

É possível saber, pelos ingredientes da receita, quanto de cada tipo de alimento ela requer. Realize o ajuste de acordo com os dados. Por exemplo, se a receita é para um prato que consiste em três partes iguais de grãos integrais, proteína e hortaliças, a tarefa é fácil. Simplesmente faça com que cada uma dessas partes ocupe 1/4 do prato e adicione uma fruta para preencher o último 1/4. Assim, você terá a proporção 25-25-25-25 exigida na maioria das refeições da Fase 2.

Por exemplo, se a maior parte de uma receita combina proteína com algumas hortaliças, considere-a um prato de proteína. Use-a para ocupar um pouco mais do que os 25% reservados para a proteína e compense as hortaliças que faltam com outras variedades desses vegetais.

Como você vê, isso não é uma ciência exata. Porém é possível chegar bem perto dos percentuais certos usando um pouco de observação, matemática básica e uma boa dose de bom senso. E ficará mais fácil à medida que você progredir na dieta e se acostumar ao prato e às proporções.

Esta dieta pode interferir nos efeitos de um medicamento que eu esteja tomando?

Sim, isso é possível. Mas quase toda mudança de estilo de vida – inclusive as mudanças na alimentação, na prática de exercícios físicos e no peso – pode causar essa interferência. Ou os medicamentos podem afetar a dieta. Por isso, como já dissemos, consulte seu médico antes de dar início a este programa alimentar.

Tudo o que quero quando acordo de manhã é tomar um café bem quente, cheio de creme e açúcar. Isso é proibido?

Sim e não. Se você não conseguir suportar a idéia de que não poderá beber um pouco de café depois de se levantar, não se desespere. Tome 2 xícaras dessa bebida por dia – depois troque-a por chá. Mas, quando o assunto é açúcar, nada feito. Embora os adoçantes sejam permitidos em pequenas quantidades, o açúcar não é. Experimente alguns cafés especiais (expresso, extraforte, orgânico, etc.) que existem no mercado – talvez os considere bons o suficiente para não precisar do creme. Caso você realmente não seja capaz de ingerir o café puro, poderá adicionar 1 colher de sopa de creme, desde que se limite a 1 xícara de café por dia. Bebidas com cafeína que sejam mais elaboradas – como o café *mocha*, o *cappuccino* e o *frappé* – devem ser evitadas. Elas contêm muitas calorias e pouco ou nenhum nutriente para compensar.

Detesto chá verde. Que outro chá posso beber?

O chá verde é o melhor, porque contém níveis altos de antioxidantes. Além disso, estudos mostraram que essa bebida acelera o metabolismo, ajudando a queimar mais calorias. Se você realmente não suporta o chá verde, o chá preto é uma alternativa aceitável. A maior parte dos chás de ervas naturais (bebidas que normalmente não têm cafeína) é outra opção.

Gosto da idéia de tomar um copo de vinho durante as refeições, mas tenho dúvidas: como saber qual vinho é adequado e quais os tipos certos para acompanhar os pratos?

Esqueça tudo isso. No primeiro dia, decida quanto irá gastar com uma garrafa de vinho e compre uma de cuja marca você já tenha ouvido falar. Se gostar do sabor, adquira o mesmo tipo novamente. Caso contrário, experimente outro ou prove um vinho recomendado por um amigo. A única regra relacionada a vinhos que importa é beber um que você aprecie. Para descobrir seu preferido, primeiro experimente vários deles.

Com todas as proteínas, frutas e hortaliças, esta dieta acaba ficando muito cara. Existe a possibilidade de torná-la mais econômica?

A Dieta de Sonoma pode fazer com que seu gasto no supermercado aumente um pouco por causa de sua ênfase em carnes magras e alimentos frescos e integrais. Mas existem truques para manter o custo baixo.

Você pode estocar frutas e hortaliças congeladas ou em conserva (desde que não contenham açúcar). Algumas hortaliças frescas são mais baratas do que outras – se o fator economia for importante, pense nisso ao decidir o que levar para casa. Frutas e hortaliças frescas custam menos no período de safra. Algumas delas podem ser compradas em grandes quantidades e congeladas para uso posterior. Vá a feiras e mercados do produtor – nesses lugares às vezes se encontram produtos da estação a preços mais baixos.

Procure os alimentos que estão em promoção e planeje a dieta de acordo com eles. Por exemplo, se os preços do frango estiverem em conta numa determinada semana, compre esse produto, estoque e faça dele sua fonte de proteína por vários dias. Esse mesmo procedimento vale para grãos e feijões.

Sou um só e tenho uma garrafa inteira de vinho...

Como você só deve beber um copo de vinho, o que fazer com o que sobrar na garrafa? Na verdade, o vinho conserva-se por mais tempo do que imaginamos. Vede a garrafa com uma rolha especial ou com uma tampa específica – esses produtos são encontrados em modelos e preços variados. Mantenha o vinho fechado na geladeira. Você provavelmente o beberá por pelo menos mais dois dias.

Sem desculpas

Você é especialista em encontrar desculpas para se desviar das orientações da dieta? Quase todas as pessoas são assim. Sempre existe um bom pretexto para comer doces, para encher o prato com carnes gordurosas ou para consumir o arroz branco no lugar do integral. E assim por diante.

As desculpas sabotam a dieta. Aprenda a lidar com elas. Anote numa folha de papel todas aquelas que você usa para comer quando não deveria. Mantenha o papel e a caneta à mão, pois certamente muitas outras surgirão ao longo dos dias.

Depois, ao lado de cada desculpa, especifique um jeito de invalidá-la que seja compatível com seu estilo de vida. Se o seu motivo para comer um pão francês no lugar do café da manhã recomendado pela Dieta de Sonoma é a falta de tempo, escreva ao lado: "Vou acordar 15 minutos mais cedo." Caso sua desculpa para colocar açúcar no café é a de que você está acostumado a isso, escreva: "Vou me habituar a usar adoçante ou a tomar o café puro."

É verdade que colocar essas intenções por escrito não garante que elas venham a ser adotadas. Mas, quando você vir, em preto e branco, como pode ser fácil superar as desculpas, será muito mais difícil ignorar as soluções. Experimente.

Não tenho tempo para preparar minhas refeições. Demora muito.

Encontre atalhos. Você gasta a maior parte desse tempo cortando e preparando os alimentos. Assim, sempre que puder, compre carnes e hortaliças previamente cortadas. Quanto ao restante dos itens, separe uma hora no começo da semana para cortá-los e prepará-los em quantidade suficiente para uma semana de refeições. Desse modo, na hora em que for comer, basta juntar tudo e colocar no forno ou na panela.

Além disso, você pode preparar de oito a 10 porções de grãos de cada vez. Depois, é só reaquecer o que será consumido no almoço ou no jantar durante toda a semana. Prepare uma boa quantidade de mingau de aveia no início da semana e reaqueça as porções para o café da manhã diariamente.

Não tenho tempo de preparar as receitas.

Você encontrará mais tempo do que pensa se entender como as receitas são úteis e boas. Comece fazendo somente o que estiver ao seu alcance. Comprometa-se a preparar apenas duas das receitas numa semana, mesmo que seja apenas um acompanhamento, como grãos ou salada. Depois, faça quatro receitas. Aos poucos, você descobrirá tempo livre para elaborar boas refeições. Lembre-se: as receitas existem para lhe proporcionar variedade, para que você não fique entediado com a dieta. Elas também foram incluídas neste livro para lhe mostrar a culinária da Dieta de Sonoma e deliciosas opções de comida saudável. Vale a pena reservar tempo para isso.

Minha família insiste em manter na cozinha alimentos que não pertencem à Dieta de Sonoma – vivo cercado deles.

O pior em relação a esses alimentos – pães processados, biscoitos, bolachas, salgadinhos, cereais açucarados – é que eles não fazem bem a ninguém, esteja a pessoa de dieta ou não. Peça a colaboração de sua família. E isso é o mínimo que eles podem fazer para lhe dar apoio.

Ajude-os também. Depois de descartar toda a comida prejudicial, coloque hortaliças frescas em seu lugar. Tenha sempre em casa pães e cereais integrais. Estoque hortaliças e deixe algumas delas cortadas e prontas para o lanche. Faça com que sua família veja que uma alimentação saudável não é sinônimo de privação.

Sou o único na minha casa que faz dieta. Isso torna as refeições uma espécie de luta.

Não há nada de estranho nos alimentos da Dieta de Sonoma. Todas as pessoas podem comê-los e apreciá-los. A refeição que você prepara para sua dieta pode ser consumida por todos. Talvez eles comam porções maiores do que as suas, mas essa deve ser a única diferença.

Desafie-os. Peça-lhes que experimentem as refeições deste programa alimentar por uma semana. Prepare as receitas de que você mais gosta. Veja o que acontece. Se eles se recusarem a prová-las, sirva o prato de carne que você estiver comendo nesse dia e deixe que escolham o acompanhamento que preferirem. Eles terão o prato do jeito deles, e você, do seu. Assim, o conflito será ao menos minimizado. Tudo o que puder ser feito para ajudá-los a desfrutar de uma refeição lenta juntos será um benefício para todos.

Viajo muito e minhas escolhas são limitadas. Alguma sugestão?

Os cardápios de restaurantes e a Dieta de Sonoma podem funcionar juntos (veja da página 133 à página 136). E suas escolhas durante uma viagem não serão tão limitadas quanto parecem. Quando você estiver viajando, procure supermercados grandes, lojas de comida natural e mercados de produtores. Assim como ocorre com os restaurantes, não é difícil encontrá-los, e esses estabelecimentos sempre têm alimentos no estilo da Dieta de Sonoma. Alguns deles oferecem até itens frescos prontos para o consumo.

Levo meu almoço para o trabalho. Quais são minhas opções?

Não existem muitos itens da Dieta de Sonoma que não possam ser preparados em casa e aquecidos no microondas ou mesmo consumidos direto no recipiente. As saladas de folhas são particularmente boas nesse aspecto. Experimente diversas delas para variar. Misture-as com peito de frango grelhado, atum, carne magra ou ovos cozidos. Acrescente uma fruta e um pãozinho integral, e você terá algo muito próximo das proporções normais do almoço.

Há outras idéias. Leve sobras de carnes magras, de peito de frango ou de peixe para esquentar no trabalho. Na parte de receitas rápidas (veja a página 131) estão listados sanduíches fáceis de fazer com ingredientes variados. Crie um lanche fácil e completo combinando frango, carne de porco ou presunto em cubos com uma hortaliça crua, uma maçã e um pãozinho integral (ou bolachas integrais). Com um pouco de imaginação e planejamento, terá o almoço que quiser no trabalho.

Preciso me exercitar?

Você perderá peso mais rápido se fizer isso. E se tornará mais saudável à medida que for emagrecendo. Caso você seja realmente avesso à idéia de praticar uma atividade física, comece com algo fácil e leve: caminhe. Mantenha um registro da distância que percorreu e tente ir um pouco mais longe a cada semana. Até esse pequeno esforço o ajudará.

Prefiro lanchar com freqüência a fazer três refeições maiores. Posso dividir as refeições ao longo do dia?

A Dieta de Sonoma baseia-se em três refeições diárias – café da manhã, almoço e jantar. Existem dois motivos para isso. Primeiro, quase todas as pessoas se alimentam com essa freqüência. Segundo, cada uma dessas refeições fornece as combinações benéficas de alimentos que abordamos no início do livro.

Se dividir as refeições é importante para você, experimente fazer isso. Em todo caso, terá que realizar os cálculos para ingerir a mesma quantidade de comida que consumiria num plano de três refeições diárias. Mas lembre-se: dessa forma você sacrificará o benefício integral das combinações de alimentos, que é uma parte fundamental da Dieta de Sonoma.

Meus filhos ainda estão zangados comigo porque me livrei dos sorvetes e de todos os tipos de comida processada que tinha em casa quando comecei a Fase 1. De que maneira posso deixá-los felizes sem ficar tentada a me desviar da dieta?

A resposta fácil seria sugerir que você guardasse a comida dos seus filhos num armário separado e só o abrisse na hora de alimentá-los. Mas existe uma solução melhor.

Faça um favor às suas crianças desistindo desses alimentos e reservando-os apenas para ocasiões especiais. Como pai ou mãe, seu dever é comprar opções de comida saudável e lhes oferecer. O dever delas é escolher o que vão consumir. Se entre esses itens só houver comida saudável, qualquer coisa que elas escolham obviamente só poderá lhes fazer bem.

A melhor estratégia é não transformar a mudança num grande acontecimento. Espere até que seu estoque de biscoitos se esgote e depois não o reponha. Compre algo recomendado na Dieta de Sonoma para substituí-los. Ou tenha em casa mingau de aveia e use-o como alternativa para o lanche. No início, seus filhos vão reclamar, mas depois de algum tempo estarão acostumados e aprenderão a gostar desses alimentos.

Hortaliças congeladas e em conserva são permitidas?

Sim. O melhor, obviamente, é consumir esses alimentos frescos, mas os congelados também são muito bons. Os vegetais em conserva são sua terceira opção. Verifique a lista de ingredientes para ter certeza de que temperos, açúcar e gorduras não foram adicionados aos alimentos enlatados. Lave os vegetais em conserva para retirar parte do sal que eles contêm.

De onde eu vou extrair proteína suficiente se não quiser comer ovos nem carne?

Se você gosta de peixe, ficará em boa forma. Esse alimento é uma grande fonte de proteína e proporciona o benefício extra de fornecer os saudáveis óleos ômega-3. Caso você não queira comer peixe, procure alternativas na lista de Proteínas e Laticínios da Dieta de Sonoma (veja a página 80), que inclui feijões e produtos de soja.

Posso usar manteiga?

Na Fase 3 você pode comer manteiga como guloseima ocasional. Esse alimento, em qualquer forma, tem uma grande quantidade de gordura saturada. A manteiga pode ser substituída ocasionalmente por margarinas light que não contenham gordura trans, como a Qualy light. Em todo caso, sempre que possível, utilize azeite de oliva.

E se eu encontrar uma hortaliça que não está em nenhuma das listas?

Se ela contiver muito amido, como um tubérculo, considere-a uma hortaliça do Nível 3. Caso tenha muita água, assim como o pepino, provavelmente possui poucas calorias e é rica em fibras. Portanto, pode usá-la como um vegetal do Nível 1. Se ela estiver entre esses dois tipos, é do Nível 2.

A única bebida alcoólica que posso tomar é o vinho?

Sim, até alcançar o peso desejado. Pesquisas revelam alguns benefícios do álcool em geral, mas somente o vinho possui nutrientes saudáveis suficientes para compensar pelas calorias extras. Além disso, entre as bebidas alcoólicas, apenas ele contribui para o aspecto lento, prazeroso e relaxante de uma refeição.

PARTE 2: CARDÁPIOS E RECEITAS

OS CARDÁPIOS E AS RECEITAS DA DIETA DE SONOMA

A Dieta de Sonoma foi desenvolvida para ser, acima de tudo, simples e saborosa.

No começo deste livro dissemos que já havíamos feito todo o planejamento e todos os cálculos para você. A partir de agora, você colherá os frutos dessa pesquisa. Aqui estão os cardápios, as receitas e as listas de alimentos que o orientarão no programa de emagrecimento dia a dia.

O segredo está na flexibilidade. Você pode adotar os cardápios diários durante todo o período da dieta ou usar as informações apresentadas para improvisar suas próprias refeições, seguindo os preceitos deste programa alimentar. A escolha é sua.

O destaque desta parte são as receitas – dezenas delas. São instruções detalhadas e fáceis de seguir para o preparo de pratos de dar água na boca que o deixarão satisfeito ao mesmo tempo em que lhe permitirão perder peso.

As receitas estão longe de ser o que a maior parte das pessoas associa a "comida de dieta". Elas incluem tendências internacionais inspiradas pelo estilo culinário aventureiro de Sonoma – suas papilas gustativas jamais se cansarão desses sabores.

Há duas seções com receitas. A primeira delas inclui as opções alimentares da Fase 1. A outra contém as sugestões para a Fase 2, que são mais variadas. Você terá a comodidade de saber que as receitas que escolher serão totalmente apropriadas para sua etapa na dieta.

Nas seções dos cardápios para as Fases 1 e 2 estão as opções que o orientarão durante este programa alimentar. Preparando e comendo as refeições sugeridas, você avançará na Dieta de Sonoma de modo automático, pois todas elas foram planejadas para facilitar sua vida.

No entanto, se desejar improvisar – seja para poupar tempo, seja para variar –, você encontrará muitas sugestões de como fazer isso. Por exemplo, sempre haverá a possibilidade de substituir o prato principal por frango grelhado ou assado (sem pele, é claro). Isso lhe dá a opção prática de preparar uma quantidade de peito de frango (proteína) suficiente para vários dias. Utilize as informações do capítulo "Temperos, molhos e pastas" para dar mais sabor à comida. Sempre que quiser fazer uma refeição mais ligeira e leve, escolha o *wrap* ou a salada de preparo rápido da Dieta de Sonoma, seguindo as receitas apresentadas nas páginas 131 e 132. Você poderá se manter nos trilhos da dieta mesmo quando sair para comer fora. Para isso, siga as orientações que fornecemos da página 133 à 136.

Wrap Rápido da Dieta de Sonoma

Quando você estiver sem tempo para preparar as refeições, opte pelos sanduíches do tipo *wrap*, que são de preparo rápido e fácil. Use como recheio os ingredientes permitidos na dieta ou siga uma das nossas receitas (veja as páginas 143, 150, 153 e 154). Se estiver na Fase 2, acrescente uma porção de fruta à refeição.

Para 1 *wrap*

Use uma tortilha de trigo integral com baixo teor de carboidrato ou uma folha grande de alface para enrolar os ingredientes do recheio.

Espalhe sobre a tortilha ou sobre a folha de alface até 1 colher de sopa de sua pasta preferida.*

Recheie com:

2 xícaras de folhas mistas ou folhas de espinafre

1 xícara de hortaliças (lembre-se de escolher as que são apropriadas à fase da dieta na qual você se encontra)

proteína magra cozida, como frango, carne de porco, carne bovina ou presunto (use 90g no almoço e 120g no jantar)

2 colheres de sopa de queijo mussarela light, requeijão light ou queijo de cabra (cerca de 60g), opcional

**Consulte a seção "Temperos, molhos e pastas" (da página 137 à 163) para ver sugestões saborosas, como a Pasta de Alho Assado e a Pasta de Feijão-Preto com Pimenta-de-Caiena. Se estiver com pressa, use produtos comprados prontos, como molho de tomate, pasta de alcachofra ou homus (grão-de-bico com tahine).*

Salada Rápida da Dieta de Sonoma

Esta salada é uma maneira simples de usar o que você tem em casa para preparar o almoço ou o jantar. Se estiver na Fase 2, acrescente uma porção de fruta à refeição.

Para 1 salada

2 xícaras de folhas verdes mistas ou de folhas de espinafre
1 xícara de hortaliças (lembre-se de escolher as que são apropriadas à fase da dieta na qual você se encontra)
1/2 xícara de feijão cozido ou 2 bolachas integrais para acompanhar a salada
proteína magra cozida, como frango, carne de porco, carne bovina ou presunto (use 90g no almoço e 120g no jantar)
2 colheres de sopa de mussarela light, requeijão light ou queijo de cabra (cerca de 60g), opcional
Molho para salada de sua preferência*

**Consulte o capítulo "Temperos, molhos e pastas" (da página 137 à 163) para ver molhos como Vinagrete de Morango com Pimenta e Vinagrete ao Pesto. Outra opção é usar um molho light industrializado para salada.*

Frango Rápido da Dieta de Sonoma

Para 1 porção

400g de peito de frango desossado e sem pele
Escolha uma pasta ou marinada para acentuar o sabor (veja da página 140 à 155)

Asse ou grelhe o frango por cerca de 15 minutos, virando uma vez na metade do tempo. Retire quando estiver dourado e sem líquido.

Atenção: As receitas dos temperos e das marinadas são suficientes para 4 ou 6 porções de carne, por isso é fácil adaptá-las para quantidades maiores. O tempo de cozimento é o mesmo.

E QUANDO EU FOR COMER FORA?

Comer em restaurantes faz parte do estilo de vida da Dieta de Sonoma – na verdade, é um verdadeiro prazer, onde quer que seja. Este programa alimentar foi elaborado para que você possa fazer refeições fora de casa sem sair da linha.

No entanto, é necessário tomar determinadas precauções para seguir os cardápios e as porções da dieta. Sua missão é fazer com que as refeições servidas nos restaurantes se ajustem ao seu regime alimentar, e não o contrário.

É mais fácil do que você imagina. Os bons restaurantes, de um modo geral, não se recusam a atender as solicitações dos clientes. Até os que possuem cardápios mais rígidos – como cadeias de lanchonetes do tipo fast-food – oferecem opções que podem ser adequadas à Dieta de Sonoma.

A seguir, descrevemos algumas estratégias que o ajudarão a respeitar a dieta quando comer fora de casa e a não sair da linha.

Dicas para comer em restaurantes

- **Telefone com antecedência.** A maneira mais eficaz de saber com antecedência se um restaurante trabalha com seus alimentos preferidos é perguntar. Ligue durante as horas de menor movimento, exponha suas necessidades em linhas gerais e ouça o que eles dizem.
- **Verifique o cardápio na internet.** Muitos restaurantes costumam publicar o cardápio nos seus sites. Se você der uma olhada nele antes, poderá evitar confusão ou um certo constrangimento por tomar uma decisão de última hora sobre o que irá pedir.
- **Pergunte ao garçom.** Se no cardápio não houver informações suficientes sobre o preparo de um prato que lhe interessa, tire as dúvidas com o garçom. Por exemplo, essa refeição é elaborada com gordura animal ou com óleo vegetal? A porção é muito grande? Qualquer garçom competente terá prazer em lhe responder ou em descobrir a resposta para você.
- **Procure pistas no cardápio.** Expressões como "no vapor", "no próprio caldo", "fresco", "grelhado" e "assado" em geral indicam um método de preparo que requer pouca gordura e usa menos calorias. O prato que elas descrevem provavelmente é adequado às diretrizes da Dieta de Sonoma. Por outro lado, fique atento às seguintes especificações: amanteigado,

em molho de manteiga, frito, crocante, com creme, em molho cremoso, gratinado, ao molho branco, ao molho de queijo, marinado em óleo, etc.

• **Controle o molho da salada.** Use azeite de oliva extravirgem e vinagre ou molhos com pouca gordura. E peça o molho à parte para controlar a quantidade que ingere.

• **Beba muita água.** Tome um copo de água antes, durante e após a refeição.

• **Fique atento ao tamanho das porções.** Visualize uma tigela com capacidade igual à de 2 xícaras e os pratos dos tamanhos especificados (de sobremesa e comum). Disponha a comida no prato como faria em casa para seguir as proporções descritas adequadas à fase da dieta em que você está. Se a inibição o impedir de fazer isso em público, pelo menos imagine esse procedimento. Assim, terá uma idéia de quanto comer.

• **Coma apenas a porção indicada na Dieta de Sonoma.** Se lhe servirem muita comida, peça que coloquem parte dela numa quentinha para viagem. Ou divida o prato com seu/sua acompanhante.

• **Peça um prato para dois.** Caso você fique sabendo com antecedência que as porções servidas por determinado restaurante são grandes, considere a possibilidade de dividir o prato com outra pessoa.

• **Peça aquilo que você deseja.** Não seja escravo do cardápio. Se o acompanhamento do salmão for arroz branco, solicite que o substituam por arroz integral ou selvagem ou mesmo por hortaliças. As proporções de grãos, proteína, hortaliças e frutas no seu prato devem ser adequadas à fase da dieta em que você está.

• **Coma devagar.** Uma refeição calma, voltada para o prazer, é um dos pontos altos da Dieta de Sonoma. Aproveite a comida e o papo.

Recomendações de restaurantes

Lanchonetes fast-food

• Saladas de folhas com molho light ou sem gordura. Se forem servidas com torradinhas de pão branco e queijo, descarte-os.

• Peito de frango desossado e sem pele, grelhado. Remova o pão e coma o frango com uma salada.

• Sanduíche no pão integral com baixo teor de carboidratos, feito com peito de frango ou de peru, presunto sem gordura ou rosbife. Acrescente uma hortaliça adequada à etapa da dieta em que você está.

Restaurantes chineses

- Peito de frango refogado desossado e sem pele, peixe, camarão, vieiras, cortes magros de carne bovina ou de porco. Peça que retirem o empanado da carne.
- Hortaliças refogadas, como aspargos, brócolis, vagem, repolho, couve-flor, abobrinha, repolho-chinês ou couve-da-china (*bok choy*), e/ou outras hortaliças apropriadas à fase da dieta em que você está.
- Tofu refogado, quando já estiver na Fase 2. Mais uma vez: certifique-se de que o empanado foi removido.
- Coma apenas arroz integral e fique atento ao tamanho da porção. O ideal é ingerir cerca de 1/2 xícara.

Restaurantes italianos

- Peito de frango grelhado desossado e sem pele, cortes magros de carne de boi e de porco, peixe, camarão, lagosta, vieiras, mexilhões e/ou outros frutos do mar temperados com ervas, mas nunca empanados.
- Evite molhos cremosos.
- Peça hortaliças frescas refogadas em azeite de oliva extravirgem.
- Evite massas, exceto se forem de trigo integral. Fique atento ao tamanho da porção.
- Escolha uma salada com folhas verde-escuras. Peça hortaliças frescas para complementar a salada. Tempere com um pouco de azeite de oliva extravirgem e vinagre ou com um molho light para salada.

Restaurantes mexicanos

- Escolha peito de frango desossado e sem pele, carne magra de boi e de porco, camarão ou vieiras.
- Prefira sopa de feijão-preto a feijão refrito. Evite arroz, a não ser que seja integral.
- Peça guacamole fresca ou guacamole que não seja preparada com algum tipo de gordura, como o creme de leite azedo.

• Tempere a carne com molho salsa e acrescente alface e/ou tomate; dispense o creme de leite azedo.

Restaurantes com bufê

• Sente-se o mais longe possível do bufê.

• Não repita. Coloque no prato porções e alimentos adequados à Dieta de Sonoma.

• Coma lentamente – deixe um pouco de comida no prato até que a última pessoa à mesa tenha terminado de comer. Evite a tentação de acompanhar os outros se eles voltarem para repetir a refeição.

Temperos, molhos e pastas

Como você já sabe, a Dieta de Sonoma contém alimentos saborosos e nutritivos. Este capítulo apresenta temperos e marinadas para carnes e aves, pastas para *wraps* e molhos para saladas. Não tenha medo de ousar!

Quando você precisar preparar uma refeição rápida e simples, experimente as receitas a seguir para acentuar o sabor de um *wrap*, de uma salada ou mesmo de um filé de frango (veja páginas 131 e 132).

Tempero Jamaicano

TEMPO DE PREPARO: 5 MINUTOS
TEMPO DE REFRIGERAÇÃO: 30 MINUTOS
RENDIMENTO: SUFICIENTE PARA 500G DE CARNE OU AVE

½ xícara de cebola picada
2 colheres de sopa de suco de limão
1 colher de chá de pimenta-malagueta
½ colher de chá de sal
¼ de colher de chá de pimenta-da-jamaica moída
¼ de colher de chá de curry em pó
¼ de colher de chá de pimenta-do-reino moída na hora
1 pitada de tomilho
1 pitada de chá de gengibre
2 dentes de alho cortados em 4

No liquidificador, junte a cebola, o suco de limão, a pimenta-malagueta, o sal, a pimenta-da-jamaica, o curry, a pimenta-do-reino, o tomilho, o gengibre e o alho. Tampe e bata até obter uma mistura uniforme. Use para temperar 500g de carne vermelha ou de ave (costeletas de porco desossadas, filés de peito de frango ou filés de peito de peru), esfregando bem. Coloque num recipiente fechado e mantenha na geladeira por 30 minutos. Grelhe ou leve para assar na brasa.

Tempero de Pimenta-de-Caiena

TEMPO DE PREPARO: 5 MINUTOS
RENDIMENTO: SUFICIENTE PARA 1,3KG DE CARNE OU AVE

1 colher de chá de sementes de coentro moídas
1 pitada a 1/2 colher de chá de pimenta-do-reino moída na hora
½ colher de chá de páprica
1 pitada a 1/4 de colher de chá de pimenta-de-caiena desidratada, sem sementes

Num recipiente pequeno, misture as sementes de coentro, a pimenta-do-reino, a páprica e a pimenta-de-caiena. Use para temperar 1,3kg de carne vermelha ou de ave (costeletas de porco desossadas, filés de peito de frango ou filés de peito de peru). Grelhe ou leve para assar na brasa.

Tempero de Ervas Frescas

TEMPO DE PREPARO: 5 MINUTOS
RENDIMENTO: SUFICIENTE PARA 1,5KG DE CARNE, AVE OU PEIXE

- 1 colher de chá de tomilho fresco picado ou 3/4 de colher de chá de tomilho desidratado picado
- 1 colher de chá de sálvia fresca picada ou 3/4 de colher de chá de sálvia desidratada picada
- 1 colher de chá de alecrim fresco picado ou 3/4 de colher de chá de alecrim desidratado picado
- 2 dentes de alho picados (1 colher de chá)
- 1 ½ colher de chá de pimenta-do-reino moída na hora
- 1 a 1 ½ colher de chá de sal
- ½ colher de chá de pimenta-malagueta picada

Num recipiente pequeno, junte o tomilho, a sálvia, o alecrim, o alho, a pimenta-do-reino, o sal e a pimenta-malagueta. Salpique essa mistura uniformemente sobre 1,5kg de carne vermelha ou de ave (costeletas de porco desossadas, bifes ou filés de peito de frango, de peito de peru ou de peixe). Em seguida, esfregue bem. Grelhe ou leve para assar na brasa.

Tempero de Pimenta-do-Reino com Mostarda

TEMPO DE PREPARO: 5 MINUTOS
TEMPO DE REFRIGERAÇÃO: DE 15 MINUTOS A 4 HORAS
RENDIMENTO: SUFICIENTE PARA 1,5KG DE CARNE

- 1 colher de sopa de mostarda marrom em grãos
- 2 colheres de chá de azeite de oliva extravirgem
- 2 colheres de chá de pimenta-do-reino em grãos esmagados
- 2 colheres de chá de estragão fresco ou 1/2 colher de chá de estragão desidratado
- 1 colher de chá de sal

Num recipiente pequeno, junte a mostarda marrom, o azeite de oliva, a pimenta-do-reino, o estragão e o sal. Espalhe uniformemente sobre 1,5kg de carne vermelha ou de costeletas de porco ou de carneiro desossadas. Leve à geladeira por 15 minutos a 4 horas. Grelhe ou asse na brasa.

Marinada de Ervas à Moda Asiática

TEMPO DE PREPARO: 25 MINUTOS
TEMPO PARA MARINAR: DE 4 A 24 HORAS
RENDIMENTO: SUFICIENTE PARA 1KG DE CARNE DE PORCO, AVE OU SALMÃO

- ½ xícara de coentro fresco picado
- ¼ de xícara de gengibre fresco picado
- ¼ de xícara de folhas de hortelã frescas picadas
- 10 dentes de alho cortados ao meio
- ½ a 1 pimenta-*jalapeño** picada e sem sementes
- 1 colher de sopa de óleo de gergelim torrado
- 1 colher de sopa de suco de limão
- 1 colher de chá de pimenta-do-reino moída na hora
- ½ colher de sopa de sal

1. Num processador de alimentos, misture o coentro, o gengibre, a hortelã, o alho, a pimenta-*jalapeño*, o óleo de gergelim, o suco de limão, a pimenta-do-reino e o sal. Tampe e bata até formar uma pasta espessa, passando uma espátula pela lateral do processador se necessário.

2. Para usar como marinada, espalhe sobre 1kg de filé de carne de porco, de peito de frango ou de salmão. Coloque num recipiente fechado e deixe descansar na geladeira por 4 a 24 horas. Grelhe ou leve para assar na brasa.

* As pimentas chili contêm óleos que podem queimar a pele e os olhos, por isso use luvas de plástico ou de borracha ao manuseá-las. Se suas mãos entrarem em contato com a pimenta, lave-as bem com água e sabão.

DICA: Esta marinada pode ser congelada. Coloque-a num recipiente, tampe e mantenha no freezer por até 3 meses.

Marinada de Ervas à Moda Mediterrânea

TEMPO DE PREPARO: 20 MINUTOS
TEMPO PARA MARINAR: DE 4 A 24 HORAS
RENDIMENTO: SUFICIENTE PARA 1KG DE CARNE DE PORCO, AVE OU SALMÃO

½ xícara de salsa fresca picada
¼ de xícara de azeite de oliva extravirgem
3 colheres de sopa de folhas de alecrim fresco
3 colheres de sopa de folhas de tomilho fresco
2 colheres de sopa de sálvia fresca picada
2 colheres de sopa de tiras bem finas de casca de limão
10 dentes de alho cortados ao meio
½ a 1 colher de chá de pimenta-malagueta esmagada
½ colher de chá de sal
de ¼ a ½ colher de chá de pimenta-do-reino moída na hora

1. Num processador de alimentos, misture a salsa, o azeite de oliva, o alecrim, o tomilho, a sálvia, as tiras de casca de limão, o alho, a pimenta-malagueta, o sal e a pimenta-do-reino. Tampe e bata até formar uma pasta espessa, passando uma espátula na lateral do processador se necessário.

2. Para usar como marinada, espalhe sobre 1kg de filé de carne de porco, de peito de frango ou de salmão. Coloque num recipiente com tampa e deixe descansar na geladeira por 4 a 24 horas. Grelhe ou leve para assar na brasa.

DICA: Esta marinada pode ser congelada. Coloque-a num recipiente, tampe e mantenha no freezer por até 3 meses.

Marinada à Moda Marroquina (Charmoula)

TEMPO DE PREPARO: 10 MINUTOS
TEMPO PARA MARINAR: DE 8 A 24 HORAS
RENDIMENTO: SUFICIENTE PARA 1,5 A 2KG DE PEIXE, AVE, CARNE BOVINA OU CARNE DE PORCO

½ xícara de azeite de oliva extravirgem
½ xícara de suco de limão
½ xícara de salsa picada
½ xícara de coentro fresco picado
4 dentes de alho picados (2 colheres de chá)
1 colher de sopa de páprica
2 colheres de chá de cominho moído
1 colher de chá de sal
½ colher de chá de pimenta-de-caiena
¼ de colher de chá de pimenta-do-reino moída na hora

1. Num recipiente médio, misture o azeite de oliva, o suco de limão, a salsa, o coentro, o alho, a páprica, o cominho, o sal, a pimenta-de-caiena e a pimenta-do-reino.

2. Para usar como marinada, coloque de 1,5 a 2kg de filé de peixe, de peito de frango ou de peru, de bifes ou costeletas de porco desossadas num saco plástico do tipo Ziplock sobre um refratário. Acrescente a marinada e misture. Feche o saco plástico e vire para regar toda a carne. Deixe na geladeira por 8 a 24 horas. Retire o peixe, a ave ou a carne da marinada. Grelhe ou leve para assar na brasa.

Marinada para Frango Tandoori

TEMPO DE PREPARO: 15 MINUTOS
TEMPO PARA MARINAR: 4 HORAS
RENDIMENTO: SUFICIENTE PARA 500 A 750G DE FRANGO

- 170 ml de iogurte natural desnatado
- ¼ de xícara de suco de limão
- 1 colher de sopa de gengibre fresco ralado
- 2 colheres de sopa de coentro fresco picado
- 2 dentes de alho picados (1 colher de chá)
- 1 colher de sopa de sementes de cominho torradas e moídas*
- ½ colher de chá de sal
- 1 pitada de pimenta-de-caiena

1. Num recipiente pequeno, junte o iogurte, o suco de limão, o gengibre, o coentro, o alho, as sementes de cominho, o sal e a pimenta-de-caiena e mexa.

2. Para usar como marinada, coloque de 500 a 750g de filé de peito de frango num saco plástico do tipo Ziplock sobre um refratário. Acrescente a mistura de iogurte. Feche o saco plástico e vire-o para regar todo o frango. Deixe marinar na geladeira por 4 horas. Retire o frango da marinada e descarte-a. Grelhe a ave ou leve para assar na brasa.

*Para torrar as sementes, aqueça uma frigideira pequena em fogo médio. Acrescente as sementes e deixe por 2 minutos, virando sempre a frigideira. Retire quando estiverem torradas e com um aroma mais intenso. Coloque num moedor de condimentos e processe até que estejam bem trituradas.

Maionese Light de Mostarda com Mel

TEMPO DE PREPARO: 10 MINUTOS
RENDIMENTO: APROXIMADAMENTE 1 XÍCARA

- ½ xícara de maionese light ou com óleo de canola
- 3 a 4 colheres de sopa de mostarda com mel ou de mostarda Dijon
- 1 pitada de sal
- 1 pitada de pimenta-do-reino moída na hora

Num recipiente pequeno, misture a maionese light, a mostarda com mel, o sal e a pimenta-do-reino. Consuma imediatamente ou tampe e deixe na geladeira por até 1 semana. Use como pasta para sanduíches e wraps.

INFORMAÇÕES NUTRICIONAIS POR COLHER DE SOPA: 45 calorias, 4g de gorduras totais (1g de gordura saturada), 4mg de colesterol, 123mg de sódio, 2g de carboidratos, 0g de fibras, 0g de proteína.

MOLHO DE IOGURTE E PEPINO

TEMPO DE PREPARO: 30 MINUTOS
TEMPO DE REFRIGERAÇÃO: DE 24 A 48 HORAS
RENDIMENTO: APROXIMADAMENTE 2 XÍCARAS

1 ½ xícara de iogurte natural desnatado*
1 pepino (aproximadamente 400g)
1 colher de chá de sal
1 dente de alho picado (½ colher de chá)
1 colher de sopa de azeite de oliva extravirgem
1 colher de sopa de vinagre de vinho branco
2 a 3 colheres de chá de hortelã desidratada ou 1 a 2 colheres de sopa de folhas de hortelã fresca picada
Folhas de hortelã fresca (opcional)
Fatias de pão árabe integral torradas, talos de aipo, tiras finas de pimentão e flores de brócolis ou de couve-flor

1. Comece fazendo o queijo de iogurte: coloque 3 camadas de gaze 100% algodão ou um filtro de papel para café sobre uma peneira ou um coador. Posicione a peneira ou o coador sobre uma tigela e despeje o iogurte. Cubra a tigela com filme de PVC. Leve à geladeira por 24 a 48 horas. Retire e descarte o líquido.

2. Corte o pepino ao meio, no sentido do comprimento. Retire as sementes e fatie a polpa. Coloque as fatias numa tigela e tempere com 1/4 da colher de chá de sal. Deixe descansar por 15 a 30 minutos para drenar parte do líquido. Ponha numa peneira e lave em água corrente. Seque com papel-toalha.**

3. Soque o alho com o restante do sal até obter uma pasta. Numa tigela grande, misture o azeite de oliva, o vinagre de vinho branco e a pasta de alho. Adicione o queijo de iogurte, a hortelã e mexa. Junte as fatias de pepino. Se desejar, guarneça com folhas de hortelã frescas.
Sirva com as fatias de pão árabe ou com os talos de aipo, as tiras de pimentão ou com as flores de brócolis ou de couve-flor. O molho pode ser guardado na geladeira por até 24 horas num recipiente fechado.

INFORMAÇÕES NUTRICIONAIS POR 1/4 DE XÍCARA: 49 calorias, 2g de gorduras totais (0g de gordura saturada), 1mg de colesterol, 157mg de sódio, 5g de carboidratos, 0g de fibras, 3g de proteína.

*O iogurte usado não deve conter gomas, gelatinas nem espessantes. Esses ingredientes podem impedir a separação da coalhada do soro para a preparação do queijo.

**Se for servir como pasta, só fatie o pepino depois de secá-lo com papel-toalha.

Harissa (Pasta de Pimenta Tunisiana)

TEMPO DE PREPARO: 25 MINUTOS
TEMPO DE ESPERA: 1 HORA
RENDIMENTO: APROXIMADAMENTE 1/2 XÍCARA

- 4 pimentas-*jalapeño*,* desidratadas (cerca de 20g), sem talos nem sementes
- 5 pimentas dedo-de-moça desidratadas (cerca de 75g), sem talos nem sementes
- 2 colheres de sopa de azeite de oliva extravirgem
- 2 colheres de sopa de água
- 2 dentes de alho cortados ao meio
- 2 colheres de chá de sementes de cominho torradas e moídas** ou
- 2 colheres de chá de sementes de cominho esmagadas
- 1 colher de chá de sementes de coentro torradas e moídas** ou
- ½ colher de chá de coentro em pó
- ¼ de colher de chá de sal
- 1 pitada de pimenta-do-reino moída na hora

1. Numa frigideira grande, leve as pimentas ao fogo médio e toste por 2 minutos, virando de vez em quando. Transfira as pimentas para uma tigela grande. Acrescente água fervente em quantidade suficiente para cobri-las. Tampe e deixe descansar por 1 hora. Escorra. Coloque as pimentas num processador de alimentos. Acrescente o azeite de oliva, as 2 colheres de sopa de água, o alho, as sementes de cominho e de coentro, o sal e a pimenta-do-reino. Tampe e bata até obter uma pasta homogênea. Passe a mistura por uma peneira grossa para remover a pele das pimentas.

2. Transfira a pasta para uma tigela pequena e use nas receitas, conforme indicado. Utilize imediatamente ou tampe e guarde na geladeira por até 2 semanas.

INFORMAÇÕES NUTRICIONAIS POR COLHER DE SOPA: 73 calorias, 5g de gorduras totais (0g de gordura saturada), 0mg de colesterol, 71mg de sódio, 7g de carboidratos, 3g de fibras, 2g de proteína.

*As pimentas chili contêm óleos que podem queimar a pele e os olhos, por isso use luvas de plástico ou de borracha ao manuseá-las. Se suas mãos entrarem em contato com a pimenta, lave-as bem com água e sabão.

**Para torrar as sementes, aqueça uma frigideira pequena em fogo médio. Acrescente as sementes e deixe por 2 minutos, virando sempre a frigideira. Retire quando estiverem torradas e com um aroma mais intenso. Coloque num moedor de condimentos e processe até que estejam bem trituradas.

Molho Harissa

TEMPO DE PREPARO: 15 MINUTOS
RENDIMENTO: 3/4 DE XÍCARA

¼ de xícara de Harissa (veja a receita na página 145)
¼ de xícara de água
2 colheres de sopa de azeite de oliva extravirgem
2 colheres de sopa de suco de limão
1 colher de chá de sementes de cominho, torradas e moídas* ou 1 colher de chá de sementes de cominho esmagadas
½ colher de chá de sementes de coentro torradas e moídas* ou ¼ de colher de chá de coentro moído
¼ de colher de chá de sal
1 pitada de pimenta-do-reino moída na hora

Numa tigela pequena, misture a Harissa, a água, o azeite de oliva, o suco de limão, as sementes de cominho e de coentro, o sal e a pimenta-do-reino, mexendo bem. Sirva com carne ou peixe ou use como pasta em pão árabe integral.

INFORMAÇÕES NUTRICIONAIS POR COLHER DE SOPA: 46 calorias, 4g de gorduras totais (0g de gordura saturada), 0mg de colesterol, 64mg de sódio, 3g de carboidratos, 1g de fibras, 1g de proteína.

*Para torrar as sementes, aqueça uma frigideira pequena em fogo médio. Acrescente as sementes e deixe por 2 minutos, virando sempre a frigideira. Retire quando estiverem torradas e com um aroma mais intenso. Coloque num moedor de condimentos e processe até que estejam bem trituradas.

Molho de Cerveja

TEMPO DE PREPARO: 15 MINUTOS
RENDIMENTO: APROXIMADAMENTE 1 1/2 XÍCARA

¼ de xícara de cebola picada
¼ de xícara de pimentão verde ou vermelho picado
1 colher de sopa de azeite de oliva extravirgem
½ xícara de cerveja
½ xícara de água
1 colher de sopa de amido de milho

Numa panela, refogue a cebola e o pimentão no azeite de oliva até que estejam cozidos. Numa tigela pequena, misture a cerveja, a água e o amido de milho. Transfira para a panela. Cozinhe em fogo médio, mexendo sempre, até engrossar e começar a borbulhar. Mantenha no fogo por mais 2 minutos sem parar de mexer. Sirva com carne bovina ou de carneiro grelhada.

INFORMAÇÕES NUTRICIONAIS POR COLHER DE SOPA: 12 calorias, 1g de gorduras totais (0g de gordura saturada), 0mg de colesterol, 28mg de sódio, 1g de carboidratos, 1g de fibras, 0g de proteína.

Molho de Tomate com Vinho

TEMPO DE PREPARO: 15 MINUTOS
RENDIMENTO: APROXIMADAMENTE 2 XÍCARAS

½ xícara de cebola picada
2 dentes de alho picados (1 colher de chá)
1 colher de sopa de azeite de oliva extravirgem
1 lata de 400g de tomate pelado (não escorrido), em cubos
3 colheres de sopa de vinho branco seco
1 colher de sopa de orégano fresco picado ou 1 colher de sopa de orégano desidratado
1 pitada de pimenta-do-reino moída
1 colher de sopa de alcaparras lavadas e escorridas (opcional)

Numa panela média, refogue a cebola e o alho no azeite de oliva até que fiquem macios. Adicione o tomate, o vinho branco, o orégano, a pimenta-do-reino e as alcaparras, se desejar. Deixe levantar fervura e reduza o fogo. Cozinhe, sem tampar, por cerca de 15 minutos ou até obter a consistência desejada. Sirva com carne grelhada ou assada na brasa – de boi ou de porco, carneiro, frango, peru ou peixe.

INFORMAÇÕES NUTRICIONAIS POR COLHER DE SOPA: 9 calorias, 0g de gorduras totais (0g de gordura saturada), 0mg de colesterol, 21mg de sódio, 1g de carboidratos, 0g de fibras, 0g de proteína.

Molho de Cebola

TEMPO DE PREPARO: 15 MINUTOS
RENDIMENTO: APROXIMADAMENTE 2 XÍCARAS

1 xícara de cebola picada
1 dente de alho picado (½ colher de chá)
1 colher de sopa de azeite de oliva extravirgem
½ xícara de cerveja preta ou de cerveja sem álcool
½ xícara de caldo de carne light
1 colher de sopa de amido de milho
1 colher de sopa de molho inglês light

Numa panela, refogue a cebola e o alho no azeite de oliva até que a cebola fique macia. Numa tigela pequena, misture a cerveja, o caldo de carne light, o amido e o molho inglês light. Transfira para a panela. Cozinhe em fogo médio até engrossar e começar a borbulhar. Mantenha no fogo sem parar de mexer por mais 2 minutos. Sirva com carne – de boi, de porco ou de carneiro – grelhada ou assada na brasa.

INFORMAÇÕES NUTRICIONAIS POR COLHER DE SOPA: 14 calorias, 1g de gorduras totais (0g de gordura saturada), 0mg de colesterol, 31mg de sódio, 2g de carboidratos, 0g de fibras, 0g de proteína.

Molho Pesto

TEMPO DE PREPARO: 20 MINUTOS
RENDIMENTO: APROXIMADAMENTE 1/2 XÍCARA

2 xícaras de folhas de manjericão fresco (cerca de 60g)
¼ de xícara de pinhões torrados ou de amêndoas torradas
3 colheres de sopa de azeite de oliva extravirgem
2 dentes de alho fatiados
¼ de colher de chá de sal
1 pitada de pimenta-do-reino moída na hora
2 colheres de sopa de queijo parmesão light ralado
1 a 2 colheres de sopa de água (opcional)

1. No processador, junte o manjericão, os pinhões, o azeite de oliva, o alho, o sal e a pimenta-do-reino. Tampe e bata.

2. Transfira para uma tigela pequena. Acrescente o queijo parmesão light. Se necessário, adicione a água até obter a consistência desejada. Sirva imediatamente ou cubra com filme de PVC para não escurecer. Leve à geladeira por até 24 horas antes de servir.

INFORMAÇÕES NUTRICIONAIS POR COLHER DE SOPA: 79 calorias, 8g de gorduras totais (1g de gordura saturada), 1mg de colesterol, 82mg de sódio, 1g de carboidratos, 0g de fibras, 2g de proteína.

Molho Pesto de Espinafre com Vinagre Balsâmico

TEMPO DE PREPARO: 20 MINUTOS
RENDIMENTO: APROXIMADAMENTE 2 XÍCARAS

- 4 dentes de alho fatiados
- ¼ de xícara de azeite de oliva extravirgem
- 1 pitada de sal
- 7 xícaras bem cheias de folhas de espinafre fresco (cerca de 270g)
- 2 colheres de sopa de vinagre balsâmico
- ½ xícara de pinhões torrados ou de amêndoas torradas
- ½ xícara de queijo parmesão light ralado

Numa frigideira média, refogue o alho no azeite de oliva. Adicione o sal. Retire do fogo e reserve. No processador, junte o espinafre, o vinagre balsâmico e os pinhões. Acrescente o azeite de oliva com alho. Tampe e bata até obter uma mistura homogênea. Adicione o queijo parmesão light. Consuma imediatamente ou coloque numa tigela tampada e guarde na geladeira por até 1 semana ou congele em porções de 1 colher de sopa por até 3 meses. Antes de usar, deixe descongelar naturalmente e mexa bem.

INFORMAÇÕES NUTRICIONAIS POR COLHER DE SOPA: 42 calorias, 4g de gorduras totais (1g de gordura saturada), 1mg de colesterol, 40mg de sódio, 1g de carboidratos, 0g de fibras, 2g de proteína.

Delícia de Cereja com Maçã

TEMPO DE PREPARO: 25 MINUTOS
TEMPO DE REFRIGERAÇÃO: DE 24 HORAS A 1 SEMANA
RENDIMENTO: APROXIMADAMENTE 2 XÍCARAS

- 2 maçãs descascadas e sem sementes, picadas grosseiramente
- 1 ½ xícara de cerejas frescas sem caroços
- 1 laranja média descascada, em gomos
- 1 pitada de canela moída
- 1 pitada de pimenta-do-reino moída na hora
- 2 colheres de sopa de mel
- ¼ de xícara de nozes torradas

1. No processador, junte a maçã, as cerejas, os gomos de laranja, a canela e a pimenta-do-reino. Tampe e bata.

2. Transfira a mistura para uma panela média. Acrescente o mel. Mantenha em fogo médio a alto. Depois que levantar fervura, reduza o fogo. Deixe ferver, sem tampar, por 5 minutos, mexendo com freqüência. Passe a mistura para uma tigela média. Tampe e leve à geladeira por 24 horas a 1 semana.

3. Acrescente as nozes quando for servir. Use em sanduíches de peru, frango ou presunto.

INFORMAÇÕES NUTRICIONAIS POR 2 COLHERES DE SOPA: 37 calorias, 1g de gorduras totais (0g de gordura saturada), 0mg de colesterol, 0mg de sódio, 7g de carboidratos, 1g de fibras, 0g de proteína.

Molho Apimentado de Frutas

TEMPO DE PREPARO: 30 MINUTOS
TEMPO DE REFRIGERAÇÃO: DE 15 MINUTOS A 24 HORAS
RENDIMENTO: APROXIMADAMENTE 6 PORÇÕES

½ xícara de manga fresca descascada e picada
½ xícara de papaia fresco descascado e picado
½ xícara de abacaxi fresco descascado e picado
¼ de xícara de pimentão vermelho picado
¼ de xícara de pimenta-dedo-de-moça fresca, picada e sem sementes
¼ de xícara de cebola roxa picada
2 colheres de sopa de coentro fresco picado
1 colher de sopa de suco de lima
2 colheres de chá de azeite de oliva extravirgem
1 colher de chá de vinagre de arroz
½ pimenta-*jalapeño*★ média, picada e sem sementes
1 pitada de sal

Numa tigela média, misture a manga, o papaia, o abacaxi, o pimentão, a pimenta-dedo-de-moça, a cebola roxa, o coentro, o suco de lima, o azeite de oliva, o vinagre de arroz, a pimenta-*japaleño* e o sal. Mexa delicadamente. Tampe e leve à geladeira por 15 minutos a 24 horas antes de servir. Acompanhe com peixe, carne de boi ou de porco, frango ou peru.

INFORMAÇÕES NUTRICIONAIS POR PORÇÃO: 39 calorias, 2g de gorduras totais (0g de gordura saturada), 0mg de colesterol, 42mg de sódio, 7g de carboidratos, 1g de fibras, 0g de proteína.

★As pimentas chili, como a *jalapeño,* contêm óleos que podem queimar a pele e os olhos, por isso use luvas de plástico ou de borracha ao manuseá-las. Se suas mãos entrarem em contato com a pimenta, lave-as bem com água e sabão.

Molho de Frutas Vermelhas

TEMPO DE PREPARO: 20 MINUTOS
RENDIMENTO: APROXIMADAMENTE 2 XÍCARAS

1 ½ xícara de frutas vermelhas frescas
2 laranjas
¼ de xícara de cebola roxa picada
2 colheres de sopa de vinagre balsâmico
1 colher de sopa de hortelã fresca picada
¼ de colher de chá de sal

Pique grosseiramente 1/2 xícara das frutas vermelhas. Junte as que ficaram inteiras e transfira para um uma tigela média. Descasque as laranjas e corte em gomos. Adicione às frutas vermelhas os gomos de laranja e qualquer suco que se soltar deles. Acrescente a cebola roxa, o vinagre balsâmico, a hortelã e o sal. Sirva com peixe ou frango grelhado ou use para temperar saladas de folhas verdes.

INFORMAÇÕES NUTRICIONAIS POR 1/3 DE XÍCARA: 46 calorias, 0g de gorduras totais (0g de gordura saturada), 0mg de colesterol, 81mg de sódio, 11g de carboidratos, 2g de fibras, 1g de proteína.

HOMUS (PASTA DE GRÃO-DE-BICO COM TAHINE)

TEMPO DE PREPARO: 15 MINUTOS
RENDIMENTO: APROXIMADAMENTE 2 XÍCARAS

450g de grão-de-bico em lata lavado e escorrido
¼ de xícara de tahine (pasta de sementes de gergelim)
3 colheres de sopa de água
3 colheres de sopa de suco de limão
1 colher de sopa de azeite de oliva extravirgem
1 dente de alho cortado ao meio
½ colher de chá de sal
½ colher de chá de sementes de cominho torradas e moídas* ou ½ colher de chá de cominho moído
¼ de colher de chá de pimenta-de-caiena
1 colher de sopa de salsa fresca picada
Folhas de salsa inteiras

1. No processador, junte o grão-de-bico, o tahine, a água, o suco de limão, o azeite de oliva, o alho, o sal, as sementes de cominho e a pimenta-de-caiena. Tampe e bata bem. Transfira a mistura para uma tigela média. Acrescente a salsa. Se desejar, adicione mais suco de limão.

2. Se desejar, guarneça com folhas de salsa. Sirva com torradas de pão árabe integral ou com hortaliças ou use como pasta num sanduíche de hortaliças grelhadas.

INFORMAÇÕES NUTRICIONAIS POR 2 COLHERES DE SOPA: 71 calorias, 4g de gorduras totais (0g de gordura saturada), 0mg de colesterol, 162mg de sódio, 8g de carboidratos, 2g de fibras, 2g de proteína.

*Para torrar as sementes, aqueça uma frigideira pequena em fogo médio. Acrescente as sementes e deixe por 2 minutos, virando sempre a frigideira. Retire quando estiverem torradas e com um aroma mais intenso. Coloque num moedor de condimentos e processe até que estejam bem trituradas.

Pasta de Alho Assado

TEMPO DE PREPARO: 10 MINUTOS
TEMPO NO FORNO: DE 30 A 35 MINUTOS (ALHO)
TEMPERATURA: 200°C
RENDIMENTO: APROXIMADAMENTE 1 XÍCARA

½ xícara de maionese light ou com óleo de canola
Até 13 dentes de alho assados* (1 cabeça) e amassados (1 colher de sopa cheia)

Numa tigela pequena, misture a maionese light e o alho. Consuma imediatamente ou tampe e leve à geladeira por até 1 semana antes de usar. Sirva como pasta para sanduíches ou *wraps.*

INFORMAÇÕES NUTRICIONAIS POR COLHER DE SOPA: 57 calorias, 5g de gorduras totais (1g de gordura saturada), 5mg de colesterol, 91mg de sódio, 3g de carboidratos, 0g de fibras, 0g de proteína.

*Remova toda a casca da cabeça de alho. Com uma faca afiada, corte 1/3 do bulbo pelo topo para deixar os dentes de alho expostos. Regue com 1 colher de chá de azeite de oliva extravirgem e coloque num refratário pequeno com o lado cortado para baixo. Cubra com papel-alumínio e asse no forno a 200°C por 30 a 35 minutos ou até que fique macia. Deixe esfriar. Retire a tampa do refratário. Separe os dentes de alho e aperte para remover as cascas. Amasse levemente com um garfo.

Pasta de Feijão-Preto com Pimenta-de-Caiena

TEMPO DE PREPARO: 10 MINUTOS
RENDIMENTO: APROXIMADAMENTE 2 XÍCARAS

1 colher de sopa de óleo de canola
½ xícara de cebola picada
¼ de xícara de cebolinha verde fatiada
1 colher de chá de coentro moído
1 colher de chá de cominho moído
¼ de xícara de coentro fresco picado
2 xícaras de feijão-preto cozido e escorrido
½ xícara de água
1 colher de sopa de suco de lima
1 colher de chá de pimenta-de-caiena
¼ de colher de chá de sal

1. Aqueça o óleo de canola numa frigideira pequena. Adicione a cebola, a cebolinha verde, o coentro e o cominho, tampe e deixe refogar por 10 minutos ou até que fiquem macios, mexendo de vez em quando. Retire do fogo e acrescente o coentro fresco.

2. Transfira a mistura de cebola para um liquidificador ou processador de alimentos. Acrescente o feijão-preto, a água, o suco de lima, a pimenta-de-caiena e o sal. Tampe e bata até obter uma pasta homogênea. Sirva imediatamente ou tampe e guarde na geladeira por até 3 dias.

INFORMAÇÕES NUTRICIONAIS POR COLHER DE SOPA: 18 calorias, 1g de gorduras totais (0g de gordura saturada), 0mg de colesterol, 61mg de sódio, 3g de carboidratos, 1g de fibras, 1g de proteína.

Molho Vinagrete Comum

TEMPO DE PREPARO: 15 MINUTOS
RENDIMENTO: APROXIMADAMENTE 1 XÍCARA

¼ de xícara de vinagre balsâmico
2 colheres de sopa de chalotas picadas
1 dente de alho picado (1/2 colher de chá)
1 colher de sopa de mostarda Dijon
½ xícara de azeite de oliva extravirgem
1 colher de sopa de salsa fresca picada
1 colher de chá de tomilho fresco picado ou
¼ de colher de chá de tomilho desidratado
¼ de colher de chá de sal
1 pitada de pimenta-do-reino moída na hora

Numa tigela média, junte o vinagre balsâmico, a chalota e o alho. Mexa e deixe descansar por 5 minutos. Acrescente a mostarda Dijon e o azeite de oliva num fio constante, misturando bem. Adicione a salsa, o tomilho, o sal e a pimenta-do-reino. Consuma imediatamente ou tampe e guarde na geladeira por até 3 dias antes de usar. Depois de retirar da geladeira, mantenha na temperatura ambiente por 30 minutos e mexa antes de servir.

INFORMAÇÕES NUTRICIONAIS POR COLHER DE SOPA: 90 calorias, 9g de gorduras totais (1g de gordura saturada), 0mg de colesterol, 72mg de sódio, 2g de carboidratos, 0g de fibras, 0g de proteína.

Vinagrete de Vinho Tinto

TEMPO DE PREPARO: 10 MINUTOS
RENDIMENTO: APROXIMADAMENTE 1/3 DE XÍCARA

2 colheres de sopa de vinagre de vinho tinto
1 colher de sopa de chalota picada
1 ½ colher de chá de mostarda Dijon
2 colheres de sopa de azeite de oliva extravirgem
1 pitada de sal
1 pitada de pimenta-do-reino moída na hora

Numa tigela pequena, junte o vinagre de vinho tinto e a chalota. Mexa e deixe descansar por 5 minutos. Acrescente a mostarda Dijon e o azeite de oliva num fio constante, misturando bem. Adicione o sal e a pimenta-do-reino. Consuma imediatamente ou tampe e guarde na geladeira por até 3 dias antes de usar. Depois de retirar da geladeira, mantenha na temperatura ambiente por 30 minutos e mexa antes de servir.

INFORMAÇÕES NUTRICIONAIS POR COLHER DE SOPA: 51 calorias, 5g de gorduras totais (1g de gordura saturada), 0mg de colesterol, 85mg de sódio, 1g de carboidratos, 0g de fibras, 0g de proteína.

VINAGRETE DE LIMÃO

TEMPO DE PREPARO: 15 MINUTOS
RENDIMENTO: APROXIMADAMENTE 2/3 DE XÍCARA

¼ de xícara de suco de limão
2 colheres de sopa de chalotas picadas
1 colher de sopa de água
1 dente de alho picado (1/2 colher de chá)
3 colheres de chá de azeite de oliva extravirgem
2 colheres de sopa de ervas frescas picadas (orégano, alecrim, salsa e/ou tomilho)
¼ de colher de chá de sal
¼ de colher de chá de pimenta-do-reino moída na hora

Numa tigela pequena, junte o suco de limão, a chalota, a água e o alho. Mexa e deixe descansar por 5 minutos. Acrescente o azeite de oliva num fio, misturando bem. Adicione as ervas, o sal e a pimenta-do-reino. Consuma imediatamente ou tampe e guarde na geladeira por até 3 dias antes de usar. Após retirar da geladeira, mantenha na temperatura ambiente por 30 minutos e mexa antes de servir.

INFORMAÇÕES NUTRICIONAIS POR COLHER DE SOPA: 40 calorias, 4g de gorduras totais (1g de gordura saturada), 0mg de colesterol, 49mg de sódio, 1g de carboidratos, 0g de fibras, 0g de proteína.

VINAGRETE DE MORANGO COM PIMENTA-DO-REINO

TEMPO DE PREPARO: 15 MINUTOS
RENDIMENTO: APROXIMADAMENTE 1 XÍCARA

1 xícara de morangos frescos sem açúcar ou congelados (descongele)
2 colheres de sopa de vinagre de vinho tinto
Adoçante na quantidade suficiente para substituir ½ colher de chá de açúcar
¼ a ½ colher de chá de pimenta-do-reino

No liquidificador, junte os morangos, o vinagre de vinho tinto, o adoçante e a pimenta-do-reino. Tampe e bata até obter uma mistura uniforme. Sirva imediatamente ou transfira para um recipiente, tampe e guarde na geladeira por até 1 semana.

INFORMAÇÕES NUTRICIONAIS POR 2 COLHERES DE SOPA: 8 calorias, 0g de gorduras totais (0g de gordura saturada), 0mg de colesterol, 0mg de sódio, 2g de carboidratos, 1g de fibras, 0g de proteína.

VINAGRETE GREGO

TEMPO DE PREPARO: 15 MINUTOS
RENDIMENTO: APROXIMADAMENTE 1/2 XÍCARA

2 colheres de sopa de vinagre de vinho tinto
1 colher de sopa de suco de limão
1 colher de sopa de cebola roxa picada
3 colheres de sopa de azeite de oliva extravirgem
1 colher de sopa de hortelã fresca picada
1 colher de sopa de orégano fresco picado
1 pitada de sal
1 pitada de pimenta-do-reino moída na hora

Numa tigela pequena, junte o vinagre de vinho tinto, o suco de limão e a cebola roxa. Mexa e deixe descansar por 5 minutos. Acrescente o azeite de oliva num fio constante, misturando bem. Adicione a hortelã, o orégano, o sal e a pimenta-do-reino. Consuma imediatamente ou tampe e guarde na geladeira por até 3 dias antes de usar. Depois de retirar da geladeira, mantenha na temperatura ambiente por 30 minutos e mexa antes de servir.

INFORMAÇÕES NUTRICIONAIS POR COLHER DE SOPA: 73 calorias, 8g de gorduras totais (1g de gordura saturada), 0mg de colesterol, 24mg de sódio, 0mg de carboidratos, 0g de fibras, 0g de proteína.

VINAGRETE BALSÂMICO

TEMPO DE PREPARO: 10 MINUTOS
RENDIMENTO: APROXIMADAMENTE 1 XÍCARA

½ xícara de caldo de galinha light
¼ de xícara de vinagre balsâmico
1 colher de sopa de manjericão fresco ou 1 colher de chá de manjericão desidratado
1 pitada de sal
¼ de xícara de azeite de oliva extravirgem
Sal (opcional)

Numa tigela pequena, junte o caldo de galinha light, o vinagre balsâmico, o manjericão e a pitada de sal e mexa. Acrescente o azeite de oliva num fio constante, misturando bem. Se desejar, adicione mais sal. Consuma imediatamente ou tampe e guarde na geladeira por até 3 dias antes de usar. Retire da geladeira, mantenha na temperatura ambiente por 30 minutos e mexa antes de servir.

INFORMAÇÕES NUTRICIONAIS POR COLHER DE SOPA: 33 calorias, 3g de gorduras totais (0g de gordura saturada), 0mg de colesterol, 38mg de sódio, 1g de carboidratos, 0g de fibras, 0g de proteína.

DICA: Para facilitar o armazenamento, misture os ingredientes num recipiente com tampa. Balance bem antes de servir.

Vinagrete à Moda Asiática

TEMPO DE PREPARO: 10 MINUTOS
RENDIMENTO: APROXIMADAMENTE 2/3 DE XÍCARA

¼ de xícara de molho de soja light
¼ de xícara de suco de limão
1 colher de sopa de coentro fresco picado
2 colheres de chá de gengibre fresco ralado
1 colher de chá de mel
2 dentes de alho picados (1 colher de chá)
1 colher de chá de óleo de gergelim torrado

Numa tigela pequena, misture o molho de soja light, o suco de limão, o coentro, o gengibre, o mel, o alho e o óleo de gergelim.

INFORMAÇÕES NUTRICIONAIS POR COLHER DE SOPA: 12 calorias, 0g de gorduras totais (0g de gordura saturada), 0mg de colesterol, 412mg de sódio, 2g de carboidratos, 0g de fibras, 0g de proteína.

Vinagrete ao Pesto

TEMPO DE PREPARO: 10 MINUTOS
RENDIMENTO: APROXIMADAMENTE 3/4 DE XÍCARA

1 xícara de manjericão fresco
½ xícara de azeite de oliva extravirgem
2 colheres de sopa de pinhões torrados ou de nozes torradas
2 dentes de alho picados (1 colher de chá)
¼ de xícara de vinagre de vinho branco
½ colher de chá de sal
½ colher de chá de pimenta-do-reino moída na hora

No processador, junte as folhas de manjericão, 1/4 do azeite de oliva, os pinhões e o alho. Tampe e bata até obter um purê. Transfira a mistura para uma tigela pequena. Acrescente o restante do azeite de oliva, o vinagre de vinho branco, o sal e a pimenta-do-reino.

INFORMAÇÕES NUTRICIONAIS POR COLHER DE SOPA: 92 calorias, 10g de gorduras totais (1g de gordura saturada), 0mg de colesterol, 81mg de sódio, 1g de carboidratos, 0g de fibras, 0g de proteína.

MOLHO CREMOSO ITALIANO

TEMPO DE PREPARO: 15 MINUTOS
RENDIMENTO: APROXIMADAMENTE 1 1/4 XÍCARA

¾ de xícara de Creme de Leite Azedo Light (veja a receita abaixo) ou
1 xícara de iogurte natural desnatado
¼ de xícara de maionese light ou com óleo de canola
2 colheres de chá de vinagre de vinho tinto ou de vinagre de vinho branco
¼ de colher de chá de mostarda em pó
¼ de colher de chá de manjericão desidratado
¼ de colher de chá de orégano desidratado
1 pitada de sal
1 pitada de alho em pó
1 pitada de pimenta-do-reino moída na hora
⅓ a ½ xícara de leite desnatado
Sal (opcional)

1. Numa tigela pequena, misture o Creme de Leite Azedo Light, a maionese light, o vinagre de vinho tinto, a mostarda, o manjericão, o orégano, 1 pitada de sal, o alho e a pimenta-do-reino. Acrescente uma quantidade suficiente de leite para obter a consistência desejada. Se desejar, adicione mais sal.

2. Sirva imediatamente ou transfira para um recipiente, tampe e guarde na geladeira por até 1 semana. Mexa antes de servir. Se necessário, adicione novamente leite desnatado até obter a consistência desejada.

CREME DE LEITE AZEDO LIGHT: Coloque a quantidade desejada de creme de leite light num recipiente e bata com um batedor de arame, acrescentando um pouco de suco de limão. Prove e vá adicionando mais suco de limão, sempre experimentando, até obter o nível de acidez que considerar satisfatório.

INFORMAÇÕES NUTRICIONAIS POR 2 COLHERES DE SOPA: 26 calorias, 0g de gorduras totais (0g de gordura saturada), 0mg de colesterol, 112mg de sódio, 4g de carboidratos, 0g de fibras, 2g de proteína.

MOLHO CREMOSO DE ALHO: Prepare seguindo as instruções para o Molho Cremoso Italiano, mas sem acrescentar o orégano e o alho em pó. Adicione 2 dentes de alho picados (1 colher de chá).

INFORMAÇÕES NUTRICIONAIS POR 2 COLHERES DE SOPA: 26 calorias, 0g de gorduras totais (0g de gordura saturada), 0mg de colesterol, 112mg de sódio, 4g de carboidratos, 0g de fibras, 2g de proteína.

MOLHO CREMOSO DE PARMESÃO LIGHT: Prepare seguindo as instruções para o Molho Cremoso Italiano, mas sem acrescentar a mostarda em pó, o orégano e o sal. Adicione 3 colheres de sopa de queijo parmesão light ralado e, se desejar, use 1/2 colher de chá de pimenta-do-reino em flocos no lugar da pimenta-do-reino moída.

INFORMAÇÕES NUTRICIONAIS POR 2 COLHERES DE SOPA: 32 calorias, 0g de gorduras totais (0g de gordura saturada), 0mg de colesterol, 87mg de sódio, 4g de carboidratos, 0g de fibras, 2g de proteína.

Molho de Ervas sem Azeite

TEMPO DE PREPARO: 15 MINUTOS
TEMPO DE REFRIGERAÇÃO: 30 MINUTOS
RENDIMENTO: APROXIMADAMENTE 1/2 XÍCARA

- 1 colher de sopa de pectina de fruta em pó (vendida em lojas especializadas em produtos para doces e geléias)
- ¾ de colher de chá de orégano, manjericão, tomilho, segurelha e endro fresco (ou ¼ de colher de chá de uma dessas ervas desidratada)
- ½ colher de chá de adoçante culinário (Splenda®)
- 1 pitada de mostarda desidratada
- 1 pitada de pimenta-do-reino moída na hora
- ¼ de xícara de água
- 1 colher de sopa de vinagre
- 1 dente de alho pequeno picado (½ colher de chá)

Numa tigela pequena, misture a pectina de fruta, a erva, o adoçante, a mostarda e a pimenta-do-reino. Acrescente a água, o vinagre e o alho. Tampe e leve à geladeira por 30 minutos antes de usar. Se desejar, mantenha na geladeira por até 3 dias.

INFORMAÇÕES NUTRICIONAIS POR 2 COLHERES DE SOPA: 17 calorias, 0g de gorduras totais (0g de gordura saturada), 0mg de colesterol, 1mg de sódio, 4g de carboidratos, 0g de fibras, 0g de proteína.

MOLHO CREMOSO DE CEBOLA SEM AZEITE: Prepare o molho seguindo as instruções acima, mas aumente a quantidade de adoçante para 1 colher de sopa. Misture 1/4 de xícara de cebolinha verde fatiada e 1/4 de xícara de iogurte natural desnatado com a água, o vinagre e o alho. Rende aproximadamente 3/4 de xícara.

INFORMAÇÕES NUTRICIONAIS POR 2 COLHERES DE SOPA: 19 calorias, 0g de gorduras totais (0g de gordura saturada), 1mg de colesterol, 8mg de sódio, 4g de carboidratos, 0g de fibras, 1g de proteína.

Molho Francês sem Azeite

TEMPO DE PREPARO: 10 MINUTOS
TEMPO DE REFRIGERAÇÃO: 30 MINUTOS
RENDIMENTO: APROXIMADAMENTE 1 1/2 XÍCARA

1 lata de 230ml de molho de tomate
¼ de xícara de cebola picada
2 colheres de sopa de vinagre de maçã
2 colheres de chá de páprica
Adoçante (Splenda®) na quantidade equivalente a 2 colheres de chá de açúcar
½ colher de chá de alho em pó
1 pitada de pimenta-de-caiena

No liquidificador, junte o molho de tomate, a cebola, o vinagre de maçã, a páprica, o adoçante, o alho e a pimenta-de-caiena. Tampe e bata até obter uma mistura uniforme. Transfira para um recipiente com tampa e leve à geladeira por 30 minutos para misturar bem os sabores. O molho que não for usado pode ser mantido na geladeira por até 2 dias. Se endurecer, acrescente água – 1 colher de chá de cada vez – até obter a consistência desejada.

INFORMAÇÕES NUTRICIONAIS POR 2 COLHERES DE SOPA: 12 calorias, 0g de gorduras totais (0g de gordura saturada), 0mg de colesterol, 131mg de sódio, 3g de carboidratos, 1g de fibras, 3g de proteína.

Molho Salsa para Salada

TEMPO DE PREPARO: 5 MINUTOS
RENDIMENTO: APROXIMADAMENTE 3/4 DE XÍCARA

¼ de xícara de iogurte natural desnatado
¼ de xícara de Creme de Leite Azedo Light (veja a receita abaixo)
¼ de xícara de Molho Salsa (veja a receita abaixo)
1 pitada de sal
2 a 3 colheres de sopa de leite desnatado

Numa tigela pequena, misture o iogurte, o Creme de Leite Azedo Light, o Molho Salsa e o sal. Acrescente leite suficiente para obter a consistência desejada. Sirva imediatamente ou tampe e mantenha na geladeira por até 1 semana.

CREME DE LEITE AZEDO LIGHT: Coloque a quantidade desejada de creme de leite light num recipiente e bata com um batedor de arame, acrescentando um pouco de suco de limão. Prove e vá adicionando mais suco de limão, sempre experimentando, até obter o nível de acidez que considerar satisfatório.

MOLHO SALSA: No liquidificador, junte 375g de tomates-cereja descascados e cortados em 4, 2 pimentas-malagueta ou dedos-de-moça frescas, 1/4 de cebola em fatias finas e 1/3 de xícara de água. Bata rapidamente, deixando alguns pedaços. Junte 1/3 de xícara de coentro fresco, tempere com sal e bata até obter um purê. Prove e acerte o sal. Rende 2 xícaras. O que não for usado na receita do Molho Salsa para Salada pode ser guardado na geladeira por até 3 dias.

INFORMAÇÕES NUTRICIONAIS POR PORÇÃO: 19 calorias, 0g de gorduras totais (0g de gordura saturada), 0mg de colesterol, 40mg de sódio, 3g de carboidratos, 0g de fibras, 1g de proteína.

Cardápios da Fase 1

Os cardápios apresentados a seguir sugerem exatamente o que comer no café da manhã, no almoço, no jantar e nos lanches de todos os 10 dias da Fase 1. Usando-os, você adotará de modo automático as diretrizes estabelecidas para essa fase. Além disso, experimentará deliciosos pratos novos que tornarão seu prazer de comer ainda maior, ajudando-o a emagrecer.

As instruções para preparação dos pratos principais de cada refeição são fornecidas na seção de receitas da Fase 1. Assim como tudo o que diz respeito à Dieta de Sonoma, a ênfase está na simplicidade. Basta montar o prato com as proporções indicadas de cada alimento. Depois, é só comer e se deliciar.

A Fase 1 foi desenvolvida para propiciar o emagrecimento inicial rápido, bem como para auxiliá-lo a superar a vontade de comer açúcar e grãos refinados. Esses cardápios refletem as opções alimentares que fazem parte dessa fase. Por exemplo, você não encontrará frutas e só terá hortaliças do Nível 1 em determinado dia. O diferencial desses cardápios é que eles são compostos de refeições saborosas e satisfatórias.

Lembre-se, porém, de que são opcionais. Você pode usá-los durante toda a Fase 1, em alguns dias apenas ou nunca. Talvez considere conveniente, por exemplo, seguir os cardápios da Fase 1 na maior parte das refeições, mas fazer uma das receitas rápidas (veja páginas 131 e 132) quando estiver sem tempo. Desde que suas escolhas respeitem o tamanho dos pratos (de sobremesa e comum) e as proporções especificadas para essa fase, fique à vontade. E não se esqueça de beber muita água ao longo do dia. Isso é especialmente importante nessa primeira etapa da dieta.

DIA 1

Café da manhã: 2 ovos mexidos com 1 torrada de pão integral
Almoço: Salada Grega com Camarão (veja a receita na página 169) em 1/2 pão árabe integral
Jantar: Frango em Papillote com Hortaliças (veja a receita na página 170)
Lanches para homens: 33 amêndoas
Lanches para mulheres: 11 amêndoas

DIA 2

Café da manhã: 2 ovos mexidos com 1 torrada de pão integral
Almoço: Wrap de Frango com Feijão-Preto (veja a receita na página 171)
Salada com 1 1/2 xícara de espinafre, 1 colher de sopa de amêndoas partidas e Vinagrete de Vinho Tinto (veja a receita na página 156)
Jantar: Filé Mignon Marinado (veja a receita na página 172)
Brócolis Sauté com Pimentão e Queijo de Cabra (veja a receita na página 173)
Lanches para homens: 2 fatias finas de queijo mussarela light
28 amendoins
Lanches para mulheres: 1/2 xícara de tomates-cereja
28 amendoins

DIA 3

Café da manhã: Omelete de Cogumelos (veja a receita na página 174)
Almoço: Wrap de Carne e Blue Cheese (veja a receita na página 175)
Jantar: Costeletas de Porco à Moda Mediterrânea (veja a receita na página 175)
Brócolis com Amêndoas e Pimenta-Malagueta (veja a receita na página 176)
Pilafe de Quinoa Torrada (veja a receita na página 177)
Lanches para homens: 22 amêndoas
Lanches para mulheres: 1 pepino fatiado
1/2 xícara de pimentão cru em tiras finas

Dia 4

Café da manhã: 2 ovos mexidos com 1 torrada de pão integral
Almoço: Salada Niçoise com Atum (veja a receita na página 178) e 1/2 *wrap* ou pão árabe integral
Jantar: Frango Tandoori (veja a receita na página 179)
Salada de Berinjela Assada
Lanches para homens: 28 amendoins
Abobrinha ou pepino crus fatiados e 3 fatias finas de queijo mussarela light
Lanches para mulheres: 14 amendoins
Abobrinha ou pepino crus fatiados e 1 fatia fina de queijo mussarela light

Dia 5

Café da manhã: Cereal de grãos integrais com leite desnatado
Almoço: Salada de Aspargos Grelhados (veja a receita na página 181)
5 biscoitos multigrãos (ou integrais) ou 1/2 pão árabe integral
Jantar: Espetinhos de Carne com Cogumelos (veja a receita na página 182)
Salada de espinafre com o molho vinagrete de sua preferência
Lanches para homens: 1 fatia fina de queijo mussarela light
1 xícara de pimentão em tiras finas
Lanches para mulheres: 1 fatia fina de queijo mussarela light
1 xícara de pimentão em tiras finas

Dia 6

Café da manhã: Ovos à Moda Espanhola (veja a receita na página 183)
Almoço: Tabule com Frango à Moda Mediterrânea (veja a receita na página 184)
Jantar: Frango Balsâmico Fácil (veja a receita na página 185)
Miscelânea de Hortaliças Assadas (veja a receita na página 186)
Lanches para homens: 22 amêndoas
2 colheres de sopa de homus em talos de aipo cru
Lanches para mulheres: 11 amêndoas
1 colher de sopa de homus em talos de aipo cru

DIA 7

Café da manhã: Ovos mexidos com 1 torrada de pão integral
Almoço: Sanduíche de Frango com Hortaliças no Pão Árabe Integral (veja a receita na página 187)
1 xícara de couve-flor e brócolis crus e/ou pimentão em tiras finas
Jantar: Filé de Atum à Moda Siciliana (veja a receita na página 188)
Salada de espinafre com o molho vinagrete de sua preferência
Lanches para homens: 22 amêndoas
1 pepino em tiras finas
Lanches para mulheres: 1/2 xícara de tomates-cereja
1 pepino em tiras

DIA 8

Café da manhã: Omelete à Florentina (veja a receita na página 174)
Almoço: Salada Mediterrânea de Atum com Alcaparras (veja a receita na página 189)
Jantar: Filé de Porco Assado com Ratatouille de Hortaliças (veja a receita na página 190) servido sobre 1/2 xícara de massa integral
Lanches para homens: 2 fatias finas de queijo mussarela light
28 amendoins
Lanches para mulheres: 1/2 xícara de abobrinha crua em tiras
1/2 xícara de tomates-cereja
14 amendoins

DIA 9

Café da manhã: Cereal de grãos integrais com leite desnatado
Almoço: Salada de Espinafre e Lentilhas com Nozes Torradas (veja a receita na página 191)
Jantar: Camarão à Szechwan (veja a receita na página 192)
Lanches para homens: 22 amêndoas
2 colheres de sopa de homus em talos de aipo cru
Lanches para mulheres: fatia fina de queijo mussarela light
1 colher de sopa de homus em talos de aipo cru

DIA 10

Café da manhã:	Ovos Assados (veja a receita na página 193)
Almoço:	Salada de Frango à Moda Grega com Feijão-Branco (veja a receita na página 194)
Jantar:	Linguado com Hortaliças em Papillote (veja a receita na página 195) 1/2 xícara de arroz integral cozido
Lanches para homens:	3 fatias finas de queijo mussarela light 22 amêndoas 1 xícara de pimentão em tiras finas
Lanches para mulheres:	1 fatia fina de queijo mussarela light 1 xícara de pimentão em tiras finas

SALADA GREGA COM CAMARÃO

TEMPO DE PREPARO: 45 MINUTOS
TEMPO NA GRELHA: DE 6 A 8 MINUTOS
RENDIMENTO: 4 PORÇÕES

500g de camarões grandes, frescos ou congelados, com casca
2 dentes de alho picados (1 colher de chá)
½ colher de chá de tiras bem finas de casca de limão
3 xícaras de folhas de espinafre
2 xícaras de alface-romana rasgada
2 tomates médios fatiados
1 pepino médio cortado em 4 no sentido do comprimento e fatiado
1 xícara de azeitonas pretas picadas
¼ de xícara de cebola roxa picada
¼ de xícara de rabanete em fatias finas
¼ de xícara de queijo feta esfarelado (30g)
1 receita de Vinagrete Grego (veja abaixo)
2 pães árabes integrais, cortados ao meio

1. Descongele os camarões e limpe descartando a casca, mas deixando as caudas intactas. Lave, enxágüe e seque delicadamente com papel-toalha. Numa tigela pequena, misture os camarões com o alho e as tiras de casca de limão.

2. Num recipiente maior, junte o espinafre, a alface-romana, os tomates, o pepino, as azeitonas pretas, a cebola roxa e o rabanete, mexendo bem. Reserve.

3. Grelhe os camarões por 6 a 8 minutos ou até que eles fiquem opacos, virando uma vez na metade do tempo.

4. Na hora de servir, distribua a mistura de hortaliças em 4 pratos. Salpique com o queijo *feta* e cubra com os camarões. Tempere com o vinagrete grego. Sirva com o pão árabe integral.

VINAGRETE GREGO: Numa vasilha com tampa, misture 3 colheres de sopa de azeite de oliva extravirgem, 1 colher de sopa de vinagre de vinho tinto, 1 colher de sopa de suco de limão, 1 colher de sopa de hortelã fresca picada, 1 colher de sopa de orégano fresco picado, 1 pitada de sal e 1 pitada de pimenta-do-reino moída na hora. Tampe e agite bem.

INFORMAÇÕES NUTRICIONAIS POR PORÇÃO: 369 calorias, 16g de gorduras totais (3g de gordura saturada), 179mg de colesterol, 571mg de sódio, 29g de carboidratos, 6g de fibras, 30g de proteína.

Frango em Papillote com Hortaliças

TEMPO DE PREPARO: 35 MINUTOS
TEMPO NO FORNO: 20 MINUTOS
TEMPERATURA: 200°C
RENDIMENTO: 4 PORÇÕES

500g de peito de frango desossado e sem pele
2 colheres de sopa de azeite de oliva extravirgem
1 colher de sopa de orégano fresco picado ou 1 colher de chá de orégano desidratado
1 colher de sopa de tomilho fresco ou 1/2 colher de chá de tomilho desidratado
1 colher de chá de tiras bem finas de casca de limão
2 colheres de sopa de suco de limão
½ colher de chá de sal
¼ de colher de chá de pimenta-do-reino moída na hora
2 xícaras de aspargos frescos cortados em pedaços de 5cm (280g)
2 xícaras de ervilhas frescas nas vagens, picadas (170g)
1 xícara de corações de alcachofra em lata, escorridos e cortados em 4, ou 1 xícara de corações de alcachofra congelados e cortados em 4 depois de descongelados
1 xícara de tomates-cereja cortados ao meio
2 colheres de sopa de salsa fresca picada
Papel-manteiga (para montar os *papillotes)*
½ xícara de cebolinha verde picada

1. Corte os peitos de frango em fatias de pouco mais de 1cm de espessura. Numa tigela média, misture o azeite de oliva, o orégano, o tomilho, as tiras de casca de limão, o suco de limão, o sal e a pimenta-do-reino. Acrescente o peito de frango e vire de um lado para o outro para temperar. Deixe apurar o sabor enquanto prepara as hortaliças.

2. Num recipiente maior, junte os aspargos, as ervilhas, os corações de alcachofra, os tomates-cereja e a salsa. Corte 4 pedaços de papel-manteiga de 50 x 5cm, dobre cada um ao meio e faça um vinco. Abra de novo. No meio de cada um deles, coloque 1/4 da mistura de hortaliças. Cubra com 1/4 das fatias de frango e finalize com 1/4 da cebolinha verde. Para montar o *papillote,* dobre o papel-manteiga sobre a mistura de frango e hortaliças. Feche e torça as extremidades para selar bem. Repita a operação para fazer 4 pacotinhos.

3. Distribua os *papillotes* em 2 assadeiras – 2 deles em cada tabuleiro. Leve ao forno médio, a 200°C, por cerca de 20 minutos ou até que o frango perca a cor rosada (para testar, abra o pacotinho com cuidado e verifique). Sirva imediatamente.

INFORMAÇÕES NUTRICIONAIS POR PORÇÃO: 249 calorias, 8g de gorduras totais (1g de gordura saturada), 66mg de colesterol, 498mg de sódio, 13g de carboidratos, 6g de fibras, 31g de proteína.

Wrap de Frango com Feijão-Preto

TEMPO DE PREPARO: 10 MINUTOS
RENDIMENTO: 1 PORÇÃO

2 colheres de sopa de Pasta de Feijão-Preto com Pimenta-de-Caiena (veja a receita na página 155)
1 tortilha de trigo integral de cerca de 20cm
½ xícara de peito de frango ou de peru cozido sem pele (cerca de 90g)
1 xícara de alface-romana rasgada ou de folhas de espinafre fresco
¼ de xícara de coentro fresco
1 colher de sopa de Molho Salsa para Salada (veja a receita na página 163)

Espalhe a Pasta de Feijão-Preto com Pimenta-de-Caiena sobre a tortilha. Cubra com o frango, a alface-romana, o coentro e o Molho Salsa. Enrole.

INFORMAÇÕES NUTRICIONAIS POR PORÇÃO: 322 calorias, 8g de gorduras totais (2g de gordura saturada), 72mg de colesterol, 554mg de sódio, 24g de carboidratos, 14g de fibras, 38g de proteína.

FILÉ MIGNON MARINADO

TEMPO DE PREPARO: 20 MINUTOS
TEMPO PARA MARINAR: DE 1 A 24 HORAS
TEMPO NA GRELHA: DE 17 A 21 MINUTOS
TEMPO DE ESPERA: 10 MINUTOS
RENDIMENTO: 8 PORÇÕES

750g a 1kg de filé mignon
¼ de xícara de alecrim fresco picado ou 1 colher de sopa de alecrim desidratado
1 colher de sopa de manjerona fresca ou 1 colher de chá de manjerona desidratada
1 colher de sopa de orégano fresco picado ou 1 colher de chá de orégano desidratado
3 dentes de alho picados (1 ½ colher de chá)
1 ½ colher de chá de páprica
1 colher de chá de sal
1 colher de chá de pimenta-malagueta em pó
1 colher de chá de pimenta-do-reino moída na hora
3 colheres de sopa de azeite de oliva extravirgem

1. Retire toda a gordura da carne. Com uma faca, faça marcas não muito profundas nos dois lados, no formato de losangos. Reserve. Numa tigela pequena, junte o alecrim, a manjerona, o orégano, o alho, a páprica, o sal, a pimenta-malagueta e a pimenta-do-reino. Adicione o azeite de oliva e mexa.

2. Passe essa mistura homogeneamente nos dois lados da peça de filé mignon e esfregue. Coloque a carne num refratário raso. Tampe, leve à geladeira e deixe marinar por 1 a 24 horas.

3. Transfira a carne para a grelha e asse por 17 a 21 minutos ou até que esteja quase ao ponto, virando uma vez na metade do tempo.

4. Transfira a carne para uma tábua de corte. Tampe e deixe descansar por 10 minutos. Antes de servir, corte-a em fatias finas.

INFORMAÇÕES NUTRICIONAIS POR PORÇÃO: 183 calorias, 11g de gorduras totais (3g de gordura saturada), 34mg de colesterol, 287mg de sódio, 1g de carboidratos, 0g de fibras, 19g de proteína.

BRÓCOLIS SAUTÉ COM PIMENTÃO E QUEIJO DE CABRA

TEMPO DE PREPARO: 30 MINUTOS
RENDIMENTO: 4 PORÇÕES

2 colheres de sopa de azeite de oliva extravirgem
4 xícaras de flores de brócolis
2 dentes de alho em fatias finas
1 xícara de pimentão vermelho assado, em lata, escorrido e picado
¼ de xícara de azeitonas pretas sem caroços, picadas
2 colheres de sopa de salsa fresca picada
1 cebolinha verde em fatias finas
1 colher de sopa de manjerona fresca picada ou
1 colher de chá de manjerona desidratada
1 colher de sopa de suco de limão
¼ de colher de chá de sal
1 pitada de pimenta-do-reino moída na hora
2 colheres de sopa de queijo de cabra esfarelado (cerca de 60g)

Numa frigideira grande, aqueça o azeite de oliva. Adicione o brócolis e o alho e refogue em fogo médio por 5 a 8 minutos ou até que o brócolis fique crocante. Junte o pimentão vermelho, as azeitonas pretas, a salsa, a cebolinha verde, a manjerona, o suco de limão, o sal e a pimenta-do-reino e mexa. Aqueça bem. Divida a mistura em 4 pratos ou coloque numa travessa. Salpique com o queijo de cabra.

INFORMAÇÕES NUTRICIONAIS POR PORÇÃO: 167 calorias, 12g de gorduras totais (4g de gordura saturada), 11mg de colesterol, 299mg de sódio, 11g de carboidratos, 4g de fibras, 6g de proteína.

Omelete de Cogumelos

TEMPO DE PREPARO: 20 MINUTOS
RENDIMENTO: 1 PORÇÃO

2 ovos
1 pitada de sal
1 pitada de pimenta-do-reino moída na hora
2 colheres de chá de óleo de canola
½ xícara de cogumelos frescos picados

1. Numa tigela pequena, bata os ovos, o sal e a pimenta-do-reino, misturando bem. Reserve. Numa frigideira antiaderente média, aqueça 1 colher de chá de óleo de canola em fogo médio. Acrescente os cogumelos e refogue até quem fiquem macios e um pouco crocantes. Retire da frigideira. Reserve.

2. Na mesma frigideira, aqueça o restante do óleo de canola em fogo médio. Despeje os ovos batidos e comece a mexer devagar, mas continuamente, com uma colher de pau ou espátula, até que a mistura pareça ter pedacinhos de ovos cozidos cercados de ovo cru. Pare de mexer. Deixe cozinhar por mais 30 ou 60 segundos ou até que endureça.

3. Adicione os cogumelos no centro do omelete. Com o auxílio de uma espátula, levante e dobre uma das pontas do omelete à distância de 1/3 até o meio. Retire a frigideira do fogo. Dobre a ponta oposta até o centro. Mantendo a parte dobrada virada para baixo, transfira para uma travessa ou para um prato aquecido.

INFORMAÇÕES NUTRICIONAIS POR PORÇÃO: 236 calorias, 19g de gorduras totais (4g de gordura saturada), 423mg de colesterol, 383mg de sódio, 2g de carboidratos, 0g de fibras, 14g de proteína.

OMELETE RANCHEIRO: Prepare como indicado acima, mas sem acrescentar os cogumelos e sem 1 colher de chá de óleo. Antes de dobrar o omelete, adicione 1 colher de sopa de pimentão vermelho, amarelo ou verde; 1 colher de sopa de tomate picado; 1 colher de sopa de queijo mussarela light esfarelado com pimenta-*jalapeño** ou de queijo cheddar light e 1/2 colher de chá de coentro fresco picado.

INFORMAÇÕES NUTRICIONAIS POR PORÇÃO: 219 calorias, 17g de gorduras totais (5g de gordura saturada), 429mg de colesterol, 420mg de sódio, 2g de carboidratos, 0g de fibras, 15g de proteína.

OMELETE À FLORENTINA: Prepare como indicado acima, mas sem acrescentar os cogumelos e sem 1 colher de chá de óleo. Adicione 1 colher de chá de endro fresco picado ou 1/4 de colher de chá de endro desidratado. Antes de dobrar o omelete, junte 1/4 de xícara de espinafre descongelado e picado e 1 colher de sopa de queijo suíço.

INFORMAÇÕES NUTRICIONAIS POR PORÇÃO: 231 calorias, 17g de gorduras totais (5g de gordura saturada), 430mg de colesterol, 426mg de sódio, 3g de carboidratos, 1g de fibras, 16g de proteína.

*As pimentas chili, como a *jalapeño,* contêm óleos que podem queimar a pele e os olhos, por isso use luvas de plástico ou de borracha ao manuseá-las. Se suas mãos entrarem em contato com a pimenta, lave-as bem com água e sabão.

Wrap de Carne e Blue Cheese

TEMPO DE PREPARO: 10 MINUTOS
RENDIMENTO: 1 PORÇÃO

1 tortilha integral de cerca de 20cm
½ xícara de sobras de Filé Mignon Marinado (veja a receita na página 172) em fatias finas (cerca de 900g)
1 xícara de alface-romana rasgada ou de folhas de espinafre fresco
¼ de xícara de pimentão vermelho assado, em lata, escorrido e cortado em tiras finas
1 colher de sopa de *blue cheese* (se desejar, substitua por gorgonzola) esfarelado

Disponha os ingredientes sobre a tortilha e enrole (ela deve ficar bem cheia).

INFORMAÇÕES NUTRICIONAIS POR PORÇÃO: 390 calorias, 19g de gorduras totais (6g de gordura saturada), 46mg de colesterol, 775mg de sódio, 21g de carboidratos, 13g de fibras, 33g de proteína.

Costeletas de Porco à Moda Mediterrânea

TEMPO DE PREPARO: 10 MINUTOS
TEMPO NO FORNO: 35 MINUTOS
TEMPERATURA: 220°C/175°C
RENDIMENTO: 4 PORÇÕES

4 costeletas de porco (500g a 750g) desossadas ou com os ossos aparados, com cerca de 1,3cm de espessura
½ colher de chá de sal
¼ de colher de chá de pimenta-do-reino moída na hora
1 colher de sopa de alecrim fresco picado ou 1 colher de chá de alecrim desidratado
3 dentes de alho picados (1 1/2 colher de chá)

1. Salpique as costeletas com o sal e a pimenta-do-reino. Reserve. Numa tigela pequena, junte o alecrim e o alho e mexa. Esfregue essa mistura nos dois lados das costeletas.

2. Disponha as costeletas numa assadeira rasa. Leve ao forno a 220°C por 10 minutos. Diminua a temperatura para 175°C e mantenha no forno por mais 25 minutos ou até que um termômetro inserido numa parte da carne marque 70°C (não deixe a ponta do termômetro encostar no osso).

INFORMAÇÕES NUTRICIONAIS POR PORÇÃO: 147 calorias, 4g de gorduras totais (2g de gordura saturada), 71mg de colesterol, 288mg de sódio, 1g de carboidratos, 0g de fibras, 24g de proteína.

Brocólis com Amêndoas e Pimenta-Malagueta

TEMPO DE PREPARO: 15 MINUTOS
RENDIMENTO: 4 PORÇÕES

- 2 colheres de sopa de azeite de oliva extravirgem
- 4 xícaras de brócolis
- 4 dentes de alho picados (2 colheres de chá)
- 1 colher de sopa de suco de limão
- ¼ de xícara de amêndoas torradas e partidas
- ¼ a ½ colher de chá de pimenta-malagueta esmagada
- ¼ de colher de chá de sal

Numa frigideira grande, aqueça o azeite de oliva. Adicione o brócolis e o alho e refogue em fogo médio por 5 a 8 minutos ou até que o brócolis fique crocante. Incorpore o suco de limão. Salpique com as amêndoas, a pimenta-malagueta e o sal. Misture.

INFORMAÇÕES NUTRICIONAIS POR PORÇÃO: 142 calorias, 11g de gorduras totais (1g de gordura saturada), 0mg de colesterol, 150g de sódio, 9g de carboidratos, 3g de fibras, 4g de proteína.

Pilafe de Quinoa Torrada

TEMPO DE PREPARO: 20 MINUTOS
TEMPO DE COZIMENTO: 20 MINUTOS
RENDIMENTO: 12 PORÇÕES

1 colher de sopa de azeite de oliva extravirgem
2 colheres de sopa de chalota ou cebola picada
6 dentes de alho picados (1 colher de sopa)
2 xícaras de quinoa* ou cevada lavada e bem escorrida
3 xícaras de caldo de galinha light
1 ½ colher de chá de tomilho fresco picado ou
½ colher de chá de tomilho desidratado
1 folha de louro
1 xícara de pimentão vermelho assado, em lata, cortado em cubos pequenos
Sal
Pimenta-do-reino moída na hora

1. Numa panela grande, aqueça o azeite de oliva. Adicione a chalota e o alho e refogue em fogo médio até que fiquem macios. Misture delicadamente a quinoa. Cozinhe e mexa por cerca de 5 minutos ou até a quinoa dourar. Acrescente o caldo de galinha light, o tomilho e a folha de louro. Quando ferver, reduza a chama. Tampe e deixe no fogo por 20 minutos ou até que a quinoa esteja macia e fofa (se estiver usando cevada, cozinhe por cerca de 10 minutos ou até que ela esteja macia e o líquido seja absorvido).

2. Descarte a folha de louro e incorpore delicadamente o pimentão. Tempere com sal e pimenta-do-reino.

INFORMAÇÕES NUTRICIONAIS POR PORÇÃO: 125 calorias, 3g de gorduras totais (0g de gordura saturada), 0mg de colesterol, 169mg de sódio, 21g de carboidratos, 2g de fibras, 4g de proteína.

*Procure a quinoa em lojas de produtos naturais ou na seção de grãos de grandes supermercados.

Salada Niçoise com Atum

TEMPO DE PREPARO: 35 MINUTOS
RENDIMENTO: 4 PORÇÕES

120g de vagem fresca
5 xícaras de folhas verdes mistas rasgadas
1 lata de 170g de atum (conservado em água), escorrido e partido em pedaços
4 tomates médios cortados em 4
2 ovos cozidos cortados em 4
½ xícara de folha de salsa picada
3 cebolinhas verdes picadas
4 filés de anchova, enxaguados e escorridos (se desejar, seque levemente com papel-toalha)
¾ de xícara de azeitonas pretas sem caroços
1 receita de Molho Niçoise (veja abaixo)

1. Lave as vagens, remova as extremidades e a tirinha do meio. Deixe-as inteiras ou corte-as ao meio. Leve para cozinhar numa panela média, com tampa, em pouca quantidade de água fervente e salgada por cerca de 5 minutos ou até que estejam macias. Escorra e coloque em água gelada até que esfriem. Escorra novamente. Se quiser, tampe e leve para gelar por 2 a 24 horas.

2. Coloque as folhas verdes num refratário grande ou as distribua em 4 pratos. Adicione a vagem, o atum, os tomates e os ovos e misture. Salpique com a salsa e a cebolinha verde. Disponha os filés de anchova por cima. Finalize com as azeitonas pretas. Regue com o molho Niçoise.

MOLHO NIÇOISE: Numa tigela pequena, misture 3 colheres de sopa de azeite de oliva extravirgem, 1 colher de sopa de vinagre de vinho branco, 1/2 colher de chá de mostarda Dijon, 1/4 de colher de chá de sal e 1 pitada de pimenta-do-reino moída na hora. Mexa bem.

INFORMAÇÕES NUTRICIONAIS POR PORÇÃO: 260 calorias, 17g de gorduras totais, (3g de gordura saturada), 124mg de colesterol, 570mg de sódio, 12g de carboidratos, 5g de fibras, 16g de proteína.

Frango Tandoori

TEMPO DE PREPARO: 20 MINUTOS
TEMPO DE REFRIGERAÇÃO: DE 24 A 48 HORAS
TEMPO PARA MARINAR: DE 1 A 3 HORAS
TEMPO NA GRELHA: DE 10 A 12 MINUTOS
RENDIMENTO: 4 PORÇÕES

½ xícara de iogurte natural desnatado*
4 metades de peito de frango desossadas e sem pele (de 500g a 650g no total)
1 pitada de sal
1 pitada de pimenta-do-reino moída na hora
¼ de xícara de suco de limão
3 dentes de alho picados (1 ½ colher de chá)
2 colheres de chá de páprica
¼ de colher de chá de pimenta-de-caiena
1 pitada de canela em pó
1 pitada de cominho em pó

1. Comece fazendo o queijo de iogurte: coloque 3 camadas de gaze 100% algodão ou um filtro de papel para café sobre uma peneira ou um coador. Posicione a peneira ou o coador sobre uma tigela e despeje o iogurte. Cubra a tigela com filme de PVC. Leve à geladeira por 24 a 48 horas. Retire e descarte o líquido.

2. Tempere o frango com o sal e a pimenta-do-reino. Coloque num refratário. Numa tigela pequena, junte o queijo de iogurte, o suco de limão, o alho, a páprica, a pimenta-de-caiena, a canela e o cominho e mexa. Tempere o frango com essa mistura. Tampe e leve à geladeira para marinar por 1 a 3 horas.

3. Retire o frango da tigela e descarte a marinada. Transfira para a grelha e asse por 10 a 12 minutos ou até que perca a cor rosada. Vire uma vez na metade do tempo.

INFORMAÇÕES NUTRICIONAIS POR PORÇÃO: 152 calorias, 2g de gorduras totais (0g de gordura saturada), 66mg de colesterol, 144mg de sódio, 5g de carboidratos, 1g de fibras, 28g de proteína.

*O iogurte utilizado não deve conter gomas, gelatina nem espessantes. Esses ingredientes podem impedir que o soro se separe da coalhada.

DICA: Dobre essa receita para usar as sobras em outra refeição.

Salada de Berinjela Assada

TEMPO DE PREPARO: 40 MINUTOS • TEMPO DE ESPERA: 20 MINUTOS
TEMPO NO FORNO: 35 MINUTOS • TEMPERATURA: 200ºC
RENDIMENTO: 8 PORÇÕES

2 ½ colheres de sopa de azeite de oliva extravirgem
2 berinjelas grandes, com ou sem casca, cortadas em tiras de 2,5cm ao comprido
1 colher de chá de sal
2 dentes de alho picados (1 colher de chá)
1 colher de sopa de orégano fresco picado ou 1 colher de chá de orégano desidratado
¼ de colher de chá de pimenta-do-reino moída na hora
2 colheres de sopa de vinagre de vinho tinto
1 colher de sopa de água
1 ½ colher de chá de manjerona fresca picada ou ½ colher de chá de manjerona desidratada
1 cebola roxa em rodelas de 1cm
1 xícara de pimentão vermelho assado, em lata, escorrido e picado
½ xícara de folhas de salsa fresca
2 colheres de sopa de alcaparras lavadas e escorridas
2 colheres de sopa de azeitonas pretas sem caroços picadas
2 colheres de sopa de suco de limão
8 xícaras de folhas de espinafre fresco (230g)
¼ de xícara de queijo feta esfarelado (30g)

1. Unte uma assadeira com 1/2 colher de sopa de azeite de oliva e arrume as tiras de berinjela. Tempere com metade do sal. Deixe descansar por 20 minutos. Transfira as fatias de berinjela para um escorredor, lave com água gelada e escorra. Seque com papel-toalha. Recoloque a berinjela na mesma assadeira. Salpique com o alho, o orégano, metade do sal restante e a pimenta-do-reino. Regue com 1 colher de sopa do azeite de oliva restante. Asse no forno a 200ºC por cerca de 15 minutos ou até que a berinjela fique macia, virando uma vez na metade do tempo. Deixe esfriar e corte em cubos de 2,5cm.

2. Num refratário quadrado, misture o restante do azeite de oliva, 1 colher de sopa do vinagre de vinho tinto, a água, a manjerona, o restante do sal e 1 pitada de pimenta-do-reino adicional. Acrescente a cebola roxa e mexa várias vezes para embebê-la no líquido. Asse no forno a 200ºC por 20 minutos ou até que fique macia, virando uma vez. Deixe esfriar. Pique as rodelas de cebola e reserve o líquido que ficar no refratário.

3. Numa tigela grande, misture a berinjela, a cebola, o pimentão vermelho, as folhas de salsa, as alcaparras, as azeitonas pretas, o suco de limão e o restante do vinagre de vinho tinto.

4. Coloque o espinafre num refratário ou distribua em 8 pratos. Cubra com a mistura de berinjela. Salpique com o queijo *feta* e regue com o líquido reservado no refratário.

INFORMAÇÕES NUTRICIONAIS POR PORÇÃO: 97 calorias, 5g de gorduras totais (1g de gordura saturada), 3mg de colesterol, 270mg de sódio, 13g de carboidratos, 7g de fibras, 3g de proteína.

SALADA DE ASPARGOS GRELHADOS

TEMPO DE PREPARO: 15 MINUTOS
TEMPO NA GRELHA: DE 5 A 7 MINUTOS
RENDIMENTO: 2 PORÇÕES

350g de aspargos frescos (talos grossos) aparados
2 colheres de sopa de azeite de oliva extravirgem
¼ de colher de sopa de sal
1 pitada de pimenta-do-reino moída na hora
3 colheres de sopa de suco de limão
2 ovos cozidos picados
1 colher de sopa de queijo parmesão light ralado

1. Numa tigela grande, junte os aspargos e 1 colher de sopa de azeite de oliva. Tempere com o sal e a pimenta-do-reino.

2. Transfira os aspargos para a grelha e asse por 5 a 7 minutos ou até que os aspargos estejam crocantes e levemente tostados por inteiro, virando de vez em quando.

3. Na hora de servir, coloque os aspargos num refratário. Regue com o suco de limão e com o restante do azeite de oliva. Salpique com os ovos picados e o queijo parmesão light. Sirva imediatamente ou tampe e deixe na geladeira por até 24 horas.

Informações nutricionais por porção: 247 calorias, 20g de gorduras totais (4g de gordura saturada), 214mg de colesterol, 350mg de sódio, 9g de carboidratos, 4g de fibras, 11g de proteína.

Espetinhos de Carne com Cogumelos

TEMPO DE PREPARO: 25 MINUTOS
TEMPO PARA MARINAR: DE 30 MINUTOS A 1 HORA
TEMPO NA GRELHA: DE 8 A 15 MINUTOS
RENDIMENTO: 6 PORÇÕES

- ⅓ de xícara de vinagre balsâmico
- 2 colheres de sopa de azeite de oliva extravirgem
- 2 colheres de sopa de água
- 1 chalota média em fatias finas
- 2 colheres de sopa de orégano fresco picado ou
- 2 colheres de chá de orégano desidratado
- 1 ½ colher de chá de tomilho fresco picado ou ½ colher de chá de tomilho desidratado
- 2 dentes de alho picados (1 colher de chá)
- ¾ de colher de chá de sal
- ½ colher de chá de pimenta-do-reino moída na hora
- 750g de filé mignon cortado em cubos de 2,5cm
- Sal
- Pimenta-do-reino moída na hora
- 230g de cogumelos frescos
- 12 tomates-cereja

1. Comece preparando a marinada: numa tigela média, misture o vinagre balsâmico, o azeite de oliva, a água, a chalota, o orégano, o tomilho, o alho, o sal e a pimenta-do-reino.

2. Tempere o filé mignon com o sal e a pimenta-do-reino adicionais e coloque num saco plástico do tipo Ziplock sobre um refratário. Despeje metade da marinada sobre a carne. (Reserve o restante.) Feche o saco plástico e vire para regar todo o filé. Deixe marinar na geladeira por 30 minutos a 1 hora, virando o saco plástico de vez em quando.

3. Coloque os cogumelos e os tomates-cereja em outro saco plástico do tipo Ziplock sobre um refratário. Regue com o restante da marinada. Feche o saco plástico e vire para regar os vegetais. Deixe marinar na temperatura ambiente por 20 minutos.

4. Escorra a carne e os legumes, descartando a marinada. Em 12 espetinhos de madeira* de 20cm, alterne a carne, os cogumelos e os tomates deixando um pequeno espaço entre eles.

5. Transfira os espetinhos para a grelha e asse até chegar ao ponto desejado, virando uma vez na metade do tempo. Espere de 8 a 12 minutos para que a carne fique malpassada ou de 12 a 15 minutos para que fique ao ponto.

INFORMAÇÕES NUTRICIONAIS POR PORÇÃO: 220 calorias, 11g de gorduras totais (4g de gordura saturada), 70mg de colesterol, 177mg de sódio, 4g de carboidratos, 1g de fibras, 25g de proteína.

*Deixe os espetinhos de madeira de molho na água por cerca de 1 hora antes de usá-los.

Ovos à Moda Espanhola

TEMPO DE PREPARO: 30 MINUTOS
RENDIMENTO: 4 PORÇÕES

1 pimentão amarelo em tiras finas
1 pimenta-*jalapeño** picada e sem casca
2 dentes de alho picados (1 colher de chá)
1 colher de sopa de azeite de oliva extravirgem
600g de tomates sem pele nem sementes
1 a ½ colher de chá de pimenta vermelha em flocos
½ colher de chá de cominho moído
¼ de colher de chá de sal
4 ovos
Sal
Pimenta-do-reino moída na hora
2 colheres de sopa de amêndoas torradas e partidas

1. Numa frigideira grande, refogue o pimentão, a pimenta-*jalapeño* e o alho no azeite de oliva por cerca de 2 minutos ou até que fiquem macios. Acrescente os tomates, a pimenta vermelha em flocos, o cominho e o sal. Quando começar a ferver, reduza o fogo. Tampe e deixe ferver por mais 5 minutos.

2. Quebre um ovo numa xícara e depois coloque-o cuidadosamente sobre a mistura fervente de tomate. Repita a operação com o restante dos ovos. Salpique cada um deles com sal e pimenta-do-reino adicionais.

3. Cozinhe com tampa em fogo médio a baixo por 4 a 5 minutos ou até que as claras estejam cozidas e as gemas quase firmes.

4. Com o auxílio de uma escumadeira, transfira os ovos para uma travessa. Disponha a mistura de tomate ao redor dos ovos. Salpique com as amêndoas.

INFORMAÇÕES NUTRICIONAIS POR PORÇÃO: 173 calorias, 11g de gorduras totais (2g de gordura saturada), 212mg de colesterol, 267mg de sódio, 11g de carboidratos, 3g de fibras, 9g de proteína.

*As pimentas chili, como a *jalapeño,* contêm óleos que podem queimar a pele e os olhos, por isso use luvas de plástico ou de borracha ao manuseá-las. Se suas mãos entrarem em contato com a pimenta, lave-as bem com água e sabão.

Tabule com Frango à Moda Mediterrânea

TEMPO DE PREPARO: 30 MINUTOS
TEMPO DE ESPERA: 30 MINUTOS
TEMPO DE REFRIGERAÇÃO: DE 4 A 24 HORAS
RENDIMENTO: 6 PORÇÕES

1 ½ xícara de água
½ xícara de trigo para quibe
2 tomates médios picados
1 xícara de pepino picado e sem sementes
1 xícara de salsa picada
⅓ de xícara de cebolinha verde picada
¼ de xícara de hortelã fresca picada ou 1 colher de sopa de hortelã desidratada
⅓ a ½ xícara de suco de limão
¼ de xícara de azeite de oliva extravirgem
¾ de colher de chá de sal
½ colher de chá de pimenta-do-reino moída na hora
12 folhas grandes de alface-romana
540g de peito de frango* grelhado, desossado e sem pele

1. Coloque o trigo de molho em água numa tigela grande. Deixe descansar por 30 minutos. Escorra numa peneira fina, usando uma colher grande para pressionar o trigo e eliminar o excesso de água. Transfira para a tigela. Adicione os tomates, o pepino, a salsa, a cebolinha verde e a hortelã e mexa delicadamente.

2. Prepare o tempero: numa jarra com tampa, junte o suco de limão, o azeite de oliva, o sal e a pimenta-do-reino. Feche bem e agite para misturar. Regue o trigo com esse molho e mexa suavemente para embebê-lo no líquido. Tampe e leve à geladeira por 4 a 24 horas, mexendo de vez em quando. Deixe na temperatura ambiente antes de servir.

3. Numa travessa, arrume 2 folhas de alface-romana para cada porção. Sobre cada uma delas disponha 2/3 de xícara de tabule e 1/2 xícara (cerca de 90g) do frango grelhado.

INFORMAÇÕES NUTRICIONAIS POR PORÇÃO: 298 calorias, 13g de gorduras totais (2g de gordura saturada), 72mg de colesterol, 324mg de sódio, 17g de carboidratos, 5g de fibras, 30g de proteína.

*Para grelhar o peito de frango, tempere com sal e pimenta-do-reino moída na hora. Coloque na grelha e asse por 10 a 12 minutos ou até que o frango perca a cor rosada, virando uma vez.

FRANGO BALSÂMICO FÁCIL

TEMPO DE PREPARO: 15 MINUTOS
TEMPO PARA MARINAR: DE 1 A 4 HORAS
TEMPO NA GRELHA: DE 10 A 12 MINUTOS
RENDIMENTO: 4 PORÇÕES

4 peitos de frango desossados e sem pele cortados ao meio (500 a 650g ao todo)
¼ de xícara de vinagre balsâmico
¼ de xícara de azeite de oliva extravirgem
3 dentes de alho picados (1 ½ colher de chá)
¼ de colher de chá de sal
¼ de colher de chá de pimenta-malagueta esmagada

1. Envolva cada peito de frango num pedaço de filme de PVC. Use a parte lisa de um socador para bater delicadamente no frango até que ele fique com cerca de 1cm de espessura. Retire o filme de PVC.

2. Coloque o frango num saco plástico do tipo Ziplock sobre um refratário. Numa tigela pequena, misture o vinagre balsâmico, o azeite de oliva, o alho, o sal e a pimenta-malagueta. Despeje sobre o frango. Feche o saco plástico e vire para regar todo o frango. Leve à geladeira por 1 a 4 horas, virando o saco plástico de vez em quando.

3. Antes de preparar o peito de frango, escorra e descarte a marinada. Transfira o frango para a grelha e asse por 10 a 12 minutos ou até que perca a cor rosada, virando na metade do tempo.

INFORMAÇÕES NUTRICIONAIS POR PORÇÃO: 177 calorias, 6g de gorduras totais (2g de gordura saturada), 66mg de colesterol, 125mg de sódio, 2g de carboidratos, 0g de fibras, 26g de proteína.

NO FORNO: Leve os peitos de frango ao forno numa assadeira rasa. Asse a 200ºC por 15 minutos ou até que o frango perca a cor rosada.

Miscelânea de Hortaliças Assadas

TEMPO DE PREPARO: 25 MINUTOS
TEMPO NO FORNO: 35 MINUTOS
TEMPERATURA: 200°C
RENDIMENTO: 4 PORÇÕES

2 xícaras de couve-de-bruxelas (cortadas, se forem muito grandes)
2 xícaras de vagem fresca em pedaços grandes (230g)
2 xícaras de couve-flor
2 colheres de sopa de ervas frescas picadas ou 2 colheres de chá de ervas desidratadas (como alecrim, manjericão e orégano)
¼ de colher de chá de sal
1 pitada de pimenta-do-reino moída na hora
2 colheres de sopa de azeite de oliva extravirgem
2 colheres de sopa de água
3 pimentões vermelhos, amarelos e/ou verdes em tiras finas e sem sementes

1. Numa assadeira rasa, junte a couve-de-bruxelas, a vagem e a couve-flor. Salpique com as ervas, o sal e a pimenta-do-reino. Regue com o azeite de oliva e a água.

2. Cubra com papel-alumínio. Leve ao forno a 200ºC por 20 minutos. Retire o papel-alumínio e acrescente os pimentões. Asse descoberta por mais 15 minutos ou até que as hortaliças estejam crocantes.

INFORMAÇÕES NUTRICIONAIS POR PORÇÃO: 129 calorias, 7g de gorduras (1g de gordura saturada), 0mg de colesterol, 152mg de sódio, 15g de carboidratos, 7g de fibras, 5g de proteína.

Sanduíche de Frango com Hortaliças no Pão Árabe Integral

TEMPO DE PREPARO: 20 MINUTOS
RENDIMENTO: 2 PORÇÕES

1 pão árabe integral grande
1 xícara de hortaliças frescas variadas, fatiadas e sem sementes (pimentão vermelho ou amarelo em tiras finas, brócolis ou couve-flor, abobrinha ou abóbora-moranga e/ou pepino)
¼ de xícara de Molho de Iogurte e Pepino (veja a receita na página 144)
120g de peito de frango cozido sem pele, desfiado grosseiramente

Corte o pão árabe no meio. Abra cada metade, formando um "bolso".
Numa tigela pequena, misture as hortaliças com o Molho de Iogurte e Pepino. Recheie o pão.
Acrescente o frango desfiado.

INFORMAÇÕES NUTRICIONAIS POR PORÇÃO: 220 calorias, 4g de gorduras totais (1g de gordura saturada), 49mg de colesterol, 296mg de sódio, 23g de carboidratos, 3g de fibras, 23g de proteína.

Filé de Atum à Moda Siciliana

TEMPO DE PREPARO: 45 MINUTOS
RENDIMENTO: 4 PORÇÕES

½ kg de filé de atum fresco ou congelado com 2,5cm de espessura
2 colheres de sopa de azeite de oliva extravirgem
1 cebola pequena picada
2 dentes de alho picados (1 colher de chá)
1kg de tomates cortados em cubos, sem pele nem sementes
½ xícara de vinho branco seco
¼ a ½ colher de chá de pimenta-malagueta
¼ de xícara de azeitonas sem caroços
2 colheres de sopa de alcaparras lavadas e escorridas
2 colheres de sopa de manjericão fresco picado ou 2 colheres de chá de manjericão desidratado
1 colher de sopa de hortelã fresca picada ou 1 colher de chá de hortelã desidratada
¼ de colher de chá de sal
1 pitada de pimenta-do-reino moída na hora
1 colher de sopa de suco de limão

1. Descongele o filé de atum. Se necessário, corte-o em 4 porções. Lave e seque delicadamente com papel-toalha. Reserve.

2. Numa frigideira grande, aqueça o azeite de oliva. Adicione a cebola e o alho e refogue em fogo médio até que a cebola esteja macia. Acrescente os tomates, o vinho branco e a pimenta-malagueta. Quando começar a ferver, reduza o fogo e deixe cozinhar, sem tampa, por 7 minutos. Adicione as azeitonas, as alcaparras, o manjericão e a hortelã. Cozinhe por mais 3 minutos

3. Tempere os filés de atum com o sal e a pimenta-do-reino. Disponha na frigideira sobre a mistura de tomate. Tampe e cozinhe em fogo médio por 5 minutos. Destampe e deixe por 10 a 15 minutos ou até que os filés estejam cozidos (teste com um garfo) e levemente rosados no meio.

4. Transfira os filés para 4 pratos. Cubra com a mistura de tomate. Salpique com o manjericão fresco e a hortelã. Regue com o suco de limão.

INFORMAÇÕES NUTRICIONAIS POR PORÇÃO: 233 calorias, 6g de gorduras totais (1g de gordura saturada), 51mg de colesterol, 377mg de sódio, 12g de carboidratos, 3g de fibras, 29g de proteína.

Salada Mediterrânea de Atum com Alcaparras

TEMPO DE PREPARO: 25 MINUTOS
RENDIMENTO: 4 PORÇÕES

2 tomates picados
2 colheres de sopa de alcaparras lavadas e escorridas
3 ½ colheres de sopa de azeite de oliva extravirgem
3 ½ colheres de sopa de vinagre balsâmico
1 pitada de orégano desidratado ou ½ colher de chá de orégano fresco picado
1 pitada de sal
Pimenta-do-reino moída na hora
6 xícaras de folhas verdes mistas rasgadas
2 latas de 170g de atum branco (conservado em água), escorrido e despedaçado
1 xícara de grão-de-bico em lata, lavado e escorrido
1 xícara de vagem fresca aferventada*
¼ de xícara de azeitonas pretas sem caroços cortadas em 4

1. Numa tigela pequena, misture os tomates, as alcaparras, 2 colheres de sopa de azeite de oliva, 2 colheres de sopa de vinagre balsâmico, o orégano, o sal e a pimenta-do-reino. Reserve.

2. Em 4 pratos, arrume as folhas verdes, os pedaços de atum, o grão-de-bico, a vagem, as azeitonas pretas e a mistura de tomate. Regue com o restante do azeite de oliva e do vinagre balsâmico.

INFORMAÇÕES NUTRICIONAIS POR PORÇÃO: 324 calorias, 16g de gorduras totais (2g de gordura saturada), 36mg de colesterol, 775mg de sódio, 21g de carboidratos, 5g de fibras, 25g de proteína.

*Para aferventar: lave as vagens e retire as pontas e o fio do meio. Deixe-as inteiras ou corte-as ao meio. Numa panela média com tampa, cozinhe num pouco de água fervente com sal por 10 a 15 minutos ou até que fiquem crocantes. Escorra e coloque em água gelada até que esfriem. Escorra novamente.

Filé de Porco Assado com Ratatouille de Hortaliças

TEMPO DE PREPARO: 40 MINUTOS • TEMPO NO FORNO: DE 30 A 40 MINUTOS
TEMPO DE ESPERA: 10 MINUTOS • TEMPERATURA: 220°C
RENDIMENTO: 4 PORÇÕES

3 dentes de alho picados (1 ½ colher de chá)
2 colheres de chá de alecrim fresco picado ou ½ colher de chá de alecrim desidratado
2 colheres de sopa de azeite de oliva extravirgem
1 filé de porco de 500 a 750g
2 colheres de sopa de orégano fresco picado ou 2 colheres de chá de orégano desidratado
2 colheres de chá de tiras bem finas de casca de limão
3 colheres de sopa de suco de limão
500g de abobrinha pequena cortada ao meio no sentido do comprimento
500g de abóbora-moranga cortada ao meio no sentido do comprimento
1 cebola média em fatias de 1cm de espessura
2 pimentões vermelhos pequenos cortados ao meio e sem sementes (230g)
2 pimentões amarelos pequenos cortados ao meio e sem sementes (230g)
2 tomates médios picados sem pele nem sementes
1 colher de sopa de alcaparras lavadas e escorridas
4 folhas grandes de manjericão fresco em tiras finas
Sal
Pimenta-do-reino moída na hora

1. Numa tigela pequena, junte 2 dentes de alho picados, o alecrim e 1 colher de sopa de azeite de oliva e mexa. Com uma colher, espalhe essa mistura de forma homogênea sobre o filé de porco e depois esfregue.

2. Na mesma tigela, junte o restante do alho e do azeite de oliva, o orégano, as tiras de casca de limão e o suco de limão. Pincele a abobrinha, a abóbora-moranga, a cebola e os pimentões com essa mistura.

3. Coloque uma grelha no centro de uma assadeira rasa e disponha o filé de porco sobre a grelha. Arrume as hortaliças temperadas nas bordas da assadeira (fora da grelha). Asse no forno a 220°C por 30 a 40 minutos ou até que um termômetro inserido na carne registre 68°C. Retire o filé de porco da assadeira, cubra com papel-alumínio e deixe descansar por 10 minutos antes de cortar. Transfira as hortaliças para um refratário grande que possa ir à mesa. Acrescente os tomates, as alcaparras e o manjericão. Misture. Tempere com sal e pimenta-do-reino. Tampe e deixe descansar até que o filé de porco esteja pronto para ser servido.

INFORMAÇÕES NUTRICIONAIS POR PORÇÃO: 308 calorias, 11g de gorduras totais (2g de gordura saturada), 73mg de colesterol, 252mg de sódio, 26g de carboidratos, 7g de fibras, 29g de proteína.

DICA: A *ratatouille* de hortaliças também pode ser servida como acompanhamento de aves assadas ou como recheio num sanduíche preparado com fatias de carne.

Salada de Espinafre e Lentilhas com Nozes Torradas

TEMPO DE PREPARO: 30 MINUTOS
RENDIMENTO: 4 PORÇÕES

- 1 xícara de água
- ½ xícara de lentilhas lavadas e escorridas
- ½ xícara de pimentão vermelho picado
- ⅓ de xícara de cebolinha verde picada
- ¼ de xícara de salsa picada
- ¼ de xícara de nozes torradas e partidas
- 6 xícaras de espinafre rasgado ou de folhas verdes mistas rasgadas
- 360g de peito de frango cozido sem pele, fatiado
- ¼ de xícara de Vinagrete de Vinho Tinto (veja a receita na página 156)

1. Numa panela pequena, leve a água e as lentilhas ao fogo. Quando levantar fervura, reduza a temperatura. Tampe e deixe ferver por 20 a 25 minutos ou até que as lentilhas estejam macias e a maior parte da água tenha secado. Escorra e coloque numa tigela média. Misture o pimentão, a cebolinha verde, a salsa e as nozes.

2. Distribua o espinafre em 4 pratos. Por cima, disponha a mistura de lentilhas e o frango. Regue com o Vinagrete de Vinho Tinto.

INFORMAÇÕES NUTRICIONAIS POR PORÇÃO: 341 calorias, 14g de gorduras totais (2g de gordura saturada), 72mg de colesterol, 166mg de sódio, 19g de carboidratos, 10g de fibras, 36g de proteína.

Camarão à Szechwan

TEMPO DE PREPARO: 35 MINUTOS
TEMPO DE COZIMENTO: 10 MINUTOS
RENDIMENTO: 4 PORÇÕES

700g de camarões médios frescos ou congelados
5 ½ colheres de chá de molho de soja light
4 colheres de chá de gengibre fresco ralado ou ½ colher de chá de gengibre em pó
1 colher de sopa de xerez seco ou de água
1 colher de sopa de molho de pimenta com alho
1 ½ colher de chá de amido de milho
1 colher de chá de óleo de gergelim torrado
¼ de colher de chá de sal
Pimenta-do-reino moída na hora
4 colheres de chá de óleo de canola
3 dentes de alho picados (1 1/2 colher de chá)
2 xícaras de cogumelos frescos fatiados
1 pimentão vermelho médio em tiras finas
2 xícaras de ervilhas frescas nas vagens, picadas
6 xícaras de repolho-chinês, ou couve-da-china *(bok choy)*, em tiras
¼ de xícara de amendoim torrado
2 colheres de sopa de cebolinha verde picada

1. Descongele os camarões. Remova a casca, limpe, lave e seque delicadamente com papel-toalha. Prepare o molho: numa tigela pequena, misture 4 colheres de chá de molho de soja light, o gengibre, o xerez seco, o molho de pimenta com alho, 1 colher de chá de amido de milho, o óleo de gergelim e metade do sal. Reserve.

2. Numa tigela média, tempere os camarões com o restante do sal e a pimenta-do-reino. Junte o restante do molho de soja light e do amido de milho e mexa. Reserve.

3. Numa frigideira grande ou num *wok,* aqueça 2 colheres de chá do óleo de canola em fogo médio a alto. Acrescente o alho e refogue por 30 segundos. Junte os cogumelos e refogue por 3 minutos. Adicione o pimentão e frite por 1 minuto. Coloque as ervilhas e refogue por 2 minutos. Retire as hortaliças da frigideira.

4. Coloque o restante do óleo de canola na frigideira. Junte os camarões com o líquido em que foram reservados e refogue por 2 a 3 minutos ou até que fiquem opacos. Incorpore o molho e leve à frigideira. Cozinhe por mais 2 minutos sem parar de mexer. Acrescente a mistura de cogumelos e o repolho-chinês, mexendo bem.

5. Na hora de servir, salpique com o amendoim e a cebolinha verde.

INFORMAÇÕES NUTRICIONAIS POR PORÇÃO: 328 calorias, 14g de gorduras totais (2g de gordura saturada), 215mg de colesterol, 714mg de sódio, 16g de carboidratos, 3g de fibras, 35g de proteína.

Ovos Assados

TEMPO DE PREPARO: 10 MINUTOS
TEMPO NO FORNO (EM BANHO-MARIA): 25 MINUTOS
TEMPERATURA: 160°C
RENDIMENTO: 3 PORÇÕES

Azeite de oliva extravirgem (para untar)
6 ovos
Sal
Pimenta-do-reino moída na hora
Cebolinha verde ou uma erva fresca da sua preferência, picada
6 colheres de sopa de queijo cheddar light ou mussarela light, esfarelado

1. Com o azeite de oliva, unte 3 recipientes pequenos que possam ir ao forno. Quebre cuidadosamente 2 ovos em cada um deles e tempere com sal, pimenta-do-reino e cebolinha verde. Disponha os recipientes num tabuleiro com água para assar em banho-maria. Leve ao forno a 160ºC.

2. Asse por 20 minutos. Salpique o queijo cheddar light sobre os ovos. Asse por mais 5 a 10 minutos ou até que a clara do ovo fique opaca, a gema endureça e o queijo derreta.

INFORMAÇÕES NUTRICIONAIS POR PORÇÃO: 188 calorias, 13g de gorduras totais (5g de gordura saturada), 433mg de colesterol, 582mg de sódio, 1g de carboidratos, 0g de fibras, 16g de proteína.

Salada de Frango à Moda Grega com Feijão-Branco

TEMPO DE PREPARO: 20 MINUTOS
RENDIMENTO: 1 PORÇÃO

1 colher de sopa de tomates secos picados (não conservados em óleo)
Água fervente
2 xícaras de folhas verdes mistas rasgadas
½ xícara de peito de frango sem pele cozido, fatiado (cerca de 90g)
¼ de xícara de feijão-branco cozido e escorrido
1 colher de sopa de queijo *feta* esfarelado
1 colher de sopa de amêndoas torradas e partidas
1 colher de sopa de Vinagrete de Vinho Tinto (veja a receita página 156)

1. Coloque os tomates secos numa tigela pequena. Acrescente água fervente o bastante para cobrir e deixe descansar por 5 minutos. Escorra.

2. Numa travessa, arrume as folhas verdes para a salada. Por cima, disponha o frango, o feijão-branco, o queijo *feta* e as amêndoas. Acrescente os tomates secos. Regue com o Vinagrete de Vinho Tinto.

INFORMAÇÕES NUTRICIONAIS POR PORÇÃO: 326 calorias, 15g de gorduras totais (3g de gordura saturada), 80mg de colesterol, 442mg de sódio, 16g de carboidratos, 6g de fibras, 35g de proteína.

LINGUADO COM HORTALIÇAS EM PAPILLOTE

TEMPO DE PREPARO: 30 MINUTOS
TEMPO NO FORNO: 15 MINUTOS
TEMPERATURA: 200ºC
RENDIMENTO: 4 PORÇÕES

4 filés de linguado frescos ou congelados (120 a 140g)
2 colheres de sopa de azeite de oliva extravirgem
2 dentes de alho em fatias finas
Papel-manteiga (para montar os *papillotes)*
2 tomates médios em fatias de 1cm
1 bulbo de erva-doce médio fatiado, sem a parte do meio
Sal
Pimenta-do-reino moída na hora
350g de abobrinha cortada na diagonal em fatias finas
350g de abóbora-moranga cortada na diagonal em fatias finas
¼ de xícara de azeitonas pretas sem caroços cortadas em 4
2 colheres de sopa de suco de limão
2 colheres de sopa de manjericão fresco picado ou 2 colheres de chá de manjericão desidratado

1. Descongele os filés de linguado. Lave e seque delicadamente com papel-toalha. Numa panela pequena, aqueça o azeite de oliva. Adicione o alho e refogue em fogo baixo por 5 minutos, sem deixar escurecer. Reserve.

2. Corte 4 pedaços de papel-manteiga de 50 x 30cm, dobre cada um ao meio e faça um vinco. Abra de novo. No meio de cada um deles, coloque 1/4 dos tomates e das fatias do bulbo da erva-doce. Tempere com sal e pimenta-do-reino. Regue com um pouco da mistura de azeite de oliva e alho. Por cima, disponha 1/4 da abobrinha e da abóbora-moranga. Cubra com 1/4 das azeitonas e com 1 filé de linguado. Salpique com um pouco mais de sal e pimenta-do-reino. Adicione 1/4 do suco de limão e do manjericão. Para fazer o *papillote,* dobre o papel-manteiga sobre o peixe e as hortaliças. Feche e torça as extremidades para selar bem. Repita a operação para montar 4 pacotinhos.

3. Disponha os *papillotes* numa assadeira. Leve ao forno médio, a 200ºC, por cerca de 15 minutos ou até que o peixe esteja macio (para testar, abra o pacotinho com cuidado e espete com um garfo). Sirva imediatamente.

INFORMAÇÕES NUTRICIONAIS POR PORÇÃO: 249 calorias, 11g de gorduras totais (1g de gordura saturada), 36mg de colesterol, 648mg de sódio, 13g de carboidratos, 4g de fibras, 27g de proteína.

CARDÁPIOS DA FASE 2

Para a Fase 2, elaboramos duas semanas de cardápios. Assim como na Fase 1, apresentamos sugestões de três refeições completas e de dois lanches para cada dia.

Da mesma forma, os cardápios são opcionais. Você poderá preparar a refeição sugerida ou criar sua própria receita seguindo as diretrizes para a Fase 2 da Dieta de Sonoma.

Esses cardápios diferem dos da Fase 1 em dois aspectos. Em primeiro lugar, há sugestões de refeições para os 14 dias desta etapa, e não apenas para 10 dias. Certamente é possível que você precise ficar mais do que 14 dias na Fase 2 até chegar ao peso almejado. Nesse caso, tanto poderá repetir o ciclo de 14 dias quanto escolher novos pratos e/ou refazer as combinações seguindo as diretrizes da Fase 2. Outra opção é usar as receitas e os cardápios da Fase 1.

A maior diferença é que os cardápios da Fase 2 são bem mais variados. Isso ocorre porque nessa etapa, a principal da dieta, há muito mais opções de comida. As refeições jamais serão entediantes ou pouco satisfatórias.

Na seção dedicada aos cardápios da Fase 2 há instruções para o preparo dos pratos. Embora esse procedimento não seja obrigatório, recomendamos que você siga os cardápios diários o máximo possível pelo menos nas primeiras duas semanas dessa fase. Esses guias não apenas respeitam as diretrizes deste programa alimentar como dão a você a oportunidade de conhecer novas fontes do prazer culinário no estilo da Dieta de Sonoma. Além disso, fornecem sugestões de vinhos para acompanhar as refeições (caso você queira saborear essa bebida).

Dia 1

Café da manhã: Cereal de grãos integrais com leite
Almoço: Sopa de Feijão-Preto com Limão (veja a receita na página 204)
Salada de espinafre com vinagrete
Experimente acrescentar tomate seco picado, 1 colher de sopa de nozes, 1 colher de sopa de queijo mussarela light ralado
1 xícara de morangos frescos
Jantar: Lombinho Picante à Moda Latina (veja a receita na página 205)
Pilafe de Quinoa Torrada (veja a receita na página 177)
Abobrinha ao Forno (veja a receita na página 206)
1/2 xícara de melão ou de outra fruta do Nível 2
1 taça de Pinot Noir ou de Zinfadel (opcional)
Lanches para homens: 2 fatias finas de queijo mussarela light
2 talos de aipo com 2 colheres de sopa de homus
33 amêndoas
Lanches para mulheres: 2 talos de aipo com 2 colheres de sopa de homus
22 amêndoas

Dia 2

Café da manhã: 1/4 de xícara de mingau de aveia em flocos grandes* com leite
Almoço: Salada Sonoma de Tomate e Queijo Feta
(veja a receita na página 207)
Fruta fresca de sua preferência
4 biscoitos integrais ou 1 pão árabe integral pequeno
Jantar: Camarão com Pimenta-de-Caiena (veja a receita na página 208)
Miscelânea de Grãos à Moda de Nova Orleans
(veja a receita na página 209)
1 xícara de folhas verdes mistas para salada
Experimente acrescentar 1 colher de sopa de Vinagrete Balsâmico ou de Vinagrete de Vinho Tinto (veja as receitas nas página 158 e 156, respectivamente)
Fruta fresca de sua preferência
1 taça de Sauvignon Blanc (opcional)
Lanches para homens: 1 xícara de cenouras-baby
3 fatias finas de queijo mussarela light
33 amêndoas
Lanches para mulheres: 1 xícara de cenouras-baby
1 fatia fina de queijo mussarela light

**O processo de cozimento da aveia em flocos grandes é diferente do da aveia fina. Siga as instruções do fabricante para o preparo.*

DIA 3

Café da manhã: 2 ovos
1 torrada de pão integral com 1 colher de sopa de homus
Almoço: Wrap Rápido da Dieta de Sonoma (veja a receita na página 131)
1 xícara de Miscelânea de Grãos à Moda de Nova Orleans (da noite anterior)
Fruta fresca de sua preferência
Jantar: Lombinho com Ervas (veja a receita na página 210)
Espinafre com Vinagrete Balsâmico e Purê de Alho Assado (veja a receita na página 211)
Fruta fresca de sua preferência
1 taça de Zinfandel ou de Cabernet Sauvignon (opcional)
Lanches para homens: 2 colheres de sopa de Molho de Iogurte e Pepino (veja a receita na página 144) em 1/2 pão árabe integral, com 1 xícara de abobrinha crua em fatias
22 amêndoas
Lanches para mulheres: 2 colheres de sopa de Molho de Iogurte e Pepino (veja a receita na página 144) em 1/2 pão árabe integral, com 1 xícara de abobrinha crua em fatias

DIA 4

Café da manhã: 2 fatias de pão integral com 1 colher de sopa de homus
Almoço: Salada de Frango à Califórnia (veja a receita na página 212)
1 pão árabe integral
Jantar: Sopa Energética de Lentilhas (veja a receita na página 213)
Peixe com Delícia de Abobrinha (veja a receita na página 214)
1 xícara de folhas verdes mistas para salada com o vinagrete de sua preferência
1 taça de Sauvignon Blanc (opcional)
Lanches para homens: 170ml de iogurte natural desnatado
1 xícara de morangos frescos
2 fatias finas de queijo mussarela light
22 amêndoas
Lanches para mulheres: 170ml de iogurte natural desnatado
1 xícara de morangos frescos
2 fatias finas de queijo mussarela light
1 xícara de pimentão em tiras finas

DIA 5

Café da manhã: Omelete Rancheiro (veja a receita na página 174)
Almoço: Salada Verde com Peru e Blue Cheese
(veja a receita na página 215)
4 biscoitos integrais
Jantar: Filé Mignon com Pimenta-de-Caiena e Gengibre e Miscelânea de Hortaliças à Moda Asiática (veja a receita na página 216)
Fruta fresca de sua preferência
1 taça de vinho rosé ou de um espumante de sua preferência (opcional)
Lanches para homens: 1/4 de xícara de Homus (veja a receita na página 153) sobre 1 pão árabe integral, com 1 xícara de pepino cru em fatias
2 talos de aipo com 2 colheres de sopa de homus
Lanches para mulheres: 2 colheres de sopa de Homus (veja a receita na página 153) sobre 1 pão árabe integral, com 1 xícara de pepino cru em fatias

DIA 6

Café da manhã: 2 fatias de pão integral com 2 colheres de sopa de homus
Almoço: Salada Verde com Feijão-Branco e Alcachofras
(veja a receita na página 217)
3/4 de xícara de framboesa
Jantar: Espetinhos de Carne de Porco Grelhados à Moda Marroquina
(veja a receita na página 218)
Salada de Cenoura à Moda Tunisiana
(veja a receita na página 219)
Arroz integral cozido no vapor
1 taça de Zinfandel ou de Pinot Noir (opcional)
Lanches para homens: 1 xícara de flores de brócolis
3 fatias finas de queijo mussarela light
3/4 de xícara de frutas vermelhas frescas
170ml de iogurte natural desnatado
Lanches para mulheres: 1 xícara de flores de brócolis
1 fatia fina de queijo mussarela light
3/4 de xícara de frutas vermelhas frescas
170ml de iogurte natural desnatado

DIA 7

Café da manhã: Cereal de trigo integral com leite

Almoço: Wrap de Frango com Feijão-Preto (veja a receita na página 171)
Fruta fresca de sua preferência

Jantar: Risoto de Cevada com Cogumelo-Selvagem
(veja a receita na página 220)
Salada Verde com Maçã, Nozes e Vinagrete de Limão
(veja a receita na página 221)
1 taça de Pinot Noir ou de Merlot (opcional)

Lanches para homens: 33 amêndoas
2 talos de aipo com 2 colheres de sopa de Homus (veja a receita na página 153)
1 fatia fina de queijo mussarela light
1 xícara de cenouras-baby

Lanches para mulheres: 11 amêndoas
2 talos de aipo com 2 colheres de sopa de Homus (veja a receita na página 153)
1 fatia fina de queijo mussarela light
1 xícara de cenouras-baby

DIA 8

Café da manhã: 2 ovos
1 fatia de pão integral com 1 colher de sopa de Homus (veja a receita na página 153)

Almoço: Alface-Romana e Agrião ao Vinagrete
(veja a receita na página 222)
2 biscoitos integrais

Jantar: Frutos do Mar à Cioppino em Papillote
(veja a receita na página 223)

Lanches para homens: 1/2 xícara de queijo cottage light
1 xícara de uvas
1 pão árabe integral com 1/4 de xícara de Homus
(veja a receita na página 153) e 1 xícara de pimentão vermelho cru em tiras finas
11 amêndoas

Lanches para mulheres: 1/2 xícara de queijo cottage light
1 xícara de uvas
1 pão árabe integral com 2 colheres de sopa de Homus
(veja a receita na página 153) e 1 xícara de pimentão vermelho cru em tiras finas

DIA 9

Café da manhã: 1/4 de xícara de mingau de aveia em flocos grandes* com leite
Almoço: Salada de Feijão-Branco e Trigo em Grãos (Espelta) à Moda Mediterrânea (veja a receita na página 224)
1/2 xícara de fruta fresca de sua preferência
Jantar: Filé Mignon à Szechwan com Ervilhas Refogadas (veja a receita na página 225)
Arroz integral cozido no vapor
1/2 xícara de fruta fresca de sua preferência
1 taça de Zinfandel ou de um vinho branco semidoce espumante (opcional)
Lanches para homens: 3 fatias finas de queijo mussarela light
1/2 xícara de abobrinha crua em fatias
33 amendoins
1 ovo cozido
Lanches para mulheres: 1 fatia fina de queijo mussarela light
1/2 xícara de abobrinha crua em fatias
22 amendoins

**O processo de cozimento da aveia em flocos grandes é diferente do da aveia fina. Siga as instruções da embalagem para o preparo.*

DIA 10

Café da manhã: Omelete à Florentina (veja a receita na página 174)
Almoço: Wrap Rápido da Dieta de Sonoma (veja a receita na página 131)
170ml de iogurte natural desnatado com 1/2 xícara de frutas vermelhas frescas e 1/2 xícara de cereal de grãos integrais
Jantar: Sopa de Grão-de-Bico e Salsicha de Peru com Massa Integral (veja a receita na página 226)
1 xícara de salada de espinafre com Vinagrete de Vinho Tinto (veja a receita na página 156)
1/2 xícara de fruta fresca de sua preferência
1 taça de Chardonnay (opcional)
Lanches para homens: 1 xícara de flores de brócolis
1 fatia fina de queijo mussarela light
33 amêndoas
1 fatia de pão integral com 1 colher de sopa de Homus (veja a receita na página 153)
Lanches para mulheres: 1 xícara de flores de brócolis
1 fatia fina de queijo mussarela light
1 fatia de pão integral com 1 colher de sopa de homus

DIA 11

Café da manhã: Cereal de trigo integral com leite
Almoço: Sanduíche de Salada de Atum (veja a receita na página 227)
Fruta fresca de sua preferência
1 xícara de pimentão cru em tiras finas
Jantar: Hambúrguer com Hortelã e Pimenta-de-Caiena (veja a receita na página 228)
Salada de Vagem e Tomate (veja a receita na página 229)
1/2 xícara de fruta fresca de sua preferência
1 taça de vinho rosé ou de Sauvignon Blanc
Lanches para homens: 2 talos de aipo com 2 colheres de sopa de Homus (página 153)
1/2 xícara de queijo cottage light
22 amêndoas
1 ovo cozido
Lanches para mulheres: 2 talos de aipo com 2 colheres de sopa de Homus (página 153)
1/2 xícara de queijo cottage light
11 amêndoas

DIA 12

Café da manhã: 2 fatias de pão integral com 2 colheres de sopa de Homus (página 153)
Almoço: Wrap Rápido da Dieta de Sonoma (veja a receita na página 131), preparado com peru
Salada de Vagem e Tomate (página 153) do jantar da véspera
1/2 xícara de fruta fresca de sua preferência
Jantar: Frango ao Forno com Ervas (veja a receita na página 230)
Couve-flor com Queijo Parmesão Light (veja a receita na página 231)
Arroz-selvagem
1/2 xícara de fruta fresca de sua preferência
1 taça de Cabernet Franc, de Cabernet Sauvignon ou de Merlot (opcional)
Lanches para homens: 170ml de iogurte natural desnatado
1/2 xícara de morangos
33 amêndoas
1/2 xícara de cenouras-baby
2 fatias finas de queijo mussarela light
Lanches para mulheres: 170ml de iogurte natural desnatado
1/2 xícara de morangos
1/2 xícara de cenouras-baby
1 fatia fina de queijo mussarela light

DIA 13

Café da manhã: Cereal de trigo integral com leite

Almoço: Salada de Arroz-Selvagem com Frango (veja a receita na página 232)
1 xícara de cenouras-baby cruas com 2 colheres de sopa de Homus (veja a receita na página 153)

Jantar: Costeletas de Porco com Alecrim (veja a receita na página 233)
Couve-de-Bruxelas com Presunto (veja a receita na página 234)
1 fatia de pão integral
1/2 xícara de fruta fresca de sua preferência
1 taça de Cabernet Sauvignon, de Merlot ou de Syrah (opcional)

Lanches para homens: tortilha integral de 20cm com 1/4 de xícara de queijo mussarela light ralado e 1/2 xícara de flores de brócolis. Aqueça no microondas até o queijo derreter e depois enrole.
33 amêndoas

Lanches para mulheres: tortilha integral de 20cm com 1/4 de xícara de queijo mussarela ralado e 1/2 xícara de flores de brócolis. Aqueça no microondas até o queijo derreter e depois enrole.
11 amêndoas

DIA 14

Café da manhã: 2 ovos
1 torrada integral com 1 colher de sopa de Homus (página 153)

Almoço: Salada Verde com Feijão-Branco e Alcachofras (veja a receita na página 217)
2 biscoitos integrais

Jantar: Pizza à Moda Grega (veja a receita na página 235)
1 xícara de abobrinha crua em fatias
1/2 xícara de fruta fresca de sua preferência
1 taça de vinho rosé ou de Sangiovese (opcional)

Lanches para homens: 1/2 pão árabe integral com 2 colheres de sopa de Molho de Iogurte e Pepino (veja a receita na página 144) e 1/2 xícara de pimentão vermelho assado
33 amêndoas

Lanches para mulheres: 1/2 pão árabe integral com 2 colheres de sopa de Molho de Iogurte e Pepino (veja a receita na página 144) e 1/2 xícara de pimentão vermelho assado

Sopa de Feijão-Preto com Limão

TEMPO DE PREPARO: 35 MINUTOS
TEMPO DE COZIMENTO: 25 MINUTOS
RENDIMENTO: 6 PORÇÕES

- 2 colheres de sopa de azeite de oliva extravirgem
- ½ xícara de cebola picada
- 12 dentes de alho picados (2 colheres de sopa)
- ½ colher de chá de cominho moído
- 8 xícaras de caldo de galinha light
- 2 ½ xícaras de feijão-preto cozido e escorrido
- 1 limão em rodelas finas
- ½ xícara de tomates secos (não conservados em óleo)
- 1 colher de sopa de orégano fresco picado ou 1 colher de chá de orégano desidratado
- 1 pimenta-*jalapeño** picada e sem sementes (opcional)
- 1 ½ colher de chá de vinagre de vinho tinto

1. Numa panela grande, aqueça o azeite de oliva. Adicione a cebola e o alho e refogue em fogo médio até que fiquem macios, mexendo de vez em quando. Junte o cominho e refogue por mais 1 minuto. Acrescente o caldo de galinha light, o feijão-preto, as rodelas de limão, os tomates secos, o orégano e a pimenta-*jalapeño,* se desejar. Quando levantar fervura, reduza o fogo e deixe ferver por mais 15 minutos com a panela destampada, mexendo de vez em quando.

2. Descarte as fatias de limão. Coloque 3 xícaras da mistura numa tigela refratária. Com o auxílio de um *mixer* ou de um espremedor de batata, faça um purê. Devolva a mistura para a panela e, quando voltar a ferver, reduza o fogo. Cozinhe sem tampa por mais 10 minutos, mexendo de vez em quando.

3. Regue com o vinagre e salpique com o orégano fresco.

INFORMAÇÕES NUTRICIONAIS POR PORÇÃO: 223 calorias, 5g de gorduras totais (1g de gordura saturada), 0mg de colesterol, 1.381mg de sódio, 37g de carboidratos, 12g de fibras, 17g de proteína.

PARA CONGELAR A SOPA: Divida a sopa em recipientes com tampa, feche bem, identifique com um rótulo e congele por até 3 meses. Descongele na geladeira antes de aquecer.

*As pimentas chili, como a *jalapeño,* contêm óleos que podem queimar a pele e os olhos, por isso use luvas de plástico ou de borracha ao manuseá-las. Se suas mãos entrarem em contato com a pimenta, lave-as bem com água e sabão.

Lombinho Picante à Moda Latina

TEMPO DE PREPARO: 10 MINUTOS
TEMPO NO FORNO: DE 25 A 35 MINUTOS
TEMPO DE ESPERA: 15 MINUTOS
TEMPERATURA: 220ºC
RENDIMENTO: 8 PORÇÕES

- 2 colheres de chá de pimenta vermelha em flocos
- 1 colher de chá de alho em pó
- 1 colher de chá de orégano desidratado
- ¾ de colher de chá de sal
- ½ colher de chá de pimenta-do-reino moída na hora
- ½ colher de chá de cominho moído
- ¼ de colher de chá de pimenta-de-caiena
- 500g a 1kg de lombinho

1. Numa tigela pequena, misture a pimenta vermelha em flocos, o alho, o orégano, o sal, a pimenta-do-reino, o cominho e a pimenta-de-caiena. Passe essa mistura em todo o lombinho, esfregando de modo homogêneo.

2. Coloque numa assadeira. Leve ao forno a 220ºC por 25 a 35 minutos ou até que um termômetro inserido no lombinho registre 68ºC. Cubra com papel-alumínio e deixe descansar por 15 minutos antes de cortar.

INFORMAÇÕES NUTRICIONAIS POR PORÇÃO: 137 calorias, 3g de gorduras totais (1g de gordura saturada), 73mg de colesterol, 294mg de sódio, 1g de carboidratos, 0g de fibras, 24g de proteína.

DICA: Se desejar, sirva metade do lombinho com o cardápio do Dia 1. Reserve a outra parte para servir com a sugestão especificada para o Dia 2: Salada Sonoma de Tomate e Queijo Feta (veja receita na página 207).

Abobrinha ao Forno

TEMPO DE PREPARO: 15 MINUTOS
TEMPO NO FORNO: 20 MINUTOS
TEMPERATURA: 220°C
RENDIMENTO: 4 PORÇÕES

2 dentes de alho picados (1 colher de chá)
1 colher de sopa de azeite de oliva extravirgem
1 colher de sopa de alecrim fresco ou ½ colher de chá de alecrim desidratado
½ colher de chá de pimenta-do-reino moída na hora
¼ de colher de chá de sal
6 xícaras de abobrinha cortada em pedaços de 1cm (cerca de 700g)

1. Numa panela pequena, refogue o alho no azeite de oliva em fogo médio por 30 segundos. Misture o alecrim, a pimenta-do-reino e o sal.

2. Coloque a abobrinha numa assadeira e acrescente a mistura de azeite de oliva. Mexa para embeber a abobrinha no líquido. Leve ao forno por cerca de 20 minutos a 220ºC ou até que fique crocante. Mexa uma vez na metade do tempo de cozimento.

INFORMAÇÕES NUTRICIONAIS POR PORÇÃO: 61 calorias, 4g de gorduras totais (1g de gordura saturada), 0mg de colesterol, 138mg de sódio, 6g de carboidratos, 2g de fibras, 2g de proteína.

Salada de Tomate e Queijo Feta à Moda de Sonoma

TEMPO DE PREPARO: 20 MINUTOS
RENDIMENTO: 4 PORÇÕES

8 xícaras de folhas verdes mistas para salada
350g de peito de frango ou de peru sem pele, carne magra ou lombinho, em fatias
1 xícara de tomates-cereja cortados ao meio
½ xícara de pepino cortado ao meio
¼ de xícara de folhas pequenas de manjericão fresco
1 receita de Vinagrete de Vinho Tinto (veja a página 156)
Sal
Pimenta-do-reino moída na hora
¼ de xícara de queijo *feta* esfarelado ou de queijo de cabra (30g)
1 colher de sopa de pinhões torrados

Numa tigela grande, misture as folhas verdes, a carne, os tomates-cereja, o pepino e o manjericão. Regue com o Vinagrete de Vinho Tinto. Agite para misturar bem. Tempere com sal e pimenta-do-reino. Cubra com o queijo mussarela light e os pinhões. Sirva imediatamente.

INFORMAÇÕES NUTRICIONAIS POR PORÇÃO: 267 calorias, 13g de gorduras totais, (3g de gordura saturada), 80mg de colesterol, 318g de sódio, 6g de carboidratos, 2g de fibras, 30g de proteína.

Camarão com Pimenta-de-Caiena

TEMPO DE PREPARO: 25 MINUTOS
RENDIMENTO: 4 PORÇÕES

- 500g de camarões frescos ou congelados, limpos e sem casca
- ¼ de xícara de chalota picada
- 3 dentes de alho picados (1 ½ colher de chá)
- 2 colheres de sopa de azeite de oliva extravirgem
- ¼ de xícara de pimentão vermelho picado
- 2 a 3 pimentas-de-caiena ou *jalapeño** picadas e sem sementes
- 1 colher de sopa de suco de limão
- 1 colher de sopa de coentro fresco picado

1. Descongele os camarões. Lave e seque delicadamente com papel-toalha. Reserve.

2. Numa frigideira grande, refogue a chalota e o alho no azeite de oliva por 1 minuto. Adicione o pimentão vermelho e a pimenta-de-caiena e refogue por mais 1 minuto. Acrescente os camarões e refogue por 2 a 3 minutos ou até que fiquem opacos. Regue com o suco de limão e salpique com o coentro.

INFORMAÇÕES NUTRICIONAIS POR PORÇÃO: 195 calorias, 9g de gorduras totais (1g de gordura saturada), 172mg de colesterol, 171mg de sódio, 5g de carboidratos, 0g de fibras, 24g de proteína.

*As pimentas chili, como a *jalapeño,* contêm óleos que podem queimar a pele e os olhos, por isso use luvas de plástico ou de borracha ao manuseá-las. Se suas mãos entrarem em contato com a pimenta, lave-as bem com água e sabão.

Miscelânea de Grãos à Moda de Nova Orleans

TEMPO DE PREPARO: 30 MINUTOS
RENDIMENTO: 4 PORÇÕES

½ xícara de grãos de milho frescos ou congelados
1 ½ colher de sopa de azeite de oliva extravirgem
1 xícara de quinoa* cozida
½ xícara de arroz-selvagem ou de arroz integral
½ xícara de feijão-preto cozido e escorrido
½ xícara de pimentão vermelho em tiras finas
½ xícara de pimentão verde em tiras finas
½ xícara de pepino picado e sem sementes
2 colheres de sopa de cebolinha verde picada
2 colheres de sopa de suco de lima
1 ½ colher de chá de pimenta-*jalapeño*** ou pimenta-de-caiena picada
1 ½ colher de chá de coentro fresco picado
Sal
Pimenta-do-reino moída na hora

Descongele o milho. Aqueça uma frigideira antiaderente no fogo médio a alto. Adicione o milho e 1/2 colher de sopa de azeite de oliva. Refogue e mexa por cerca de 5 minutos ou até que o milho esteja dourado. Transfira para uma tigela grande. Adicione a quinoa, o arroz, o feijão-preto, os pimentões, o pepino, a cebolinha verde, o suco de lima, o restante do azeite de oliva, a pimenta-*jalapeño* e o coentro. Misture bem, tempere com sal e pimenta-do-reino.

INFORMAÇÕES NUTRICIONAIS POR PORÇÃO: 174 calorias, 6g de gorduras totais (1g de gordura saturada), 0mg de colesterol, 154mg de sódio, 28g de carboidratos, 4g de fibras, 6g de proteína.

*Procure a quinoa em lojas de produtos naturais ou na seção de grãos de grandes supermercados. Cozinhe numa panela pequena, acrescentando 2/3 de xícara de água fervente para cada 1/3 de xícara de quinoa. Mantenha no fogo por cerca de 20 minutos ou até que os grãos estejam macios e a água tenha sido absorvida.

**As pimentas chili, como a *jalapeño,* contêm óleos que podem queimar a pele e os olhos, por isso use luvas de plástico ou de borracha ao manuseá-las. Se suas mãos entrarem em contato com a pimenta, lave-as bem com água e sabão.

Lombinho com Ervas

TEMPO DE PREPARO: 15 MINUTOS
TEMPO PARA MARINAR: DE 2 A 4 HORAS
TEMPO NO FORNO: DE 25 A 30 MINUTOS
TEMPO DE ESPERA: 15 MINUTOS
TEMPERATURA: 220ºC
RENDIMENTO: 8 PORÇÕES

2 filés de lombinho de cerca de 350g
Sal (opcional)
Pimenta-do-reino moída na hora (opcional)
2 colheres de sopa de vinagre balsâmico
2 colheres de sopa de xerez seco
1 colher de sopa de pimenta-do-reino
3 colheres de sopa de azeite de oliva extravirgem
1 colher de sopa de molho de soja light
2 ramos de alecrim fresco
2 ramos de manjerona fresca
2 ramos de tomilho fresco
2 dentes de alho picados (1 colher de chá)

1. Se desejar, tempere o lombinho com sal e pimenta-do-reino. Coloque num plástico grande do tipo Ziplock sobre um refratário. Reserve.

2. Prepare a marinada: numa tigela pequena, misture o vinagre balsâmico, o xerez seco, 1 colher de sopa de pimenta-do-reino e 1 colher de sopa de azeite de oliva, o molho de soja light, o alecrim, a manjerona, o tomilho e o alho. Despeje sobre o lombinho. Feche o saco plástico e vire para regar toda a carne. Deixe marinar na geladeira por 2 a 4 horas, virando o saco plástico de vez em quando.

3. Escorra o lombinho e reserve a marinada. Numa frigideira grande, aqueça o restante do azeite de oliva e doure o lombinho dos dois lados por cerca de 5 minutos.

4. Transfira para uma assadeira. Regue com a marinada. Insira no lombinho um termômetro apropriado para ir ao forno. Asse a 220ºC por 15 minutos. Regue a carne com o próprio caldo que for saindo dela. Mantenha no forno por mais 10 ou 15 minutos ou até que o termômetro registre 68ºC. Cubra com papel-alumínio e deixe descansar por 15 minutos. Coloque o lombinho num refratário próprio para ir à mesa. Reserve o caldo do cozimento e regue a carne com ele.

INFORMAÇÕES NUTRICIONAIS POR PORÇÃO: 159 calorias, 8g de gorduras totais (2g de gordura saturada), 55mg de colesterol, 155mg de sódio, 2g de carboidratos, 0g de fibras, 18g de proteína.

Espinafre com Vinagrete Balsâmico e Purê de Alho Assado

TEMPO DE PREPARO: 30 MINUTOS
TEMPO NO FORNO (ALHO): 30 MINUTOS
TEMPERATURA: 200°C
RENDIMENTO: 4 PORÇÕES

2 colheres de sopa de vinagre balsâmico
1 colher de chá de suco de limão
1 colher de sopa de chalota picada
1 colher de chá de Purê de Alho Assado (veja a receita abaixo)
2 colheres de sopa de azeite de oliva extravirgem
1 pitada de sal
Pimenta-do-reino moída na hora
3 xícaras de escarola ou endívia, rasgada
3 xícaras de folhas frescas de espinafre, pequenas e inteiras
1 xícara de cogumelos frescos picados
½ xícara de tomates-cereja cortados ao meio
2 colheres de sopa de pinhões frescos torrados
2 colheres de sopa de queijo parmesão light ralado

1. Prepare o vinagrete balsâmico: numa tigela pequena, misture o vinagre balsâmico, o suco de limão e a chalota. Deixe descansar por 5 minutos. Acrescente o Purê de Alho Assado, o azeite de oliva, o sal e a pimenta-do-reino, mexendo bem.

2. Numa tigela grande, junte a escarola, o espinafre, os cogumelos, os tomates-cereja e os pinhões. Regue com o vinagrete e misture. Salpique com o queijo parmesão light. Sirva imediatamente.

PURÊ DE ALHO ASSADO: Remova toda a casca de 1 cabeça de alho. Com uma faca afiada, corte 1/3 do bulbo pelo topo para deixar os dentes de alho expostos. Regue com 1 colher de chá de azeite de oliva extravirgem e coloque num refratário pequeno com o lado cortado para baixo. Cubra com papel-alumínio e asse no forno a 200ºC por 30 a 35 minutos ou até que fique macia. Deixe esfriar. Retire a tampa do refratário. Separe os dentes de alho e aperte para remover as cascas. Amasse levemente com um garfo. Use em sopas, purê de hortaliças, molhos, vinagretes ou como pastinha para biscoitos integrais salgados.

INFORMAÇÕES NUTRICIONAIS POR PORÇÃO: 123 calorias, 10g de gorduras totais (2g de gordura saturada), 2mg de colesterol, 131mg de sódio, 6g de carboidratos, 2g de fibras, 4g de proteína.

DICA: Para fazer dessa salada o prato principal, sirva-a com lombinho, peito de frango sem pele ou carne magra.

SALADA DE FRANGO À CALIFÓRNIA

TEMPO DE PREPARO: 35 MINUTOS
RENDIMENTO: 6 PORÇÕES

- 500g de peito de frango em cubos pequenos
- 2 maçãs picadas, sem miolos nem cabinhos
- 1 xícara de aipo picado (2 talos)
- ½ xícara de cebolinha verde picada
- 2 colheres de sopa de salsa fresca picada
- ¼ de xícara de Creme de Leite Azedo Light sem soro (veja a receita abaixo)
- ¼ de xícara de vinagre de vinho tinto
- 3 colheres de sopa de maionese light ou com óleo de canola
- ½ colher de chá de sal
- ¼ de colher de chá de pimenta-do-reino moída na hora
- ¼ de xícara de nozes torradas
- 6 xícaras de folhas verdes mistas para salada

Numa tigela grande, misture o frango, as maçãs, o aipo, a cebolinha verde e a salsa. Acrescente o Creme de Leite Azedo Light (sem soro), o vinagre de vinho tinto, a maionese light, o sal, a pimenta-do-reino e as nozes. Distribua as folhas verdes em 6 pratos e coloque a mistura de frango por cima.

CREME DE LEITE AZEDO LIGHT (SEM SORO): Escorra o soro do creme de leite light e descarte. Coloque a quantidade desejada do creme num recipiente. Bata com um batedor de arame e acrescente um pouco de suco de limão. Prove e vá adicionando mais suco de limão, sempre experimentando, até obter o nível de acidez que considerar satisfatório.

INFORMAÇÕES NUTRICIONAIS POR PORÇÃO: 258 calorias, 12g de gorduras totais (2g de gordura saturada), 70mg de colesterol, 288mg de sódio, 11g de carboidratos, 3g de fibras, 26g de proteína.

Sopa Energética de Lentilhas

TEMPO DE PREPARO: 40 MINUTOS
TEMPO DE COZIMENTO: 40 MINUTOS
RENDIMENTO: 6 PORÇÕES

1 cebola média picada
1 cenoura média picada
3 dentes de alho picados (1 ½ colher de chá)
2 colheres de sopa de azeite de oliva extravirgem
8 xícaras de caldo de galinha light
1 ½ xícara de lentilhas lavadas e escorridas
1 tomate médio picado e sem sementes
3 colheres de sopa de salsa fresca picada
1 colher de sopa de suco de limão
½ colher de chá de sementes de cominho torradas e moídas* ou ½ colher de chá de cominho fresco
½ colher de chá de sementes de erva-doce torradas e moídas* ou ½ colher de chá de sementes de erva-doce socadas
Sal (opcional)
Pimenta-do-reino moída na hora (opcional)

1. Numa panela, refogue a cebola, a cenoura e o alho no azeite de oliva por cerca de 10 minutos ou até que fiquem macios.

2. Adicione o caldo de galinha light e as lentilhas. Quando levantar fervura, diminua o fogo. Tampe e deixe ferver por mais 30 minutos ou até que as lentilhas estejam macias.

3. Acrescente o tomate, a salsa, o suco de limão, as sementes de cominho e de erva-doce. Se desejar, tempere com sal e pimenta-do-reino. Distribua nos pratos na hora de servir.

INFORMAÇÕES NUTRICIONAIS POR PORÇÃO: 240 calorias, 5g de gorduras totais (1g de gordura saturada), 0mg de colesterol, 775mg de sódio, 33g de carboidratos, 16g de fibras, 17g de proteína.

*Para torrar as sementes, aqueça uma frigideira pequena em fogo médio. Acrescente as sementes e deixe por 2 minutos, virando sempre a frigideira. Retire quando estiverem torradas e com um aroma mais intenso. Coloque num moedor de condimentos e processe até que estejam bem trituradas.

Peixe com Delícia de Abobrinha

TEMPO DE PREPARO: 15 MINUTOS
TEMPO NO FORNO: 4 MINUTOS POR CENTÍMETRO DE ESPESSURA
TEMPERATURA: 230°C
RENDIMENTO: 4 PORÇÕES

500g de filé de peixe (badejo, linguado, cherne) sem pele, congelado ou fresco
1 ¼ xícara de abobrinha picada ou de pepino picado
½ xícara de pimentão vermelho picado
¼ de xícara de cebola picada
1 pimenta-*jalapeño*★ pequena picada e sem sementes (2 colheres de chá)
1 colher de sopa de vinagre de vinho branco
2 colheres de sopa de azeite de oliva extravirgem
½ colher de chá de sal
¼ de colher de chá de cominho moído
¼ de colher de chá de pimenta-do-reino moída na hora
Rodelas de tomate fresco (opcional)

1. Descongele o peixe. Lave e seque delicadamente com papel-toalha. Corte em 4 pedaços. Se necessário, meça a espessura do peixe. Reserve. Prepare a delícia de abobrinha: numa tigela média, misture a abobrinha, o pimentão vermelho, a cebola, a pimenta-*jalapeño,* o vinagre de vinho branco, 1 colher de sopa de azeite de oliva e 1 pitada do sal. Reserve.

2. Numa tigela pequena, junte o restante do sal, o cominho e a pimenta-do-reino e mexa. Coloque o peixe numa só camada numa assadeira retangular média. Salpique a mistura de cominho de forma homogênea sobre o peixe. Regue com o restante do azeite de oliva.

3. Asse no forno a 230°C por 4 a 6 minutos para cada centímetro de espessura do peixe ou até que ele se solte facilmente quando espetado com um garfo.

4. Sirva com a delícia de abobrinha. Se desejar, guarneça com rodelas de tomate.

INFORMAÇÕES NUTRICIONAIS POR PORÇÃO: 170 calorias, 8g de gorduras totais (1g de gordura saturada), 48mg de colesterol, 357mg de sódio, 4g de carboidratos, 1g de fibras, 21g de proteína.

★As pimentas chili, como a *jalapeño,* contêm óleos que podem queimar a pele e os olhos, por isso use luvas de plástico ou de borracha ao manuseá-las. Se suas mãos entrarem em contato com a pimenta, lave-as bem com água e sabão.

Salada Verde com Peru e Blue Cheese

TEMPO DE PREPARO: 20 MINUTOS
RENDIMENTO: 4 PORÇÕES

8 xícaras de folhas verdes mistas para salada, rasgadas (cerca de 180g)
350g de peito de peru ou de frango fatiado e sem pele
2 peras picadas, sem sementes nem cabinhos
¼ de xícara de nozes torradas e partidas
¼ de xícara de *blue cheese* (se desejar, substitua por gorgonzola) esfarelado (30g)
1 receita de Vinagrete de Mostarda e Vinho Tinho (veja abaixo)

Numa tigela grande, misture as folhas verdes rasgadas, as fatias de frango, as peras, as nozes e o *blue cheese.* Acrescente o Vinagrete de Mostarda e Vinho Tinto e misture. Sirva imediatamente.

VINAGRETE DE MOSTARDA E VINHO TINTO: Numa tigela pequena, misture 1/4 de xícara de vinagre de vinho tinto, 2 colheres de sopa de chalota picada e 1 dente de alho picado (1/2 colher de chá). Deixe descansar por 5 minutos. Acrescente 3 colheres de sopa de azeite de oliva extravirgem, 1 1/2 colher de chá de mostarda Dijon, 1/4 de colher de chá de sal e 1/4 de colher de chá de pimenta-do-reino moída na hora.

INFORMAÇÕES NUTRICIONAIS POR PORÇÃO: 378 calorias, 21g de gorduras totais (4g de gordura saturada), 79mg de colesterol, 362mg de sódio, 18g de carboidratos, 5g de fibras, 31g de proteína.

Filé Mignon com Pimenta-de-Caiena e Gengibre e Miscelânea de Hortaliças à Moda Asiática

TEMPO DE PREPARO: 1 HORA • TEMPO PARA MARINAR: DE 30 MINUTOS A 1 HORA
TEMPO NA GRELHA: DE 17 MINUTOS A 21 MINUTOS • RENDIMENTO: 6 PORÇÕES

500 a 600g de filé mignon
1 receita de Molho de Pimenta-de-Caiena com Ervas (veja abaixo)
230g de ervilhas verdes
3 xícaras de repolho-chinês, ou couve-da-china *(bok choy),* em tiras finas
230g de cenoura em fatias finas
1 xícara de *edamame*
1 xícara de rabanete em fatias finas
1 xícara de pimentão verde e/ou vermelho em tiras finas
¼ de xícara de coentro fresco picado
¼ de xícara de cebolinha verde picada
2 colheres de sopa de amendoim torrado

1. Retire toda a gordura da carne e faça cortes diagonais em intervalos de 2,5cm. Coloque a carne dentro de um saco plástico tipo Ziplock sobre um refratário. Despeje a metade do Molho de Pimenta-de-Caiena com Ervas e reserve o restante para a salada. Feche o saco plástico e vire para regar toda a carne. Leve à geladeira para marinar por 30 minutos a 1 hora. Vire o saco plástico uma vez.

2. Prepare a salada: numa panela média tampada, cozinhe as ervilhas em pouca quantidade de água fervente por 1 minuto. Escorra. Coloque de molho em água gelada para esfriar bem rápido. Escorra novamente. Numa tigela grande, misture as ervilhas, o repolho-chinês, a cenoura, o *edamame,* o rabanete, o pimentão verde, o coentro e a cebolinha verde. Adicione o restante do Molho de Pimenta-de-Caiena com Ervas e misture bem. Tampe e deixe esfriar até à hora de servir.

3. Escorra a carne, descartando a marinada. Transfira a carne para a grelha e asse por 17 a 21 minutos ou até que atinja o ponto desejado, virando uma vez na metade do tempo.

4. Acompanhe com a salada fria. Salpique com o amendoim.

MOLHO DE PIMENTA-DE-CAIENA COM ERVAS: Num recipiente com tampa, junte 1/3 de xícara de molho de soja, 1/3 de xícara de vinagre de arroz, 2 colheres de sopa de raspas de gengibre fresco, 2 pimentas-de-caiena picadas e sem sementes, 2 colheres de sopa de manjericão fresco picado ou 2 colheres de chá de manjericão desidratado, 2 colheres de sopa de hortelã fresca picada ou 2 colheres de chá de hortelã desidratada, 2 colheres de sopa de coentro fresco picado ou 2 colheres de chá de coentro desidratado, 6 dentes de alho picados (1 colher de sopa) e 1 colher de sopa de óleo de gergelim torrado. Tampe e misture bem.

INFORMAÇÕES NUTRICIONAIS POR PORÇÃO: 313 calorias, 13g de gorduras totais (4g de gordura saturada), 38mg de colesterol, 770mg de sódio, 18g de carboidratos, 6g de fibras, 30g de proteína.

Salada Verde com Feijão-Branco e Alcachofras

TEMPO DE PREPARO: 25 MINUTOS
RENDIMENTO: 4 PORÇÕES

- 8 xícaras de folhas verdes mistas para salada, rasgadas
- 1 lata de 400g de corações de alcachofra picados e escorridos
- 350g de peito de frango ou de peru sem pele, em fatias
- ¾ de xícara de feijão-branco cozido e escorrido
- 2 colheres de sopa de cebola roxa picada
- 1 receita de Vinagrete de Vinho Tinto (veja a página 156)
- ¼ de xícara de queijo de cabra esfarelado (30g)
- 2 colheres de sopa de pinhões torrados
- 1 colher de sopa de salsa picada ou de manjericão fresco picado

Numa tigela grande, misture as folhas verdes, os corações de alcachofra, o peito de frango, o feijão-branco e a cebola roxa. Regue com o Vinagrete de Vinho Tinto e misture bem. Salpique com o queijo de cabra, os pinhões e a salsa. Sirva imediatamente.

INFORMAÇÕES NUTRICIONAIS POR PORÇÃO: 356 calorias, 15g de gorduras totais (4g de gordura saturada), 78mg de colesterol, 553mg de sódio, 20g de carboidratos, 7g de fibras, 36g de proteína.

Espetinhos de Carne de Porco Grelhados à Moda Marroquina

TEMPO DE PREPARO: 35 MINUTOS
TEMPO PARA MARINAR: DE 1 A 2 HORAS
TEMPO NA GRELHA: DE 10 A 12 MINUTOS
RENDIMENTO: 4 PORÇÕES

- 2 colheres de sopa de salsa fresca picada
- 2 colheres de sopa de suco de limão
- 1 colher de sopa de azeite de oliva extravirgem
- 8 dentes de alho picados (4 colheres de chá)
- 1 colher de sopa de orégano fresco picado ou 1 colher de chá de orégano desidratado
- 1 ½ colher de chá de sementes de coentro em pó ou 1 colher de chá de coentro em pó
- 1 colher de chá de páprica
- 1 colher de chá de raspas de gengibre fresco
- ½ colher de chá de pimenta-do-reino moída na hora
- ¼ de colher de chá de sal
- ¼ de colher de chá de pimenta-de-caiena ou de pimenta-malagueta esmagada
- ¼ de colher de chá de cúrcuma em pó
- 500g de lombinho de porco* cortado em cubos de 2,5cm
- 2 xícaras de uvas verdes sem sementes

1. Prepare a marinada: numa tigela grande, misture a salsa, o suco de limão, o azeite de oliva, o alho, o orégano, as sementes de coentro, a páprica, o gengibre, a pimenta-do-reino, o sal, a pimenta-de-caiena e a cúrcuma. Adicione o lombinho e as uvas. Mexa delicadamente até que a carne e as uvas estejam bem temperadas. Tampe e leve à geladeira para marinar por 1 a 2 horas.

2. Alterne a carne e as uvas em espetinhos de madeira de 20cm,** deixando um espaço pequeno entre elas. Coloque os espetinhos sobre a grelha e asse por 10 a 12 minutos ou até que a carne fique rosada no meio, virando de vez em quando para dourar por igual.

INFORMAÇÕES NUTRICIONAIS POR PORÇÃO: 211 calorias, 7g de gorduras totais (2g de gordura saturada), 73mg de colesterol, 170mg de sódio, 12g de carboidratos, 1g de fibras, 25g de proteína.

*DICA: A carne de porco pode ser substituída por 500g de peito de frango desossado e sem pele.

**Se optar pelos espetinhos de madeira, deixe-os de molho em água por pelo menos 1 hora antes de usar.

Salada de Cenoura à Moda Tunisiana

TEMPO DE PREPARO: 20 MINUTOS
TEMPO DE COZIMENTO: 5 MINUTOS
TEMPO DE ESPERA: 30 MINUTOS
RENDIMENTO: 4 PORÇÕES

500g de cenoura fatiada
¼ de xícara de Molho Harissa (veja a receita na página 146)
1 dente de alho picado (1/2 colher de chá)
¼ de xícara de azeitonas pretas sem caroços picadas grosseiramente
¼ de xícara de queijo *feta* (30g)
4 rodelas de limão

1. Numa panela grande e com tampa, cozinhe a cenoura em pouca quantidade de água fervente por 5 minutos. Descarte a água e lave a cenoura em água fria para esfriar rapidamente. Escorra. Coloque a cenoura numa tigela média. Adicione o Molho Harissa e o alho, misturando bem. Tampe e deixe descansar na temperatura ambiente por 30 minutos para acentuar o sabor. Mexa de vez em quando.

2. Salpique com as azeitonas pretas e o queijo *feta.* Guarneça com as rodelas de limão.

INFORMAÇÕES NUTRICIONAIS POR PORÇÃO: 136 calorias, 8g de gorduras totais (2g de gordura saturada), 8mg de colesterol, 340mg de sódio, 18g de carboidratos, 6g de fibras, 3g de proteína.

Risoto de Cevada com Cogumelo-Selvagem

TEMPO DE PREPARO: 35 MINUTOS
TEMPO DE COZIMENTO: 1 HORA
RENDIMENTO: 5 PORÇÕES

1 colher de sopa de azeite de oliva extravirgem
120g de cogumelos *shiitake* fatiados e sem os cabinhos
1 chalota grande picada (½ xícara)
1 dente de alho picado (½ colher de chá)
½ xícara de vinho tinto seco
3 ¼ xícara de caldo de galinha light
½ xícara de cevada comum
Salsa fresca picada

1. Numa frigideira grande, aqueça o azeite de oliva. Adicione os cogumelos, a chalota e o alho e refogue em fogo médio por 5 a 10 minutos ou até que os cogumelos fiquem macios e um pouco dourados. Incorpore o vinho. Quando levantar fervura, reduza o fogo e deixe cozinhar por mais 5 minutos ou até que o vinho tenha praticamente evaporado.

2. Numa panela média, aqueça o caldo de galinha light. Quando ferver, reduza a chama. Mantenha aquecido em fogo baixo.

3. Acrescente a cevada à mistura de cogumelos, mexendo para incorporar bem. Adicione 1 xícara do caldo de galinha light à mistura de cevada e cogumelos. Cozinhe em fogo médio até que o líquido seja absorvido, mexendo de vez em quando. (Esse processo deve levar cerca de 15 minutos. Se o líquido estiver sendo absorvido muito rápido, reduza o fogo.) Repita com mais 2 xícaras do caldo quente, adicionando uma de cada vez, e cozinhe até que o líquido seja absorvido antes de adicionar a outra xícara, mexendo de vez em quando. (Isso deve levar cerca de 30 minutos.)

4. Misture o restante do caldo. Cozinhe até que a cevada esteja ligeiramente cremosa e macia. (Deve demorar cerca de 15 minutos. Aumente um pouco o fogo se a mistura estiver muito úmida.) Salpique com a salsa.

INFORMAÇÕES NUTRICIONAIS POR PORÇÃO: 145 calorias, 3g de gorduras totais (0g de gordura saturada), 0mg de colesterol, 366mg de sódio, 23g de carboidratos, 4g de fibras, 5g de proteína.

Salada Verde com Maçã, Nozes e Vinagrete de Limão

TEMPO DE PREPARO: 25 MINUTOS
RENDIMENTO: 4 PORÇÕES

2 colheres de sopa de suco de limão
2 colheres de sopa de chalota picada
1 colher de sopa de vinagre de vinho branco
2 colheres de sopa de azeite de oliva extravirgem
¼ de colher de chá de sal
1 pitada de pimenta-do-reino moída na hora
6 xícaras de folhas verdes mistas para salada, rasgadas
3 maçãs verdes em fatias finas e sem sementes
¾ de xícara de salsa fresca
½ xícara de pepino fatiado
¼ de xícara de nozes torradas e partidas
350g de peito de frango sem pele, cozido e cortado em pedaços pequenos ou 8 ovos cozidos (com gema dura) cortados ao meio

1. Prepare o vinagrete de limão: numa tigela pequena, misture o suco de limão, a chalota e o vinagre de vinho branco. Deixe descansar por 5 minutos. Adicione o azeite de oliva, o sal e a pimenta-do-reino, mexendo bem para misturar.

2. Numa tigela grande, junte as folhas verdes, a maçã, a salsa, o pepino e as nozes. Acrescente o vinagrete de limão e misture. Distribua em 4 pratos. Coloque o frango ou os ovos por cima. Sirva imediatamente.

INFORMAÇÕES NUTRICIONAIS POR PORÇÃO: 327 calorias, 15g de gorduras totais (2g de gordura saturada), 72mg de colesterol, 203mg de sódio, 20g de carboidratos, 5g de fibras, 29g de proteína.

DICA: Se desejar acentuar o sabor, acrescente 1 colher de sopa de queijo de cabra a cada porção.

Alface-Romana e Agrião ao Vinagrete

TEMPO DE PREPARO: 30 MINUTOS
RENDIMENTO: 4 PORÇÕES

- ¼ de xícara de vinagre de vinho tinto
- 2 colheres de sopa de chalota picada
- 1 dente de alho picado (½ colher de chá)
- 1 ½ colher de chá de mostarda Dijon
- 3 colheres de sopa de azeite de oliva extravirgem
- ¼ de colher de chá de sal
- 1 pitada de pimenta-do-reino moída na hora
- 1 pé de alface-romana picado
- 120g de agrião ou de espinafre fresco, sem os talos grandes
- 2 cenouras médias em tiras finas
- 1 pimentão vermelho médio picado e sem sementes
- 2 cebolinhas verdes picadas
- ¼ de xícara de amêndoas torradas e partidas
- 350g de peito de frango sem pele cozido e cortado em pedaços pequenos ou 8 ovos cozidos (com gema dura) cortados ao meio
- 1 colher de sopa de queijo parmesão light ralado

1. Prepare o vinagrete: numa tigela pequena, misture o vinagre de vinho tinto, a chalota e o alho. Deixe descansar por 5 minutos. Acrescente a mostarda Dijon. Adicione o azeite de oliva, mexendo sem parar, para que os ingredientes se misturem. Junte o sal e a pimenta-do-reino.

2. Numa tigela grande, junte a alface-romana, o agrião, a cenoura, o pimentão, as cebolinhas verdes e as amêndoas. Adicione o vinagrete e mexa bem. Distribua em 4 pratos. Coloque os pedaços de frango ou de ovos cozidos por cima e salpique com o queijo parmesão light. Sirva imediatamente.

INFORMAÇÕES NUTRICIONAIS POR PORÇÃO: 334 calorias, 18g de gorduras totais (3g de gordura saturada), 73mg de colesterol, 294mg de sódio, 13g de carboidratos, 5g de fibras, 32g de proteína.

Frutos do Mar à Cioppino em Papillote

TEMPO DE PREPARO: 35 MINUTOS
TEMPO NO FORNO: DE 12 A 15 MINUTOS
TEMPERATURA: 200°C
RENDIMENTO: 4 PORÇÕES

250g de camarões com casca frescos ou congelados*
250g de vieiras frescas ou congeladas ou 300g de filé de linguado fresco ou congelado*
Papel-manteiga ou papel-alumínio (para montar os *papillotes)*
2 tomates médios picados e sem pele
1 colher de sopa de suco de limão
1 ½ colher de chá de manjericão fresco picado ou ½ colher de chá de manjericão desidratado
1 ½ colher de chá de tomilho fresco ou ½ colher de chá de tomilho desidratado
1 colher de chá de azeite de oliva extravirgem
1 dente de alho picado (½ colher de chá)
¼ de colher de chá de sal
1 pitada de açafrão ou ¼ de colher de chá de cúrcuma moída
1 abobrinha pequena cortada em tiras finas no sentido do comprimento
4 cebolinhas verdes picadas

1. Descongele os camarões e as vieiras ou o linguado. Descasque e limpe os camarões. Corte as vieiras ao meio se estiverem muito grandes. Caso esteja usando o linguado, descarte a pele e a espinha e corte-o em pedaços de 2,5cm. Reserve.

2. Corte o papel-manteiga ou o papel-alumínio em 4 pedaços de 30cm. Dobre os quadrados ao meio e forme triângulos. Em seguida, abra cada um deles.

3. Numa tigela grande, misture o tomate, o suco de limão, o manjericão, o tomilho, o azeite de oliva, o alho, o sal e o açafrão. Acrescente os camarões, as vieiras ou o linguado, a abobrinha e as cebolinhas verdes e misture bem. Distribua a mistura nos 4 pedaços de papel-manteiga, colocando-a no meio de um dos lados de cada triângulo. Dobre o papel por cima da mistura. Para fechar bem os *papillotes,* dobre as pontas mais duas vezes.

4. Coloque os *papillotes* num tabuleiro grande. Asse no forno a 200°C por 12 a 15 minutos ou até que os camarões e as vieiras estejam opacos ou o peixe macio o bastante quando espetado com um garfo (para testar, abra com cuidado um dos pacotinhos e verifique).

INFORMAÇÕES NUTRICIONAIS POR PORÇÃO: 141 calorias, 3g de gorduras totais (0g de gordura saturada), 105mg de colesterol, 305mg de sódio, 6g de carboidratos, 1g de fibras, 22g de proteína.

*Se preferir, use 500g de camarões graúdos com casca e dispense as vieiras ou o peixe.

Salada de Feijão-Branco e Trigo em Grãos (Espelta) à Moda Mediterrânea

TEMPO DE PREPARO: 30 MINUTOS
TEMPO DE COZIMENTO: 45 MINUTOS
RENDIMENTO: 6 PORÇÕES

3 xícaras de água
1 xícara de trigo em grãos (espelta)
500g de vagem fresca cortada em pedaços de 5cm
1 ½ xícara de feijão-branco cozido e escorrido
1 xícara de tomates-cereja cortados ao meio
¼ de xícara de azeitonas pretas sem caroços cortadas ao meio
⅓ de xícara de Vinagrete ao Pesto (veja a receita na página 159)
2 latas de 170g de atum branco (conservado em água) escorrido e cortado em pedaços ou 350g de queijo mussarela light picado ou 12 ovos cozidos (com gema dura) cortados ao meio

1. Numa panela média, misture a água e o trigo em grãos (espelta). Quando levantar fervura, reduza o fogo. Tampe e deixe cozinhar por 45 a 60 minutos ou até que esteja macio. (Ou deixe os grãos de molho em água e leve à geladeira por 6 a 24 horas. Não escorra. Leve ao fogo, deixe ferver, reduza a chama, tampe e cozinhe por 30 minutos.) Escorra. Lave em água fria até que os grãos esfriem totalmente, escorra.

2. Numa panela média tampada, cozinhe a vagem em pouca quantidade de água salgada por cerca de 10 minutos ou até que fique crocante. Escorra. Transfira para um recipiente com água gelada para esfriar. Escorra novamente.

3. Numa tigela grande, misture os grãos de trigo cozidos, a vagem, o feijão-branco, os tomates-cereja e as azeitonas pretas. Adicione o Vinagrete ao Pesto e misture bem. Sirva imediatamente com o atum, o queijo mussarela light ou os ovos.

INFORMAÇÕES NUTRICIONAIS POR PORÇÃO: 387 calorias, 12g de gorduras totais (2g de gordura saturada), 24mg de colesterol, 356mg de sódio, 46g de carboidratos, 10g de fibras, 25g de proteína.

Filé Mignon à Szechwan com Ervilhas Refogadas

TEMPO DE PREPARO: 20 MINUTOS
TEMPO DE ESPERA: 15 MINUTOS
TEMPO DE COZIMENTO: 10 MINUTOS
RENDIMENTO: 4 PORÇÕES

500g de filé mignon
4 colheres de sopa de molho de soja light
1 ½ colher de sopa de amido de milho
2 colheres de sopa de xerez seco
2 colheres de sopa de molho de pimenta com alho
2 colheres de sopa de água
1 colher de sopa de óleo de gergelim torrado
1 colher de sopa de óleo de canola
3 dentes de alho picados (1 ½ colher de chá)
2 colheres de sopa de gengibre fresco moído
230g de cogumelos frescos cortados em 4
3 cenouras cortadas em fatias finas no sentido do comprimento
2 pimentões vermelhos médios em tiras finas
230g de ervilhas verdes na vagem, cortadas ao meio
1 cebolinha verde picada

1. Limpe a carne, retirando toda a gordura, e corte em tiras finas. Transfira para uma tigela média. Acrescente 1 colher de sopa de molho de soja light e 1/2 colher de sopa de amido de milho, mexendo bem. Tampe e deixe descansar por 15 minutos. Prepare o molho, misturando o restante do molho de soja, o xerez seco, o molho de pimenta com alho, a água, o restante do amido de milho e o óleo de gergelim. Reserve.

2. Numa frigideira grande, aqueça o óleo de canola e refogue o alho e o gengibre em fogo médio por 30 segundos. Adicione os cogumelos e refogue por 1 minuto. Junte a cenoura e refogue por 2 minutos. Acrescente os pimentões vermelhos e as ervilhas e refogue por 2 minutos. Retire as hortaliças e reserve.

3. Coloque a mistura de carne na frigideira ou num *wok,* refogue por 2 a 3 minutos ou até atingir o ponto desejado. Mexa o molho e adicione-o à frigideira. Cozinhe e misture até engrossar e borbulhar. Deixe no fogo por mais 2 minutos. Devolva as hortaliças à frigideira, mexendo para que o molho as cubra por inteiro. Cozinhe e mexa até que estejam bem quentes.

4. Antes de servir, salpique com a cebolinha verde.

INFORMAÇÕES NUTRICIONAIS POR PORÇÃO: 328 calorias, 13g de gorduras totais (2g de gordura saturada), 69mg de colesterol, 775mg de sódio, 21g de carboidratos, 5g de fibras, 30g de proteína.

Sopa de Grão-de-Bico e Salsicha de Peru com Massa Integral

TEMPO DE PREPARO: 15 MINUTOS
TEMPO DE COZIMENTO: 9 MINUTOS
RENDIMENTO: 6 PORÇÕES

170g de salsicha de peru crua, sem pele
1 xícara de cebola picada
3 dentes de alho picados (1 ½ colher de chá)
2 colheres de sopa de sálvia fresca picada ou 2 colheres de chá de sálvia desidratada
2 colheres de sopa de alecrim fresco picado ou 1 ½ colher de chá de alecrim desidratado
2 xícaras de caldo de galinha light
450g de grão-de-bico em lata lavado e escorrido
¾ de xícara de água
⅓ de xícara de extrato de tomate (1/2 lata pequena)
¾ de xícara de massa integral
Pimenta-do-reino moída na hora

1. Numa panela grande,* refogue a salsicha de peru, a cebola e o alho em fogo médio até que a carne fique dourada e a cebola esteja macia. Misture a sálvia e o alecrim e refogue em fogo baixo por 1 minuto (não deixe que as ervas escureçam).

2. Misture o caldo de galinha light, o grão-de-bico, a água e o extrato de tomate. Quando ferver, coloque a massa integral crua. Deixe cozinhar por 9 a 11 minutos ou até que fique macia. Tempere com pimenta-do-reino.

INFORMAÇÕES NUTRICIONAIS POR PORÇÃO: 213 calorias, 4g de gorduras totais (1g de gordura saturada), 20mg de colesterol, 1.331mg de sódio, 31g de carboidratos, 5g de fibras, 13g de proteína.

*Se for usar uma panela comum, sem antiaderente, talvez seja necessário adicionar 1 ou 2 colheres de chá de azeite de oliva extravirgem para não grudar.

SANDUÍCHE DE SALADA DE ATUM

TEMPO DE PREPARO: 10 MINUTOS
RENDIMENTO: 1 PORÇÃO

1 lata de atum conservado em água, escorrido e em pedaços*
1 colher de sopa de maionese light ou com óleo de canola
1 colher de chá de picles
1 colher de sopa de aipo picado
1 colher de sopa de cebola roxa picada
1 colher de chá de mostarda Dijon
½ colher de chá de suco de limão
1 pitada de sal
1 pitada de alho em pó
Molho inglês light
1 pitada de pimenta-do-reino moída na hora
2 fatias de pão de forma integral
1 folha de alface-romana

Numa tigela pequena, misture o atum, a maionese light, os picles, o aipo, a cebola roxa, a mostarda Dijon, o suco de limão, o sal, o alho, o molho inglês light e a pimenta-do-reino. (Se desejar, tampe e leve à geladeira de um dia para o outro.) Coloque a mistura de atum sobre 1 fatia de pão integral. Acrescente a folha de alface-romana. Finalize o sanduíche com a outra fatia de pão.

INFORMAÇÕES NUTRICIONAIS POR PORÇÃO: 354 calorias, 16g de gorduras totais (3g de gordura saturada), 41mg de colesterol, 964mg de sódio, 29g de carboidratos, 4g de fibras, 27g de proteína.

PARA A FASE 1: Em lugar de usar o pão, use a salada de atum como recheio de 1 pimentão verde.

*Para variar, substitua o atum por 1/2 xícara (cerca de 90g) de frango cozido sem pele, desfiado.

Hambúrguer com Hortelã e Pimenta-de-Caiena

TEMPO DE PREPARO: 15 MINUTOS
TEMPO NA GRELHA: DE 14 A 18 MINUTOS
RENDIMENTO: 4 PORÇÕES

½ xícara de cebola picada
1 pimenta-de-caiena ou *jalapeño*★ picada e sem sementes ou 2 colheres de sopa de pimenta-de-caiena em cubos pequenos
1 colher de sopa de hortelã fresca picada ou 1 colher de chá de hortelã desidratada
¾ de colher de chá de cominho moído
1 dente de alho picado (½ colher de chá) ou 1 pitada de alho em pó
¼ de colher de chá de sal
500g de carne moída magra ou de peito de peru moído (cru)
2 pães árabes integrais cortados ao meio
¼ de xícara de Molho de Iogurte e Pepino (veja a receita na página 144)

1. Numa tigela média, junte a cebola, a pimenta-de-caiena, a hortelã, o cominho, o alho e o sal. Acrescente a carne. Misture bem. Molde hambúrgueres com aproximadamente 2cm de espessura.

2. Coloque os hambúrgueres sobre a grelha e asse por 14 a 18 minutos ou até que estejam cozidos, virando uma vez na metade do tempo.

3. Sirva cada hambúrguer numa metade de pão árabe, acompanhado de 1 colher de sopa do Molho de Iogurte e Pepino.

INFORMAÇÕES NUTRICIONAIS POR PORÇÃO: 361 calorias, 19g de gorduras totais (7g de gordura saturada), 77mg de colesterol, 407mg de sódio, 22g de carboidratos, 3g de fibras, 25g de proteína.

★As pimentas chili, como a *jalapeño,* contêm óleos que podem queimar a pele e os olhos, por isso use luvas de plástico ou de borracha ao manuseá-las. Se suas mãos entrarem em contato com a pimenta, lave-as bem com água e sabão.

SALADA DE VAGEM E TOMATE

TEMPO DE PREPARO: 40 MINUTOS
RENDIMENTO: 8 PORÇÕES

500g de vagem fresca cortada
500g de tomates-cereja cortados ao meio ou de tomates pequenos cortados ao meio ou em 4
1 cebola roxa pequena cortada ao meio no sentido do comprimento e depois em fatias finas
1 receita de Vinagrete de Vinho Tinto (veja a página 156)
2 colheres de sopa de manjericão fresco picado ou 2 colheres de chá de manjericão desidratado
Sal
Pimenta-do-reino moída na hora

1. Numa panela média, tampada, cozinhe a vagem em pouca quantidade de água fervente por 7 a 10 minutos ou até que fique crocante. Escorra. Mergulhe em água gelada para esfriar rápido e escorra.

2. Numa tigela grande, misture a vagem, os tomates-cereja e a cebola roxa. Regue com o Vinagrete de Vinho Tinto, salpique com o manjericão. Tempere com sal e pimenta-do-reino. Misture delicadamente.

INFORMAÇÕES NUTRICIONAIS POR PORÇÃO: 65 calorias, 4g de gorduras totais (1g de gordura saturada), 0mg de colesterol, 90mg de sódio, 8g de carboidratos, 3g de fibras, 2g de proteína.

DICA: Para servir como prato principal, acrescente 700g de camarões grelhados e/ou vieiras.

Frango ao Forno com Ervas

TEMPO DE PREPARO: 25 MINUTOS
TEMPO DE REFRIGERAÇÃO: DE 1 A 24 HORAS
TEMPO NO FORNO: DE 1 HORA E 5 MINUTOS A 1 HORA E 15 MINUTOS
TEMPO DE ESPERA: 10 MINUTOS
TEMPERATURA: 230°C/175°C
RENDIMENTO: 4 PORÇÕES

12 dentes de alho picados (6 colheres de chá)
1 colher de sopa de sálvia fresca picada ou 1 colher de chá de sálvia desidratada
1 colher de sopa de alecrim fresco picado ou 1 colher de chá de alecrim desidratado
1 colher de sopa de tomilho fresco picado ou 1 colher de chá de tomilho desidratado
1 frango de aproximadamente 2kg
½ colher de chá de sal
1 pitada de pimenta-do-reino moída na hora
1 colher de sopa de azeite de oliva extravirgem

1. Numa tigela pequena, misture o alho, a sálvia, o alecrim e o tomilho. Tempere o frango com o sal e a pimenta-do-reino. Recheie com 1/3 da mistura de ervas.

2. Começando pela abertura da coxa, deslize cuidadosamente os dedos entre a pele e a carne do peito do frango para desprender uma da outra. Esfregue o restante da mistura de ervas entre a carne e a pele do peito e sobre toda a parte externa da ave. Com um barbante 100% algodão, amarre as pontas das coxas juntas. Vire as asas para baixo. Coloque num recipiente tampado e leve à geladeira por 1 a 24 horas.

3. Numa assadeira rasa, coloque o frango com o peito virado para baixo. Pincele com o azeite de oliva. Insira um termômetro apropriado para ir ao forno num músculo interno do frango.

4. Asse no forno a 230ºC por 15 minutos, vire o frango e reduza a temperatura para 175ºC. Continue assando por 50 a 60 minutos ou até que o frango perca a cor rosada (82ºC). Retire do forno. Cubra com papel-alumínio e deixe descansar por 10 minutos. Remova o barbante. Ao cortar o frango, tire a pele com cuidado e descarte.

INFORMAÇÕES NUTRICIONAIS POR PORÇÃO: 261 calorias, 9g de gorduras totais (2g de gordura saturada), 131mg de colesterol, 364mg de sódio, 2g de carboidratos, 0g de fibras, 41g de proteína.

Couve-Flor com Queijo Parmesão Light

TEMPO DE PREPARO: 20 MINUTOS
TEMPO DE COZIMENTO: 5 MINUTOS
RENDIMENTO: 4 PORÇÕES

750g de couve-flor
2 colheres de sopa de azeite de oliva extravirgem
1 pitada de pimenta-malagueta esmagada
Pimenta-do-reino moída na hora
¼ de xícara de salsa fresca picada
3 colheres de sopa de queijo parmesão light ralado na hora
4 rodelas de limão

Corte os ramos da couve-flor (devem render cerca de 5 xícaras). Numa frigideira grande, aqueça o azeite de oliva. Adicione a couve-flor e a pimenta-malagueta e refogue em fogo médio por 5 a 8 minutos ou até que a couve-flor fique crocante. Retire do fogo, tempere com a pimenta-do-reino. Acrescente a salsa. Salpique com o queijo parmesão light. Sirva quente ou na temperatura ambiente (não deixe ficar nessa temperatura por mais de 2 horas). Guarneça com as rodelas de limão.

INFORMAÇÕES NUTRICIONAIS POR PORÇÃO: 125 calorias, 8g de gorduras totais (2g de gordura saturada), 3mg de colesterol, 112mg de sódio, 12g de carboidratos, 6g de fibras, 5g de proteína.

Salada de Arroz-Selvagem com Frango

TEMPO DE PREPARO: 20 MINUTOS
TEMPO DE COZIMENTO: 50 MINUTOS
RENDIMENTO: 4 PORÇÕES

2 colheres de sopa de cebola ou de chalota picada
2 colheres de sopa de sidra ou de suco de maçã
1 dente de alho picado (½ colher de chá)
2 xícaras de água
⅔ de xícara de arroz-selvagem lavado e escorrido
¼ de xícara de Molho Vinagrete Comum (veja a receita na página 156)
2 maçãs verdes picadas e sem sementes (cerca de 3 xícaras)
1 colher de chá de sálvia fresca picada ou ¼ de colher de chá de sálvia desidratada
350g de frango cozido ou de peito de peru sem pele, em fatias finas
¼ de xícara de nozes torradas

1. Numa panela grande, misture a cebola, a sidra e o alho. Leve ao fogo e, quando levantar fervura, reduza a chama e cozinhe sem tampa por cerca de 5 minutos ou até que o líquido evapore. Acrescente a água. Deixe levantar fervura e misture o arroz-selvagem. Quando voltar a ferver, diminua o fogo, tampe e cozinhe por cerca de 45 minutos ou até que a maior parte da água seja absorvida e o arroz-selvagem fique macio. Se necessário, escorra o excesso de líquido.

2. Acrescente o Molho Vinagrete Comum, mexendo bem. Adicione as maçãs e a sálvia. Misture. Sirva quente ou na temperatura ambiente (não deixe na temperatura ambiente por mais de 2 horas). Arrume as fatias de frango por cima da salada. Por fim, salpique com as nozes.

INFORMAÇÕES NUTRICIONAIS POR PORÇÃO: 418 calorias, 17g de gorduras totais (3g de gordura saturada), 72mg de colesterol, 140mg de sódio, 34g de carboidratos, 4g de fibras, 32g de proteína.

Costeletas de Porco com Alecrim

TEMPO DE PREPARO: 15 MINUTOS
TEMPO PARA MARINAR: 1 HORA
TEMPO NA GRELHA: DE 11 A 13 MINUTOS
RENDIMENTO: 4 PORÇÕES

4 costeletas de porco com osso, com aproximadamente 2cm de espessura
⅓ de xícara de vinho branco seco
1 colher de sopa de tiras bem finas de casca de limão
⅓ de xícara de suco de limão
3 colheres de sopa de azeite de oliva extravirgem
1 colher de sopa de alecrim fresco picado ou 1 colher de chá de alecrim desidratado
½ colher de chá de sal
¼ de colher de chá de pimenta-do-reino moída na hora
Ramos de alecrim fresco (opcional)

1. Coloque as costeletas de porco num saco plástico do tipo Ziplock sobre um refratário. Prepare a marinada: numa vasilha pequena, misture o vinho branco, as tiras de casca de limão, o suco de limão, o azeite de oliva, o alecrim, o sal e a pimenta-do-reino. Derrame sobre as costeletas de porco. Feche o saco plástico e vire para regar toda a carne. Leve para marinar na geladeira por 1 hora, virando de vez em quando.

2. Escorra as costeletas e descarte a marinada. Transfira as costeletas para a grelha e asse por 11 a 13 minutos ou até que estejam ao ponto e seus sucos saiam claros. Vire uma vez na metade do tempo. Se desejar, guarneça com ramos de alecrim.

INFORMAÇÕES NUTRICIONAIS POR PORÇÃO: 139 calorias, 6g de gorduras totais (2g de gordura saturada), 47mg de colesterol, 60mg de sódio, 0g de carboidratos, 0g de fibras, 19g de proteína.

COUVE-DE-BRUXELAS COM PRESUNTO

TEMPO DE PREPARO: 20 MINUTOS
RENDIMENTO: 4 PORÇÕES

350g de couve-de-bruxelas
1 colher de sopa de azeite de oliva extravirgem
60g de presunto cozido ou de lombinho canadense picado
1 colher de chá de tiras bem finas de casca de limão
1 colher de sopa de suco de limão
¼ de colher de chá de sal
1 pitada de pimenta-do-reino moída na hora

1. Retire os cabinhos e as folhas mais feias das couves-de-bruxelas. Corte as maiores ao meio. Numa panela tampada, cozinhe as couves-de-bruxelas numa quantidade de água fervente suficiente para cobri-las e levemente salgada por 7 a 9 minutos ou até que fiquem macias. Escorra.

2. Na mesma panela, aqueça o azeite de oliva em fogo médio. Acrescente as couves-de-bruxelas, o presunto, as tiras de casca de limão, o suco de limão, o sal e a pimenta-do-reino. Cozinhe, mexendo de vez em quando, por 1 a 2 minutos ou até que todos os ingredientes estejam quentes e bem misturados.

INFORMAÇÕES NUTRICIONAIS POR PORÇÃO: 113 calorias, 7g de gorduras totais (1g de gordura saturada), 0mg de colesterol, 393mg de sódio, 8g de carboidratos, 3g de fibras, 6g de proteína.

Pizza à Moda Grega

TEMPO DE PREPARO: 15 MINUTOS
TEMPO NO FORNO: DE 10 A 15 MINUTOS
TEMPERATURA: 200°C
RENDIMENTO: 4 PORÇÕES

- 4 pães árabes integrais
- 2 xícaras de folhas frescas de espinafre, pequenas e inteiras
- 230g de peito de frango cozido sem pele, em fatias
- ½ xícara de tomates-cereja cortados em 4
- ¼ de xícara de queijo *feta* esfarelado (30g)
- 2 colheres de sopa de nozes partidas ou de pinhões picados
- 1 ½ colher de chá de orégano fresco picado ou ½ colher de chá de orégano desidratado
- 1 ½ colher de chá de alecrim fresco picado ou ½ colher de chá de alecrim desidratado
- 1 receita de Vinagrete de Vinho Tinto (veja a página 156)

Coloque os pães sobre uma assadeira grande. Cubra com o espinafre, o frango, os tomates-cereja, o queijo *feta,* as nozes, o orégano e o alecrim. Regue com o Vinagrete de Vinho Tinto. Asse no forno a 200°C por 10 a 15 minutos.

INFORMAÇÕES NUTRICIONAIS POR PORÇÃO: 404 calorias, 17g de gorduras totais (4g de gordura saturada), 56mg de colesterol, 639mg de sódio, 38g de carboidratos, 6g de fibras, 29g de proteína.

Receitas Adicionais da Fase 1

Picanha na Brasa

TEMPO DE PREPARO: 20 MINUTOS
TEMPO PARA MARINAR: DE 2 A 3 DIAS
TEMPO NA GRELHA: DE 1 HORA E 30 MINUTOS A 2 HORAS
RENDIMENTO: DE 12 A 14 PORÇÕES

- 1 picanha com cerca de 1,5kg
- Sal (opcional)
- Pimenta-do-reino moída na hora (opcional)
- 2 ½ xícaras de água
- 2 ½ xícaras de vinagre
- 2 cebolas médias fatiadas
- 1 limão médio fatiado
- 2 ou 3 folhas de louro
- 12 cravos inteiros
- 6 pimentas-do-reino em grãos
- 1 colher de chá de sal

1. Se desejar, tempere a picanha com sal e pimenta-do-reino. Coloque a carne num saco plástico do tipo Ziplock sobre um recipiente grande e fundo. Prepare a marinada: numa tigela média, misture a água, o vinagre, a cebola, o limão, as folhas de louro, os cravos, a pimenta-do-reino e a colher de chá de sal. Despeje sobre a carne. Feche o saco plástico, virando-o para regar toda a carne. Leve à geladeira para marinar por 2 a 3 dias, virando o saco plástico de vez em quando. Escorra a carne, reservando a marinada.

2. Transfira a carne para a grelha e asse por 1 hora e 30 minutos a 2 horas ou até que esteja quase ao ponto. Durante a primeira hora, pincele de vez em quando com a marinada reservada. Descarte o que sobrar da marinada.

INFORMAÇÕES NUTRICIONAIS POR PORÇÃO: 147 calorias, 5g de gorduras totais (2g de gordura saturada), 72mg de colesterol, 83mg de sódio, 0g de carboidratos, 0g de fibras, 24g de proteína.

Grelhado Londrino

TEMPO DE PREPARO: 10 MINUTOS
TEMPO PARA MARINAR: DE 4 A 24 HORAS
TEMPO NA GRELHA: DE 17 A 21 MINUTOS
RENDIMENTO: 6 PORÇÕES

4 cebolinhas verdes
¼ de xícara de suco de lima
1 pedaço de 2,5cm de gengibre fresco fatiado
½ pimenta-*jalapeño** picada e sem sementes (opcional)
2 colheres de sopa de azeite de oliva extravirgem
3 dentes de alho
2 colheres de chá de Tempero Jamaicano (veja a receita na página 138)
1 filé mignon de 500 a 700g
Sal (opcional)
Pimenta-do-reino moída na hora (opcional)

1. Prepare a marinada: no liquidificador, junte a cebolinha verde, o suco de lima, o gengibre, a pimenta-*jalapeño* (se desejar), o azeite de oliva, o alho e o Tempero Jamaicano, tampe e bata até ficar homogêneo. Faça cortes diagonais dos dois lados da carne com intervalos de 2,5cm. Se quiser, tempere a carne com sal e pimenta-do-reino. Coloque num refratário e despeje a marinada. Cubra com filme de PVC e leve à geladeira para marinar por 4 a 24 horas. Escorra e descarte a marinada.

2. Transfira a carne para a grelha e asse por 17 a 21 minutos ou até que esteja quase ao ponto, virando uma vez na metade do tempo.

3. Na hora de servir, corte a carne na diagonal em fatias finas.

INFORMAÇÕES NUTRICIONAIS POR PORÇÃO: 189 calorias, 11g de gorduras totais (3g de gordura saturada), 47mg de colesterol, 161mg de sódio, 2g de carboidratos, 0g de fibras, 20g de proteína.

*As pimentas chili, como a *jalapeño,* contêm óleos que podem queimar a pele e os olhos, por isso use luvas de plástico ou de borracha ao manuseá-las. Se suas mãos entrarem em contato com a pimenta, lave-as bem com água e sabão.

Costeletas de Porco ao Alho e Limão

TEMPO DE PREPARO: 5 MINUTOS
TEMPO NA GRELHA: DE 12 A 15 MINUTOS
RENDIMENTO: 4 PORÇÕES

- 8 costeletas de porco desossadas, cortadas na espessura de 2cm
- Sal (opcional)
- Pimenta-do-reino moída na hora (opcional)
- ¼ de xícara de azeite de oliva extravirgem
- 1 colher de chá de tiras bem finas de casca de limão
- ¼ de xícara de suco de limão
- 1 colher de sopa de estragão fresco picado ou 1 colher de chá de estragão desidratado
- 4 dentes de alho picados (2 colheres de chá)
- ½ colher de chá de pimenta-do-reino moída na hora

1. Se desejar, tempere as costeletas com sal e pimenta-do-reino. Coloque a carne num saco plástico do tipo Ziplock sobre um refratário. Prepare a marinada: num recipiente pequeno, misture o azeite de oliva, as tiras de casca de limão, o suco de limão, o estragão, o alho e a 1/2 colher de chá de pimenta-do-reino. Despeje sobre a carne. Feche o saco plástico e vire para regar toda a carne. Leve à geladeira para marinar por 30 minutos, virando o saco plástico de vez em quando.

2. Escorra a carne, reservando a marinada. Transfira as costeletas para a grelha e asse por 12 a 15 minutos ou até que a carne esteja ao ponto e seus sucos saiam claros. Vire uma vez na metade do tempo e pincele com a marinada reservada. Descarte o que sobrar da marinada.

INFORMAÇÕES NUTRICIONAIS POR PORÇÃO: 196 calorias, 9g de gorduras totais (3g de gordura saturada), 62mg de colesterol, 46mg de sódio, 1g de carboidratos, 0g de fibras, 25g de proteína.

WRAP DE CARNE DE PORCO COM RAIZ-FORTE

TEMPO DE PREPARO: 10 MINUTOS
RENDIMENTO: 1 PORÇÃO

- 1 colher de sopa de Molho de Creme de Leite Azedo Light com Raiz-Forte (veja a receita abaixo)
- 1 tortilha integral de 20cm
- ½ xícara (cerca de 90g) de sobras de Costeletas de Porco à Moda Mediterrânea* (veja a receita na página 175) desfiadas ou outro tipo de carne de porco cozida
- 1 xícara de alface-romana rasgada ou de folhas frescas de espinafre, pequenas e inteiras
- ½ xícara de pimentão vermelho em tiras finas

Espalhe o Molho de Creme de Leite Azedo Light com Raiz-Forte num dos lados da tortilha. Cubra com a carne desfiada que restou das Costeletas à Moda Mediterrânea, a alface-romana e as tiras de pimentão vermelho. Enrole.

INFORMAÇÕES NUTRICIONAIS POR PORÇÃO: 306 calorias, 9g de gorduras totais (3g de gordura saturada), 67mg de colesterol, 598mg de sódio, 23g de carboidratos, 13g de fibras, 32g de proteína.

*Se a parte da carne a ser usada contiver ossos, retire-os.

MOLHO DE CREME DE LEITE AZEDO LIGHT COM RAIZ-FORTE: Primeiro, faça o Creme de Leite Azedo Light. Coloque 1/2 xícara de creme de leite light num recipiente e bata com um batedor de arame, acrescentando um pouco de suco de limão. Prove e vá adicionando mais suco de limão, sempre experimentando, até obter o nível de acidez que considerar satisfatório. Prepare o Molho de Creme de Leite Azedo Light com Raiz-Forte numa tigela pequena, misturando 1/2 xícara do Creme de Leite Azedo Light e 1 colher de sopa de raiz-forte em pó.

INFORMAÇÕES NUTRICIONAIS POR COLHER DE SOPA: 14 calorias, 1g de gorduras totais (0g de gordura saturada), 3mg de colesterol, 12mg de sódio, 1g de carboidratos, 0g de fibras, 1g de proteína.

Wrap de Frango Tandoori à Moda de Sonoma

TEMPO DE PREPARO: 10 MINUTOS
RENDIMENTO: 1 PORÇÃO

½ xícara (cerca de 90g) de sobras de Frango Tandoori (veja receita na página 179) desfiadas
1 xícara de alface-romana rasgada ou de folhas frescas de espinafre, pequenas e inteiras
⅓ de xícara de sobras da Salada de Berinjela Assada (veja a receita na página 180)
1 tortilha integral de 20cm
1 colher de sopa de Molho de Iogurte e Pepino (veja a receita na página 144).

Disponha as sobras de Frango Tandoori, a alface-romana e as sobras da Salada de Berinjela Assada sobre a tortilha. Cubra com o Molho de Iogurte e Pepino. Enrole.

INFORMAÇÕES NUTRICIONAIS POR PORÇÃO: 268 calorias, 6g de gorduras totais (1g de gordura saturada), 47mg de colesterol, 488mg de sódio, 23g de carboidratos, 12g de fibras, 30g de proteína.

Peito de Frango ao Alho e Hortelã

TEMPO DE PREPARO: 15 MINUTOS
TEMPO PARA MARINAR: DE 4 A 24 HORAS
TEMPO NA GRELHA: DE 12 A 15 MINUTOS
RENDIMENTO: 4 PORÇÕES

- ½ xícara de folhas frescas de hortelã
- 1 colher de sopa de suco de limão
- 1 colher de sopa de azeite de oliva extravirgem
- 1 colher de sopa de molho de soja light
- 1 colher de chá de pimenta vermelha em flocos
- ¼ de colher de chá de pimenta-do-reino moída na hora
- 4 dentes de alho
- 4 peitos de frango desossados, cortados e sem pele (600 a 700g)
- Ramos de hortelã fresca (opcional)

1. Prepare a marinada: no liquidificador, junte as folhas de hortelã, o suco de limão, o azeite de oliva, o molho de soja light, a pimenta vermelha em flocos, a pimenta-do-reino e o alho. Tampe e bata até ficar homogêneo.

2. Coloque o frango num saco plástico do tipo Ziplock sobre um refratário. Despeje a marinada. Feche o saco plástico e vire-o para regar todo o frango. Leve à geladeira para marinar por 4 a 24 horas, virando de vez em quando.

3. Escorra o frango e descarte a marinada. Transfira o frango para a grelha e asse por 12 a 15 minutos ou até que perca a cor rosada, virando uma vez na metade do tempo. Se desejar, guarneça com ramos de hortelã.

INFORMAÇÕES NUTRICIONAIS POR PORÇÃO: 202 calorias, 6g de gorduras totais (1g de gordura saturada), 82mg de colesterol, 228mg de sódio, 2g de carboidratos, 0g de fibras, 34g de proteína.

Frango com Pimenta-do-Reino e Lima

TEMPO DE PREPARO: 10 MINUTOS
TEMPO NO FORNO: 25 MINUTOS
TEMPERATURA: 200°C
RENDIMENTO: 6 PORÇÕES

- 2 colheres de sopa de azeite de oliva extravirgem
- 2 peitos de frango com osso (aproximadamente 1kg)
- ½ colher de chá de tiras bem finas de casca de lima
- ¼ de xícara de suco de lima
- 2 dentes de alho picados (1 colher de chá)
- 1 colher de sopa de tomilho ou de manjericão fresco picado ou 1 colher de chá de tomilho ou de manjericão desidratado
- ½ a 1 colher de chá de pimenta-do-reino em flocos
- ¼ de colher de chá de sal

1. Unte uma assadeira com 1 colher de sopa de azeite de oliva. Se desejar, retire a pele do frango. Preaqueça o forno. Coloque os peitos de frango com o osso para cima na assadeira. Asse a 200°C por cerca de 20 minutos ou até dourar ligeiramente.

2. Numa tigela, misture as tiras de casca de lima, o suco de lima, o azeite de oliva, o alho, o tomilho, a pimenta-do-reino e o sal. Pincele todos os lados do frango com essa mistura. Descarte o que sobrar. Asse a 200°C por 5 minutos ou até que o frango perca a cor rosada.

INFORMAÇÕES NUTRICIONAIS POR PORÇÃO: 120 calorias, 4g de gorduras totais (1g de gordura saturada), 48mg de colesterol, 126mg de sódio, 1g de carboidratos, 0g de fibras, 19g de proteína.

Atum Grelhado com Alecrim

TEMPO DE PREPARO: 10 MINUTOS
TEMPO NA GRELHA: DE 8 A 12 MINUTOS
RENDIMENTO: 4 PORÇÕES

500g de filé de atum, de linguado ou de salmão, fresco ou congelado, com 2,5cm de espessura
2 colheres de chá de azeite de oliva extravirgem
2 colheres de chá de suco de limão
1 pitada de sal
1 pitada de pimenta-do-reino moída na hora
2 dentes de alho picados (1 colher de chá)
2 colheres de chá de alecrim ou de estragão fresco picado ou 1 colher de chá de alecrim ou de estragão desidratado
1 colher de sopa de alcaparras lavadas e escorridas, parcialmente esmagadas
Ramos de alecrim fresco (opcional)

1. Descongele o peixe. Lave, seque delicadamente com papel-toalha e corte em 4 pedaços. Pincele dos dois lados com o azeite de oliva e o suco de limão. Tempere com o sal e a pimenta-do-reino. Salpique de forma homogênea com o alho e o alecrim e depois esfregue.

2. Transfira o peixe para a grelha untada e asse por 8 a 12 minutos ou até que o peixe se solte com facilidade quando espetado com um garfo. Vire uma vez na metade do tempo.

3. Acrescente as alcaparras. Se desejar, guarneça com ramos de alecrim.

INFORMAÇÕES NUTRICIONAIS POR PORÇÃO: 145 calorias, 3g de gorduras totais (1g de gordura saturada), 51mg de colesterol, 179mg de sódio, 1g de carboidratos, 0g de fibras, 27g de proteína.

SALMÃO AO MOLHO PESTO DE COENTRO

TEMPO DE PREPARO: 20 MINUTOS
TEMPO NO FORNO: DE 4 A 6 MINUTOS PARA CADA 2,5CM DE ESPESSURA
TEMPERATURA: 230°C
RENDIMENTO: 4 PORÇÕES

500 a 600g de filé de salmão ou de bacalhau, fresco ou congelado
1 ½ xícara de folhas de coentro
1 pimenta-*jalapeño*★ picada e sem sementes
1 dente de alho cortado ao meio
2 colheres de sopa de azeite de oliva extravirgem
1 colher de sopa de suco de lima
¼ de colher de chá de sal
¼ de colher de chá de pimenta-do-reino moída na hora

1. Descongele o peixe. Lave e seque delicadamente com papel-toalha. Corte em 4 pedaços e meça a espessura. Reserve.

2. Prepare o *pesto* de coentro: num processador pequeno ou no liquidificador, misture o coentro, a pimenta-*jalapeño,* o alho, 1 colher de sopa do azeite de oliva e o suco de lima. Tampe e bata, ligando e desligando o aparelho várias vezes para retirar o molho das laterais com a ajuda de uma colher. Quando estiver quase homogêneo, desligue e reserve.

3. Coloque o peixe numa assadeira untada, pincelando com o restante do azeite de oliva. Tempere com o sal e a pimenta-do-reino. Asse a 230ºC até que o peixe se solte com facilidade quando espetado com um garfo. Calcule de 4 a 6 minutos para cada 2,5cm de espessura do filé de peixe. Se o peixe tiver 2,5cm de espessura ou mais, vire uma vez na metade do tempo. Sirva com o *pesto* de coentro.

INFORMAÇÕES NUTRICIONAIS POR PORÇÃO: 148 calorias, 8g de gorduras totais (1g de gordura saturada), 22mg de colesterol, 233mg de sódio, 2g de carboidratos, 1g de fibras, 17g de proteína.

★As pimentas chili, como a *jalapeño,* contêm óleos que podem queimar a pele e os olhos, por isso use luvas de plástico ou de borracha ao manuseá-las. Se suas mãos entrarem em contato com a pimenta, lave-as bem com água e sabão.

Vieiras ao Vinagrete de Limão

TEMPO DE PREPARO: 20 MINUTOS
TEMPO DE COZIMENTO: 6 MINUTOS
RENDIMENTO: 4 PORÇÕES

350g de vieiras frescas ou congeladas
1 limão
500g de aspargos frescos cortados em pedaços de 5cm
1 cebola roxa média em rodelas finas
3 colheres de sopa de azeite de oliva extravirgem
Sal (opcional)
Pimenta-do-reino moída na hora (opcional)
2 ou 3 ramos de manjericão

1. Descongele as vieiras. Lave e seque delicadamente com papel-toalha. Reserve.

2. Corte o limão em 4 pedaços num único sentido e retire a casca. Remova a parte branca da casca e descarte-a. Corte a casca em tiras finas. Reserve. Esprema o limão até obter 2 colheres de sopa de suco. Reserve.

3. Numa frigideira grande, refogue os aspargos e a cebola roxa em 1 colher de sopa de azeite de oliva por 2 a 3 minutos ou até que estejam crocantes. Se desejar, tempere com sal e pimenta-do-reino. Transfira a mistura de aspargos para um refratário próprio para ir à mesa, mantendo-a aquecida.

4. Na mesma frigideira, junte as tiras do limão, o restante do azeite de oliva e os ramos de manjericão. Refogue por 30 segundos a 1 minuto, até que todos os ingredientes estejam quentes. Retire as tiras de limão e os ramos de manjericão com uma escumadeira e descarte. Mantenha o azeite de oliva na frigideira.

5. Tempere as vieiras com sal e pimenta-do-reino adicionais. Leve ao fogo na frigideira com o azeite de oliva reservado e refogue por 3 a 5 minutos ou até que estejam opacas, virando-as uma vez. Junte o suco de limão e mexa. Sirva com a mistura de aspargos.

INFORMAÇÕES NUTRICIONAIS POR PORÇÃO: 190 calorias, 11g de gorduras totais (1g de gordura saturada), 28mg de colesterol, 147mg de sódio, 6g de carboidratos, 1g de fibras, 16g de proteína.

Vermelho com Pimenta-do-Reino e Erva-Doce

TEMPO DE PREPARO: 25 MINUTOS
TEMPO NO FORNO: DE 4 A 6 MINUTOS
TEMPERATURA: 230°C
RENDIMENTO: 4 PORÇÕES

500g de filé de vermelho (ou pargo) fresco ou congelado, cortado numa espessura de cerca de 1cm
Sal (opcional)
Pimenta-do-reino moída na hora (opcional)
1 colher de chá de sementes de erva-doce moídas
1 colher de chá de tiras bem finas de cascas de limão
1 colher de sopa de azeite de oliva extravirgem
1 xícara de bulbo de erva-doce em fatias
½ xícara de cebola picada
½ xícara de pimentão vermelho picado
2 dentes de alho picados (1 colher de chá)
¼ de xícara de caldo de galinha light
1 colher de sopa de endro fresco picado ou 1 colher de chá de endro desidratado
¼ de colher de chá de sal
¼ de colher de chá de pimenta-do-reino moída na hora
Ramos de endro fresco (opcional)

1. Descongele o peixe. Lave e seque delicadamente com papel-toalha. Caso necessário, corte em 4 filés. Se desejar, tempere com sal e pimenta-do-reino. Salpique com as sementes de erva-doce e as tiras de casca de limão de forma homogênea e depois esfregue. Reserve.

2. Numa frigideira grande, aqueça o azeite de oliva e refogue as fatias do bulbo de erva-doce, a cebola, o pimentão vermelho e o alho em fogo médio por 5 a 7 minutos ou até que estejam macios e um pouco dourados. Retire do fogo. Junte o caldo de galinha light, o endro, 1/4 de colher de chá de sal e 1/4 de colher de chá de pimenta-do-reino.

3. Transfira cerca de 1 xícara da mistura de hortaliças para uma assadeira. Coloque o peixe por cima e cubra com o restante da mistura de hortaliças.

4. Asse no forno a 230°C por 4 a 6 minutos ou até que o peixe se solte com facilidade quando espetado com um garfo. Transfira o peixe e as hortaliças para os pratos. Se desejar, guarneça com ramos de endro.

INFORMAÇÕES NUTRICIONAIS POR PORÇÃO: 157 calorias, 5g de gorduras totais (1g de gordura saturada), 28mg de colesterol, 195mg de sódio, 6g de carboidratos, 2g de fibras, 24g de proteína.

Sopa de Três Cogumelos

TEMPO DE PREPARO: 15 MINUTOS
TEMPO DE COZIMENTO: 30 MINUTOS
RENDIMENTO: 6 PORÇÕES

- 240g de cogumelos frescos cortados (3 xícaras)
- 60g de cogumelos *portobello* cortados na espessura de 1cm
- 60g de cogumelos *shiitake, porcini* ou de qualquer outro cogumelo fresco
- ½ xícara de cebola picada
- 3 dentes de alho picados (1 ½ colher de chá)
- 1 colher de sopa de azeite de oliva extravirgem
- 2 xícaras de caldo de galinha light
- 1 colher de sopa de tomilho fresco ou ½ colher de chá de tomilho desidratado

1. Numa panela grande, refogue todos os cogumelos, a cebola e o alho no azeite de oliva por cerca de 10 minutos ou até que os cogumelos fiquem macios e a maior parte do líquido seja absorvida, mexendo de vez em quando.

2. Acrescente o caldo de galinha light e o tomilho desidratado (se estiver usando). Quando ferver, reduza o fogo, tampe e deixe ferver por 20 minutos. Acrescente o tomilho fresco (caso esteja usando).

INFORMAÇÕES NUTRICIONAIS POR PORÇÃO: 58 calorias, 3g de gorduras totais (0g de gordura saturada), 0mg de colesterol, 474mg de sódio, 5g de carboidratos, 1g de fibras, 4g de proteína.

Salada de Salmão

TEMPO DE PREPARO: 35 MINUTOS
RENDIMENTO: 4 PORÇÕES

Azeite de oliva extravirgem (para untar)
¾ de xícara de lascas de salmão defumado
¼ de xícara de cebolinha verde em fatias finas
¼ de xícara de pimentão amarelo picado grosseiramente
1 ⅓ xícara de tomates picados e sem sementes
¼ de xícara de cebola picada
2 xícaras de pepino picado grosseiramente (1 unidade média)
2 colheres de sopa de azeitonas sem caroços picadas
2 colheres de chá de alcaparras lavadas e escorridas
1 receita de Vinagrete de Limão (veja abaixo)

1. Unte 4 xícaras de café de 170ml com o azeite de oliva. Em todas elas, distribua camadas homogêneas dos ingredientes na seguinte ordem: salmão, cebolinha verde, pimentão amarelo, tomate, cebola e pepino. Cubra com filme de PVC e pressione com firmeza a mistura nas xícaras, usando uma lata ou qualquer objeto parecido que seja um pouco menor do que a xícara.

2. Na hora de servir, vire as saladas sobre 4 pratos, tirando as xícaras com cuidado. Salpique com as azeitonas e as alcaparras. Regue com o Vinagrete de Limão.

VINAGRETE DE LIMÃO: Num recipiente com tampa, misture 2 colheres de sopa de azeite de oliva extravirgem, 2 colheres de chá de tiras bem finas de casca de limão, 2 colheres de sopa de suco de limão, adoçante na quantidade suficiente para substituir 1/2 colher de chá de açúcar, 1/4 de colher de chá de sal e várias pitadas de molho de pimenta industrializado. Agite bem antes de servir.

INFORMAÇÕES NUTRICIONAIS POR PORÇÃO: 135 calorias, 9g de gorduras totais (1g de gordura saturada), 7mg de colesterol, 429mg de sódio, 9g de carboidratos, 2g de fibras, 7g de proteína.

Brócolis com Pimentão ao Molho de Soja

TEMPO DE PREPARO: 20 MINUTOS
RENDIMENTO: 12 PORÇÕES

3 colheres de sopa de molho de soja light
1 colher de sopa de suco de limão
1 colher de chá de gengibre fresco ralado
1 dente de alho picado (½ colher de chá)
1 colher de chá de óleo de gergelim torrado
8 xícaras de flores de brócolis (cerca de 500g só as flores ou cerca de 1kg com os talos)
1 ½ xícara de pimentão vermelho e/ou amarelo em tiras finas (cerca de 2 unidades)
1 colher de sopa de coentro fresco picado

1. Para fazer o molho, misture o molho de soja light, o suco de limão, o gengibre, o alho e o óleo de gergelim. Reserve.

2. Numa frigideira grande, encaixe uma cesta própria para cozimento no vapor. Encha a frigideira de água até à base da cesta. Quando levantar fervura, coloque o brócolis na cesta. Reduza o fogo e cozinhe no vapor por 4 minutos. Adicione os pimentões, tampe e cozinhe por mais 3 a 4 minutos ou até que as hortaliças fiquem crocantes (não deixe que amoleçam). Escorra e transfira para um refratário que possa ir à mesa. Regue com o molho, mexendo com cuidado para misturar bem. Salpique com o coentro.

INFORMAÇÕES NUTRICIONAIS POR PORÇÃO: 30 calorias, 1g de gorduras totais (0g de gordura saturada), 0mg de colesterol, 246mg de sódio, 5g de carboidratos, 2g de fibras, 0g de proteína.

Receitas Adicionais das Fases 2 e 3

Miscelânea de Abóboras

TEMPO DE PREPARO: 20 MINUTOS
RENDIMENTO: 6 PORÇÕES

2 colheres de sopa de vinagre de vinho branco ou de vinagre de vinho tinto
2 colheres de sopa de azeite de oliva extravirgem
2 colheres de chá de orégano ou de tomilho fresco picado ou ½ colher de chá de orégano ou de tomilho desidratado
1 colher de chá de tiras bem finas de casca de limão
¼ de colher de chá de sal
¼ de colher de chá de pimenta-malagueta esmagada
3 cebolinhas verdes picadas
1 abobrinha média cortada em 4 no sentido do comprimento
1 abóbora-moranga média cortada em 4 no sentido do comprimento

1. Numa tigela pequena, misture o vinagre de vinho branco, o azeite de oliva, o orégano, as tiras de casca de limão, o sal e a pimenta-malagueta. Use um pouco dessa mistura para pincelar a cebolinha verde, a abobrinha e a abóbora-moranga.

2. Transfira as hortaliças para a grelha e asse até que estejam crocantes, virando de vez em quando.

3. Corte as hortaliças grelhadas em pedaços pequenos e coloque num refratário que possa ir à mesa. Junte o que restou da mistura de vinagre e mexa. Sirva morno.

INFORMAÇÕES NUTRICIONAIS POR PORÇÃO: 51 calorias, 5g de gorduras totais (1g de gordura saturada), 0mg de colesterol, 101mg de sódio, 2g de carboidratos, 1g de fibras, 1g de proteína.

Hortaliças com Queijo e Ovos

TEMPO DE PREPARO: 20 MINUTOS
TEMPO NO FORNO: 20 MINUTOS
TEMPO DE ESPERA: 5 MINUTOS
TEMPERATURA: 175°C
RENDIMENTO: 4 PORÇÕES

1 colher de sopa de azeite de oliva extravirgem
1 colher de chá de tomilho fresco picado
1 dente de alho picado (½ colher de chá)
2 xícaras de cebola picada, pimentão fatiado, cogumelos fatiados, tomates sem pele picados e/ou abobrinha picada
¼ de colher de chá de sal
1 pitada de pimenta-do-reino moída na hora
Azeite de oliva (para untar)
8 ovos
1 colher de sopa de cebolinha verde picada ou de salsa fresca picada
⅔ de xícara de queijo suíço, mussarela light ou cheddar light esfarelado

1. Numa frigideira antiaderente, aqueça o azeite de oliva. Acrescente o tomilho e o alho e refogue em fogo médio por 10 segundos. Junte a cebola, o pimentão, os cogumelos, os tomates e/ou a abobrinha e refogue por 3 a 4 minutos ou até que as hortaliças estejam macias. Tempere com o sal e a pimenta-do-reino. Reserve.

2. Unte uma assadeira retangular com o azeite de oliva e coloque homogeneamente a mistura de hortaliças refogadas. Com cuidado, quebre os ovos sobre as hortaliças. Salpique com a cebolinha verde e, se desejar, com um pouco mais de sal e pimenta-do-reino.

3. Asse no forno baixo (a 175ºC) por cerca de 20 minutos ou até que as claras fiquem opacas e as gemas firmes. Salpique com o queijo suíço. Tampe e deixe descansar por 5 minutos ou até que o queijo derreta.

INFORMAÇÕES NUTRICIONAIS POR PORÇÃO: 230 calorias, 15g de gorduras totais (4g de gordura saturada), 429mg de colesterol, 311mg de sódio, 6g de carboidratos, 1g de fibras, 19g de proteína.

Ovos Mexidos com Queijo Feta e Endro

TEMPO DE PREPARO: 25 MINUTOS
RENDIMENTO: 4 PORÇÕES

1 colher de sopa de azeite de oliva extravirgem
8 fatias de lombinho canadense
8 ovos
¼ de xícara de água
1 xícara de queijo *feta* esfarelado
1 colher de sopa de endro fresco ou 1 colher de chá de endro desidratado
1 pitada de pimenta-do-reino moída na hora
Azeite de oliva extravirgem (para untar)

1. Numa frigideira antiaderente grande, aqueça o azeite de oliva. Acrescente o lombinho canadense e refogue em fogo médio por 4 a 6 minutos ou até dourar, virando uma vez na metade do tempo. Transfira para um prato, tampe e mantenha aquecido. Lave e seque a frigideira.

2. Numa tigela média, bata os ovos e misture a água, o queijo *feta,* o endro e a pimenta-do-reino.

3. Unte a frigideira com o azeite de oliva. Aqueça em fogo médio, despeje a mistura de ovos. Cozinhe sem mexer até que grude no fundo. Com uma espátula ou uma colher grande, levante e dobre a parte cozida da fritada para que a parte crua escorra para baixo. Mantenha no fogo até cozinhar inteiramente, mas ficando ainda um pouco úmida. Retire do fogo. Sirva com o lombinho canadense.

INFORMAÇÕES NUTRICIONAIS POR PORÇÃO: 344 calorias, 24g de gorduras totais (10g de gordura saturada), 483mg de colesterol, 1.192mg de sódio, 3g de carboidratos, 0g de fibras, 28g de proteína.

Fritada de Salmão Defumado

TEMPO DE PREPARO: 25 MINUTOS
RENDIMENTO: 4 PORÇÕES

6 ovos
¼ de colher de chá de pimenta-do-reino moída na hora
Azeite de oliva extravirgem (para untar)
¼ de xícara de cebolinha verde picada
115g de salmão defumado em pedaços, sem pele nem espinhas
2 colheres de sopa de endro fresco ou 1 colher de chá de endro desidratado
30g de queijo de cabra esfarelado

1. Numa tigela média, misture os ovos e a pimenta-do-reino. Reserve.

2. Unte uma assadeira grande com o azeite de oliva. Numa frigideira, refogue a cebolinha verde em fogo médio até que fique macia. Junte o salmão e o endro. Despeje a mistura de ovos sobre o salmão. À medida que a mistura for grudando na frigideira, passe uma espátula pela bordas, levantando-a para que a parte crua escorra para baixo. Continue cozinhando e levantando as bordas até a fritada estar quase inteiramente cozida (a superfície deve ficar úmida).

3. Leve ao forno na assadeira. Asse por 1 a 2 minutos ou até que a parte de cima fique cozida. Salpique com o queijo de cabra.

INFORMAÇÕES NUTRICIONAIS POR PORÇÃO: 166 calorias, 10g de gorduras totais (4g de gordura saturada), 329mg de colesterol, 344mg de sódio, 1g de carboidratos, 0g de fibras, 16g de proteína.

FILÉ MIGNON AO ALHO E MOSTARDA

TEMPO DE PREPARO: 10 MINUTOS
TEMPO NO FORNO: DE 10 A 15 MINUTOS
TEMPERATURA: 220°C
RENDIMENTO: DE 4 A 6 PORÇÕES

500 a 700g de filé mignon
Sal (opcional)
Pimenta-do-reino moída na hora (opcional)
2 colheres de sopa de mostarda Dijon
1 colher de sopa de molho inglês light
1 colher de sopa de manjerona fresca ou de tomilho fresco ou ½ colher de chá de manjerona desidratada ou de tomilho desidratado
2 dentes de alho picados (1 colher de chá)
¼ de colher de chá de pimenta-do-reino moída grosseiramente

1. Faça cortes diagonais nos dois lados da carne com intervalos de 2,5cm entre um e outro. Se desejar, tempere com sal e pimenta-do-reino. Numa tigela pequena, misture a mostarda Dijon, o molho inglês light, a manjerona, o alho e 1/4 de colher de chá da pimenta-do-reino. Pincele os dois lados da carne com a mistura de mostarda.

2. Leve a carne ao forno. Asse a 220°C por 10 a 15 minutos ou até que esteja quase ao ponto, virando uma vez na metade do tempo. Corte na diagonal em fatias bem finas.

INFORMAÇÕES NUTRICIONAIS POR PORÇÃO: 183 calorias, 8g de gorduras totais (3g de gordura saturada), 56mg de colesterol, 360mg de sódio, 3g de carboidratos, 0g de fibras, 25g de proteína.

Hambúrguer ao Molho de Endro

TEMPO DE PREPARO: 20 MINUTOS
TEMPO NO FORNO: DE 10 A 12 MINUTOS
TEMPERATURA: 220ºC
RENDIMENTO: 4 PORÇÕES

¼ de xícara de cebola picada
¼ de xícara de salsa fresca picada
½ colher de chá de sal
6 dentes de alho picados (3 colheres de chá)
500g de carne moída magra (de boi ou de carneiro)
1 colher de sopa de azeite de oliva extravirgem
¼ de xícara de Creme de Leite Azedo Light (veja a receita abaixo) ou de iogurte natural desnatado
2 colheres de sopa de maionese light (ou com canola)
1 colher de sopa de mostarda Dijon ou de mostarda escura
1 colher de chá de endro fresco picado ou ¼ de colher de chá de endro desidratado
1 colher de chá de vinagre balsâmico
¼ de xícara de pepino fatiado e sem sementes

1. Numa tigela grande, misture a cebola, a salsa, o sal e o alho. Junte a carne e misture bem. Modele hambúrgueres com cerca de 2cm de espessura.

2. Leve os hambúrgueres ao forno em uma assadeira untada com o azeite de oliva. Asse a 220ºC por 10 a 12 minutos ou até que estejam ao ponto, virando uma vez na metade do tempo.

3. Prepare o molho: numa tigela pequena, misture o Creme de Leite Azedo Light, a maionese light, a mostarda Dijon, o endro e o vinagre balsâmico. Acrescente o pepino. Despeje delicadamente sobre os hambúrgueres.

CREME DE LEITE AZEDO LIGHT: Coloque a quantidade desejada de creme de leite light num recipiente e bata com um batedor de arame, acrescentando um pouco de suco de limão. Prove e vá adicionando mais suco de limão, sempre experimentando, até obter o nível de acidez que considerar satisfatório.

INFORMAÇÕES NUTRICIONAIS POR PORÇÃO: 304 calorias, 22g de gorduras totais (8g de gordura saturada), 82mg de colesterol, 491mg de sódio, 3g de carboidratos, 0g de fibras, 23g de proteína.

Costeletas de Porco ao Curry

TEMPO DE PREPARO: 15 MINUTOS
TEMPO PARA MARINAR: DE 6 A 24 HORAS
TEMPO NA GRELHA: DE 20 A 24 MINUTOS
RENDIMENTO: 4 PORÇÕES

½ xícara de mostarda marrom picante
¼ de xícara de vinho branco seco
1 colher de sopa de curry em pó
1 colher de sopa de azeite de oliva extravirgem
2 colheres de sopa de cebolinha verde picada
1 colher de chá de gengibre fresco ralado
1 dente de alho picado (1/2 colher de chá)
¼ a ½ colher de chá de pimenta-malagueta esmagada
4 costeletas de porco desossadas, cortadas na espessura de 2,5cm (cerca de 500g ao todo)
Sal (opcional)
Pimenta-do-reino moída na hora (opcional)

1. Prepare a marinada: numa tigela pequena, misture a mostarda marrom, o vinho branco, o curry, o azeite de oliva, a cebolinha verde, o gengibre, o alho e a pimenta-malagueta.

2. Se desejar, tempere as costeletas de porco com sal e pimenta-do-reino. Coloque a carne num saco plástico do tipo Ziplock sobre um refratário. Despeje a marinada. Feche o saco plástico e vire para regar inteiramente as costeletas. Leve à geladeira para marinar por 6 a 24 horas, virando o saco plástico de vez em quando.

3. Escorra a carne e reserve a marinada. Transfira as costeletas para uma assadeira e coloque sobre a grelha. Cubra e asse por 20 a 24 minutos ou até que estejam ao ponto e os sucos da carne parem de escorrer. Durante esse tempo, vire uma vez e pincele com a marinada. Descarte a marinada que sobrar.

INFORMAÇÕES NUTRICIONAIS POR PORÇÃO: 191 calorias, 12g de gorduras totais (3g de gordura saturada), 51mg de colesterol, 343mg de sódio, 2g de carboidratos, 1g de fibras, 18g de proteína.

LOMBINHO RECHEADO À MODA GREGA

TEMPO DE PREPARO: 25 MINUTOS
TEMPO NO FORNO: DE 1 HORA A 1 HORA E 30 MINUTOS
TEMPO DE ESPERA: 15 MINUTOS
TEMPERATURA: 160°C
RENDIMENTO: 8 PORÇÕES

1 lombinho de porco de cerca de 1kg
Sal
Pimenta-do-reino moída na hora
1 ½ colher de chá de Tempero Grego (veja a receita abaixo)
340g de pimentão vermelho em lata, assado, escorrido
½ xícara de queijo *feta* esfarelado
2 dentes de alho picados (1 colher de chá)
Couve cozida no vapor (opcional)

1. Para rechear o lombinho, corte a carne no sentido do comprimento, até à metade. Abra a carne, deixando-a plana. Insira 2 pedaços de filme de PVC no meio do lombinho. Trabalhando do centro para as pontas, bata com a parte lisa de um batedor de bife até que a carne fique com a espessura de 1cm. Retire o filme de PVC. Tempere com o sal e a pimenta-do-reino.

2. Salpique o lado batido do lombinho com o Tempero Grego. Retire as sementes do pimentão vermelho e descarte. Se necessário, abra o pimentão ao meio para que fique plano. Arrume-o numa camada homogênea sobre a carne. Numa tigela pequena, misture o queijo *feta* e o alho. Coloque sobre o pimentão. Enrole o lombinho, começando pelo lado menor, e amarre com um barbante 100% algodão a cada 4cm. Salpique com sal e pimenta-do-reino adicionais.

3. Transfira para uma assadeira rasa. Insira na carne um termômetro apropriado para ir ao forno. Asse a 160°C por 1 hora a 1 hora e 30 minutos ou até que o termômetro registre 68°C. Cubra com papel-alumínio e deixe descansar por 15 minutos. Retire o barbante antes de servir e, se desejar, guarneça com couve cozida no vapor.

TEMPERO GREGO: Junte 2 colheres de chá de cebola desidratada picada, 1 1/2 colher de chá de alho em pó, 1/2 colher de chá de canela em pó, 1/2 colher de chá de noz-moscada, 2 colheres de chá de orégano desidratado, 1 colher de chá de pimenta-do-reino moída na hora, 2 colheres de chá de sal, 1 colher de chá de salsa desidratada, 1 colher de chá de amido de milho e 1 colher de chá de caldo de carne light granulado. Misture bem. Guarde num frasco bem vedado, protegido da luz do sol e em lugar fresco e seco. Use no período de 3 meses.

INFORMAÇÕES NUTRICIONAIS POR PORÇÃO: 196 calorias, 8g de gorduras totais (3g de gordura saturada), 68mg de colesterol, 171mg de sódio, 2g de carboidratos, 1g de fibras, 26g de proteína.

Frango Assado Picante

TEMPO DE PREPARO: 25 MINUTOS
TEMPO NO FORNO: DE 1 HORA E 15 MINUTOS A 1 HORA E 25 MINUTOS
TEMPO DE ESPERA: 10 MINUTOS
TEMPERATURA: 230°C/175°C
RENDIMENTO: 4 PORÇÕES

12 dentes de alho picados (6 colheres de chá)
4 colheres de chá de sementes de erva-doce torradas e moídas* ou 4 colheres de chá de sementes de erva-doce esmagadas
4 colheres de chá de páprica
2 colheres de chá de sementes de cominho torradas e moídas* ou 2 colheres de chá de cominho em pó
1 colher de sopa de azeite de oliva extravirgem
1 frango inteiro (cerca de 1 ½kg)
½ colher de chá de sal
1 pitada de pimenta-do-reino moída na hora
1 limão ou 1 laranja pequena cortada em 4

1. Numa tigela pequena, misture o alho, as sementes de erva-doce, a páprica e as sementes de cominho. Acrescente o azeite de oliva. Tempere o frango com sal e pimenta-do-reino. Esfregue 1/3 da mistura de alho na parte interna do frango.

2. Começando pela abertura da coxa, deslize cuidadosamente os dedos entre a pele e a carne do peito do frango para desprender uma da outra. Esfregue o restante da mistura de alho entre a carne e a pele do peito e sobre toda a parte externa da ave. Coloque os pedaços de limão no interior do frango. Com um barbante 100% algodão, amarre as pontas das coxas juntas. Vire as asas para baixo. Se desejar, coloque num recipiente tampado e leve à geladeira por até 24 horas.

3. Transfira o frango para uma assadeira. Mantenha o peito virado para baixo. Na parte interna do frango, insira um termômetro apropriado para ir ao forno.

4. Asse no forno a 230ºC por 15 minutos. Vire (coloque o peito para cima) e reduza a temperatura para 175ºC. Asse por mais 60 a 70 minutos ou até que a carne perca a cor rosada (quando o termômetro atingir 82ºC). Retire do forno, cubra com papel-alumínio e deixe descansar por 10 minutos. Remova o barbante. Enquanto estiver cortando, tire cuidadosamente a pele do frango e descarte.

INFORMAÇÕES NUTRICIONAIS POR PORÇÃO: 276 calorias, 9g de gorduras totais (2g de gordura saturada), 131mg de colesterol, 368mg de sódio, 4g de carboidratos, 2g de fibras, 42g de proteína.

*Para torrar as sementes, aqueça uma frigideira pequena em fogo médio. Acrescente as sementes e deixe por 2 minutos, virando sempre a frigideira. Retire quando estiverem torradas e com um aroma mais intenso. Coloque num moedor de condimentos e processe até que estejam bem trituradas.

Frango Grelhado com Salada de Tomate e Grão-de-Bico

TEMPO DE PREPARO: 25 MINUTOS
TEMPO PARA MARINAR: DE 8 A 24 HORAS
TEMPO NA GRELHA: DE 12 A 15 MINUTOS
RENDIMENTO: 4 PORÇÕES

4 metades de peito de frango desossadas e sem pele
Sal
Pimenta-do-reino moída na hora
¾ de xícara de Marinada à Moda Marroquina (veja a receita na página 142)
2 pimentões verdes e/ou vermelhos picados e sem sementes
450g de grão-de-bico em lata, lavado e escorrido
1 tomate grande picado
½ xícara de cebola em fatias finas
½ pimenta-de-caiena fresca, picada e sem sementes (opcional)
2 colheres de sopa de salsa fresca picada

1. Tempere o frango com o sal e a pimenta-do-reino. Coloque num saco plástico do tipo Ziplock sobre um refratário. Acrescente 1/4 de xícara da Marinada à Moda Marroquina. Feche o saco plástico e vire para regar todo o frango. Leve à geladeira para marinar por 8 a 24 horas, virando o saco plástico de vez em quando.

2. Escorra o frango e descarte a marinada. Transfira o frango para a grelha e asse por 12 a 15 minutos ou até que perca a cor rosada, virando uma vez na metade do tempo.

3. Numa tigela grande, misture os pimentões, o grão-de-bico, o tomate, a cebola, o restante da marinada e, se desejar, a pimenta-de-caiena. Tempere com sal e pimenta-do-reino adicionais. Divida a mistura de grão-de-bico em 4 pratos. Coloque um pedaço de peito de frango em cada um deles. Salpique com a salsa.

INFORMAÇÕES NUTRICIONAIS POR PORÇÃO: 433 calorias, 19g de gorduras totais (3g de gordura saturada), 66mg de colesterol, 907mg de sódio, 34g de carboidratos, 8g de fibras, 33g de proteína.

Frango ao Alho

TEMPO DE PREPARO: 20 MINUTOS
TEMPO NO FORNO: DE 12 A 15 MINUTOS
TEMPERATURA: 200°C
RENDIMENTO: 4 PORÇÕES

1 cabeça de alho
4 metades de peito de frango desossadas e sem pele (600 a 750g)
Sal (opcional)
Pimenta-do-reino moída na hora (opcional)
1 colher de sopa de azeite de oliva extravirgem
1 colher de chá de manjericão fresco picado ou ¼ de colher de chá de manjericão desidratado
1 colher de chá de tomilho fresco picado ou ¼ de colher de chá de tomilho desidratado
1 colher de chá de alecrim fresco ou ¼ de colher de chá de alecrim desidratado
¼ de colher de chá de sal
1 pitada de pimenta-do-reino moída na hora
⅓ de xícara de vermute seco ou de vinho branco seco
Ramos de ervas frescas (opcional)

1. Separe os dentes de alho e descarte os dentes menores, que ficam no meio. Remova o cabinho de cada dente de alho, mas mantenha a casca. Reserve.

2. Se desejar, tempere o frango com sal e pimenta-do-reino. Numa frigideira grande, aqueça o azeite de oliva. Acrescente o frango e os dentes de alho e refogue em fogo médio a alto por cerca de 4 minutos ou até que o frango doure dos 2 lados. Adicione o manjericão, o tomilho, o alecrim, 1/4 de colher de chá de sal e a pitada de pimenta-do-reino.

3. Transfira o frango e o caldo para uma assadeira e leve ao forno a 200°C. Asse por 12 a 15 minutos ou até que o frango perca a cor rosada e o alho fique macio.

4. Coloque o frango numa travessa e mantenha-a aquecida. Transfira o caldo da assadeira para a frigideira. Retire os dentes de alho do caldo, coloque numa tigela pequena e deixe esfriar um pouco. Esmague os dentes de alho para tirar as cascas e descarte-as. Junte o alho descascado e o vermute ao caldo da frigideira e aqueça. Quando levantar fervura, reduza o fogo e deixe ferver por mais 6 minutos ou até o caldo engrossar, sem parar de mexer. Regue o frango com o molho de alho. Tempere com sal e pimenta-do-reino adicionais. Guarneça com ramos de ervas.

INFORMAÇÕES NUTRICIONAIS POR PORÇÃO: 177 calorias, 7g de gorduras totais (1g de gordura saturada), 60mg de colesterol, 189mg de sódio, 3g de carboidratos, 0g de fibras, 22g de proteína.

Frango e Aspargos Sautés

TEMPO DE PREPARO: 20 MINUTOS
RENDIMENTO: 4 PORÇÕES

- 350g de aspargos frescos
- 4 metades de peitos de frango desossados e sem pele (600 a 750g)
- 2 a 3 colheres de chá de ervas desidratadas
- 3 dentes de alho picados (1 ½ colher de chá)
- ¼ de colher de chá de sal
- ¼ de colher de chá de pimenta-do-reino moída na hora
- 2 colheres de chá de azeite de oliva extravirgem
- 1 pimentão vermelho médio em tiras finas e sem sementes
- ½ xícara de vinho branco seco ou de caldo de galinha light
- 1 colher de sopa de salsa fresca picada
- 1 colher de chá de suco de limão

1. Remova e descarte as pontas marrons dos aspargos. Fatie na diagonal em pedaços de 2,5cm (devem render cerca de 1 1/2 xícara). Reserve.

2. Tempere o frango com as ervas, o alho, o sal e a pimenta-do-reino. Numa frigideira antiaderente grande, aqueça o azeite de oliva. Junte o frango e refogue em fogo médio por 3 minutos.

3. Vire o frango, acrescente os aspargos, o pimentão vermelho e o vinho branco. Quando levantar fervura, reduza a chama e deixe ferver por 8 minutos ou até que o frango perca a cor rosada e as hortaliças fiquem crocantes, mexendo de vez em quando. Com o auxílio de uma colher grande, transfira o frango e as hortaliças para uma travessa. Misture a salsa e o suco de limão no caldo que restou na frigideira. Tempere com sal e pimenta-do-reino adicionais. Regue o frango com esse molho.

INFORMAÇÕES NUTRICIONAIS POR PORÇÃO: 223 calorias, 5g de gorduras totais (1g de gordura saturada), 82mg de colesterol, 202mg de sódio, 5g de carboidratos, 2g de fibras, 35g de proteína.

Frango ao Coentro com Amendoim

TEMPO DE PREPARO: 25 MINUTOS
RENDIMENTO: 4 PORÇÕES

- 2 colheres de chá de gengibre fresco ralado
- 4 dentes de alho picados (2 colheres de chá)
- ¼ de colher de chá de sal
- 1 pitada de pimenta-do-reino moída na hora
- 500g de peito de frango desossado e sem pele, cortado em tiras de 2,5cm
- 2 colheres de chá de óleo de amendoim
- 30g de amendoim torrado
- 1 colher de sopa de molho de soja light
- 2 colheres de chá de vinagre de arroz
- 1 colher de chá de óleo de gergelim torrado
- 1 xícara de folhas de coentro fresco
- 4 xícaras de repolho-chinês, ou couve-da-china *(bok choy),* rasgado
- ¼ de xícara de hortelã fresca picada
- Ramos de coentro fresco (opcional)
- Rodelas de lima (opcional)

1. Numa tigela pequena, misture o gengibre, o alho, o sal e a pimenta-do-reino. Tempere o frango com essa mistura, virando de um lado para o outro. Numa frigideira pesada, de 25cm de diâmetro, aqueça o óleo de amendoim e refogue o frango em fogo alto por 2 minutos. Acrescente os amendoins. Refogue por mais 3 minutos ou até que o frango perca a cor rosada.

2. Acrescente o molho de soja light, o vinagre de arroz e o óleo de gergelim. Refogue e mexa por mais 2 minutos. Retire a frigideira do fogo. Adicione 1/2 xícara de folhas de coentro.

3. Numa tigela grande, junte o repolho-chinês, a hortelã e o restante das folhas de coentro. Arrume a mistura de repolho-chinês num refratário ou distribua em 4 pratos. Para servir, coloque o preparado de frango sobre a mistura de repolho-chinês. Se desejar, guarneça com ramos de coentro e rodelas de lima.

INFORMAÇÕES NUTRICIONAIS POR PORÇÃO: 217 calorias, 8g de gorduras totais (1g de gordura saturada), 66mg de colesterol, 402mg de sódio, 7g de carboidratos, 2g de fibras, 30g de proteína.

Filé de Peru Recheado

TEMPO DE PREPARO: 15 MINUTOS
TEMPO NA GRELHA: DE 16 A 20 MINUTOS
RENDIMENTO: 4 PORÇÕES

2 filés de peito de peru (cerca de 500g)
2 xícaras de espinafre fresco picado
90g de queijo de cabra ou ¾ de xícara de queijo *feta* esfarelado
½ colher de chá de pimenta-do-reino moída na hora
1 colher de sopa de azeite de oliva extravirgem
1 colher de chá de páprica
½ colher de chá de sal
1 pitada a ¼ de colher de chá de pimenta-de-caiena

1. Faça um "bolso" em cada peito de peru, cortando-os no sentido do comprimento de um lado até quase atingir o outro. Reserve. Numa tigela média, misture o espinafre, o queijo de cabra e a pimenta-do-reino. Distribua a mistura de espinafre nos "bolsos". Amarre cada peito de peru com um barbante 100% algodão em 3 ou 4 lugares.

2. Numa tigela pequena, junte o azeite de oliva, a páprica, o sal e a pimenta-de-caiena e mexa bem. Pincele essa mistura homogeneamente sobre o peru. Transfira os peitos de peru para a grelha e asse por 16 a 20 minutos ou até que percam a cor rosada, virando uma vez na metade do tempo. Retire e descarte o barbante. Fatie o peru e sirva.

INFORMAÇÕES NUTRICIONAIS POR PORÇÃO: 219 calorias, 9g de gorduras totais (4g de gorduras saturadas), 80mg de colesterol, 373mg de sódio, 1g de carboidratos, 1g de fibras, 32g de proteína.

Filé de Peru Condimentado

TEMPO DE PREPARO: 15 MINUTOS
TEMPO NA GRELHA: DE 12 A 15 MINUTOS
RENDIMENTO: 4 PORÇÕES

- 2 filés de peito de peru (cerca de 500g)
- 1 ½ colher de chá de cominho moído
- 1 ½ colher de chá de sementes de coentro esmagadas
- 1 colher de chá de tiras bem finas de casca de lima
- ¾ de colher de chá de sal
- ¾ de colher de chá de gengibre ralado
- ½ colher de chá de pimenta-malagueta esmagada
- ½ xícara de iogurte natural desnatado
- 2 colheres de sopa de suco de lima

1. Corte os peitos de peru ao meio, na horizontal, fazendo 4 bifes. Reserve. Numa tigela pequena, misture o cominho, as sementes de coentro, as tiras de casca de lima, o sal, o gengibre e a pimenta-malagueta. Reserve 1/2 colher de chá dessa mistura de cominho. Use o que restar para esfregar homogeneamente no peru.

2. Transfira os peitos de peru para a grelha e asse por 12 a 15 minutos ou até que percam a cor rosada, virando uma vez na metade do tempo.

3. Numa tigela pequena, junte o iogurte, o suco de lima e o restante da mistura de cominho. Sirva esse molho sobre os bifes de peru grelhados.

INFORMAÇÕES NUTRICIONAIS POR PORÇÃO: 158 calorias, 2g de gorduras totais (1g de gordura saturada), 70mg de colesterol, 439mg de sódio, 4g de carboidratos, 1g de fibras, 29g de proteína.

Robalo Grelhado com Molho de Morango

TEMPO DE PREPARO: 30 MINUTOS
TEMPO NA GRELHA: DE 14 A 18 MINUTOS
RENDIMENTO: 4 PORÇÕES

- 4 filés de robalo ou de linguado frescos ou congelados de 115 a 140g, com 2,5cm de espessura
- 1 lima pequena
- ¼ de colher de chá de sal
- ¼ de colher de chá de pimenta-de-caiena
- 1 xícara de morango picado
- ¼ de xícara de pimenta-*jalapeño** picada e sem sementes (metade de 1 pimenta pequena)
- 2 colheres de sopa de coentro fresco picado
- ½ colher de chá de sementes de cominho torradas**
- 1 pitada de sal

1. Descongele o peixe. Lave e seque delicadamente com papel-toalha. Corte a casca da lima em tiras bem finas. Divida a lima ao meio e pique. Reserve. Numa tigela pequena, misture as tiras da casca de lima, 1/4 de colher de chá de sal e a pimenta-de-caiena. Espalhe de modo homogêneo nos dois lados do peixe e esfregue.

2. Transfira o peixe para um tabuleiro e coloque sobre a grelha. Tampe e asse por 14 a 18 minutos ou até que o peixe se solte com facilidade quando espetado com um garfo, virando uma vez na metade do tempo.

3. Numa tigela média, misture a lima picada, os morangos, a pimenta-*jalapeño,* o coentro, as sementes de cominho e 1 pitada de sal. Sirva esse molho com o peixe grelhado.

INFORMAÇÕES NUTRICIONAIS POR PORÇÃO: 137 calorias, 3g de gorduras totais (1g de gordura saturada), 46mg de colesterol, 299mg de sódio, 7g de carboidratos, 1g de fibras, 22g de proteína.

*As pimentas chili contêm óleos que podem queimar a pele e os olhos, por isso use luvas de plástico ou de borracha ao manuseá-las. Se suas mãos entrarem em contato com a pimenta, lave-as bem com água e sabão.

**Para torrar as sementes, aqueça uma frigideira pequena em fogo médio. Acrescente as sementes e deixe por 2 minutos, virando sempre a frigideira. Retire quando estiverem torradas e com um aroma mais intenso.

Atum com Tempero Cítrico

TEMPO DE PREPARO: 20 MINUTOS
TEMPO DE COZIMENTO: 6 MINUTOS
RENDIMENTO: 4 PORÇÕES

4 filés de atum fresco ou congelado de aproximadamente 115g, com 2cm de espessura
Sal (opcional)
Pimenta-do-reino moída na hora (opcional)
2 colheres de chá de vinagre de vinho branco
2 colheres de chá de molho de soja light
½ colher de chá de gengibre fresco ralado
2 colheres de sopa de azeite de oliva extravirgem
1 grapefruit média descascada, em gomos
1 laranja média descascada e fatiada
2 colheres de sopa de cebola roxa picada
2 colheres de sopa de coentro fresco picado

1. Descongele o peixe. Lave e seque delicadamente com papel-toalha. Se desejar, tempere com sal e pimenta-do-reino. Reserve.

2. Prepare o tempero cítrico: numa tigela pequena, misture o vinagre de vinho branco, o molho de soja light e o gengibre. Adicione 1 colher de sopa de azeite de oliva. Corte os gomos do grapefruit em 3 e pique grosseiramente os pedaços de laranja. Acrescente as frutas cortadas, a cebola roxa e o coentro à mistura de vinagre. Reserve.

3. Numa frigideira grande, aqueça o restante do azeite de oliva em fogo médio a alto. Adicione o peixe e refogue por 6 a 9 minutos ou até que os filés de atum se soltem com facilidade quando espetados com um garfo (eles podem ficar um pouco rosados no meio), virando uma vez na metade do tempo. Sirva o com o tempero cítrico.

INFORMAÇÕES NUTRICIONAIS POR PORÇÃO: 244 calorias, 11g de gorduras totais (2g de gordura saturada), 43mg de colesterol, 199mg de sódio, 7g de carboidratos, 1g de fibras, 27g de proteína.

Salmão Poché com Creme de Leite Azedo Light ao Endro

TEMPO DE PREPARO: 10 MINUTOS • TEMPO DE COZIMENTO: 4 MINUTOS
TEMPO DE REFRIGERAÇÃO: DE 2 A 24 HORAS • RENDIMENTO: 6 PORÇÕES

750g de filés de salmão fresco ou congelado, com cerca de 1cm de espessura cada um
1 pitada de sal
1 pitada de pimenta-do-reino branca moída
⅔ de xícara de vinho branco seco
⅓ de xícara de água
½ limão em pedaços grossos
1 colher de chá de sementes de coentro
3 anises-estrelados ou 1/2 colher de chá de sementes de anis
½ xícara de Creme de Leite Azedo Light (veja a receita abaixo)
1 colher de sopa de endro fresco picado
1 colher de sopa de suco de lima
Sal
Pimenta-do-reino moída na hora
1 alface-crespa rasgada em pedaços grandes
Fatias de pepino (opcional)
Ramos de endro fresco (opcional)

1. Descongele o salmão. Lave e seque delicadamente com papel-toalha. Corte em 6 pedaços, caso necessário. Tempere com o sal e a pimenta-do-reino branca.

2. Numa frigideira grande, misture o vinho branco, a água, os pedaços de limão, as sementes de coentro e o anis. Quando levantar fervura, diminua o fogo. Coloque o peixe numa camada. Tampe e deixe ferver por 4 a 6 minutos ou até que os filés de salmão se soltem com facilidade quando espetados com um garfo. Com o auxílio de uma escumadeira, retire cuidadosamente o peixe e transfira para uma travessa. Cubra e leve à geladeira por 2 a 24 horas.

3. Numa tigela pequena, misture o Creme de Leite Azedo Light, o endro e o suco de lima. Acrescente o sal e a pimenta-do-reino. Tampe e leve à geladeira por 1 hora ou até à hora de servir.

4. Distribua a alface-crespa em 6 pratos. Coloque o peixe por cima e cubra com a mistura de Creme de Leite Azedo Light. Se desejar, guarneça com fatias de pepino e ramos de endro.

CREME DE LEITE AZEDO LIGHT: Coloque a quantidade desejada de creme de leite light num recipiente e bata com um batedor de arame, acrescentando um pouco de suco de limão. Prove e vá adicionando mais suco de limão, sempre experimentando, até obter o nível de acidez que considerar satisfatório.

INFORMAÇÕES NUTRICIONAIS POR PORÇÃO: 259 calorias, 14g de gorduras totais (3g de gordura saturada), 73mg de colesterol, 143mg de sódio, 4g de carboidratos, 1g de fibras, 24g de proteína.

LINGUADO COM MOLHO DE PIMENTA-JALAPEÑO

TEMPO DE PREPARO: 25 MINUTOS
TEMPO NO FORNO: DE 4 A 6 MINUTOS PARA CADA 1,5CM DE ESPESSURA
TEMPERATURA: 220°C
RENDIMENTO: 4 PORÇÕES

3 colheres de sopa de vinagre de arroz
2 colheres de sopa de molho de soja light
½ colher de chá de gengibre fresco ralado
1 pitada de pimenta-do-reino moída na hora
¾ de xícara de pimentão vermelho e/ou amarelo picado
½ xícara de pepino picado e sem sementes
2 colheres de sopa de cebolinha verde picada
2 colheres de sopa de coentro fresco picado
½ pimenta-*jalapeño** pequena em fatias finas e sem sementes
1 colher de chá de óleo de gergelim torrado
4 filés de linguado frescos ou congelados de 110g, com 1,5cm de espessura
1 colher de chá de sementes de gergelim
Folhas de repolho-chinês, ou couve-da-china (opcional)

1. Prepare o molho de pimenta-*jalapeño:* numa tigela pequena, misture o vinagre de arroz, o molho de soja light e o gengibre. Em outra tigela pequena, junte 2 colheres de sopa dessa mistura de vinagre e a pimenta-do-reino. Reserve. À mistura de vinagre que restou adicione os pimentões, o pepino, a cebolinha verde, o coentro, a pimenta-*jalapeño* e o óleo de gergelim. Mexa bem. Tampe e leve à geladeira até à hora de servir ou por mais de 1 hora.

2. Descongele o peixe. Lave e seque delicadamente com papel-toalha. Coloque sobre uma assadeira untada. Pincele com as 2 colheres de sopa da mistura de vinagre que foram reservadas. Salpique com as sementes de gergelim. Asse a 220ºC por 4 a 6 minutos para cada 1,5cm de espessura ou até que o peixe se solte com facilidade quando espetado com um garfo, virando uma vez na metade do tempo. Se desejar, use repolho-chinês: coloque-o nos pratos e disponha o peixe por cima. Sirva com o molho de pimenta-*jalapeño.*

INFORMAÇÕES NUTRICIONAIS POR PORÇÃO: 150 calorias, 3g de gorduras totais (0g de gordura saturada), 36mg de colesterol, 525mg de sódio, 3g de carboidratos, 1g de fibras, 25g de proteína.

*As pimentas chili, como a *jalapeño,* contêm óleos que podem queimar a pele e os olhos, por isso use luvas de plástico ou de borracha ao manuseá-las. Se suas mãos entrarem em contato com a pimenta, lave-as bem com água e sabão.

Camarão com Abobrinha e Aspargos

TEMPO DE PREPARO: 30 MINUTOS
RENDIMENTO: 4 PORÇÕES

250g de camarões médios frescos ou congelados, limpos e sem casca
Sal (opcional)
Pimenta-do-reino moída na hora (opcional)
600g de abobrinha (cerca de 5 unidades pequenas)
240g de aspargos frescos
2 colheres de sopa de azeite de oliva extravirgem
1 pimenta-*jalapeño** pequena em fatias finas e sem sementes
1 colher de sopa de gengibre fresco ralado
2 dentes de alho picados (1 colher de chá)
2 colheres de sopa de coentro fresco picado
1 colher de sopa de sementes de gergelim torradas
2 colheres de chá de óleo de gergelim torrado
¼ de colher de chá de sal
¼ de colher de chá de pimenta-do-reino moída na hora
Coentro fresco picado (opcional)
Sementes de gergelim torradas (opcional)

1. Descongele os camarões. Lave e seque delicadamente com papel-toalha. Se desejar, tempere com sal e pimenta-do-reino. Reserve.

2. Corte as abobrinhas ao meio, no sentido do comprimento. Numa tábua, coloque as metades com o lado partido para baixo, corte ao meio e depois em tiras longas e finas. Reserve.

3. Retire e descarte as pontas marrons dos aspargos. Corte-os na diagonal em pedaços de 2,5cm.

4. Numa frigideira grande, encaixe uma cesta para cozimento no vapor. Encha a frigideira de água até à base da cesta. Quando levantar fervura, coloque os aspargos na cesta. Tampe e cozinhe no vapor por 2 minutos. Acrescente a abobrinha e cozinhe por 2 a 3 minutos ou até que as hortaliças estejam crocantes e macias (não deixe que amoleçam). Escorra bem. Mantenha aquecido.

3. Na frigideira, aqueça o azeite de oliva. Acrescente a pimenta-*jalapeño,* o gengibre e o alho e refogue em fogo médio a alto por 30 segundos. Adicione os camarões e refogue por 2 a 3 minutos ou até que estejam opacos, mexendo de vez em quando. Junte o coentro, as sementes, o óleo de gergelim, o sal e a pimenta-do-reino. Acrescente a abobrinha e os aspargos e misture delicadamente. Transfira para uma travessa. Salpique com coentro e/ou com sementes de gergelim.

INFORMAÇÕES NUTRICIONAIS POR PORÇÃO: 186 calorias, 11g de gorduras totais (2g de gordura saturada), 86mg de colesterol, 221mg de sódio, 8g de carboidratos, 3g de fibras, 14g de proteína.

*As pimentas chili, como a *jalapeño,* contêm óleos que podem queimar a pele e os olhos, por isso use luvas de plástico ou de borracha ao manuseá-las. Se suas mãos entrarem em contato com a pimenta, lave-as bem com água e sabão.

Sopa de Presunto com Lentilhas

TEMPO DE PREPARO: 35 MINUTOS
TEMPO DE COZIMENTO: 1 HORA E 10 MINUTOS
RENDIMENTO: DE 4 A 6 PORÇÕES

- 1 xícara de lentilhas
- 1 cebola média picada
- 1 xícara de aipo picado
- 1 xícara de cenoura em cubos
- 1 colher de sopa de azeite de oliva extravirgem
- 5 xícaras de água
- 2 colheres de chá de caldo de galinha light em pó
- 2 dentes de alho picados (1 colher de chá)
- ½ colher de chá de tiras bem finas de casca de limão
- ¼ de colher de chá de pimenta-de-caiena
- 1 xícara de presunto cozido em cubos (cerca de 140g)
- 2 xícaras de espinafre fresco picado

1. Lave e escorra as lentilhas. Reserve.

2. Numa panela grande, refogue a cebola, o aipo e a cenoura no azeite de oliva por cerca de 10 minutos ou até que estejam macios. Adicione as lentilhas, a água, o caldo de galinha light, o alho, as tiras de casca de limão e a pimenta-de-caiena. Quando levantar fervura, reduza o fogo, tampe e deixe cozinhar por 45 minutos. Adicione o presunto e cozinhe com a panela destampada por mais 15 minutos. Misture o espinafre. Sirva imediatamente.

INFORMAÇÕES NUTRICIONAIS POR PORÇÃO: 261 calorias, 7g de gorduras totais (2g de gordura saturada), 19mg de colesterol, 948mg de sódio, 36g de carboidratos, 17g de fibras, 20g de proteína.

CHILI DE FRANGO

TEMPO DE PREPARO: 25 MINUTOS
TEMPO DE COZIMENTO: EM FOGO BAIXO, 5 HORAS
EM FOGO ALTO, 2 HORAS E 30 MINUTOS
RENDIMENTO: 4 PORÇÕES

Azeite de oliva extravirgem (para untar)
500g de peito de frango desossado cortado ao meio em pedaços de 2,5cm e sem pele
4 xícaras de feijão-branco cozido e escorrido
2 ½ xícaras de caldo de galinha light
½ xícara de cebola picada
⅔ de xícara de pimentão verde picado
1 pimenta-*jalapeño** pequena picada e sem sementes
½ colher de chá de cominho moído
½ colher de chá de orégano desidratado
¼ de colher de chá de pimenta-do-reino branca moída
2 dentes de alho picados (1 colher de chá)
½ xícara de queijo mussarela light esfarelado (opcional)

1. Unte uma frigideira grande com o azeite de oliva. Aqueça a frigideira em fogo médio a alto. Doure o frango e escorra a gordura.

2. Numa panela, misture o frango, o feijão-branco, o caldo de galinha light, a cebola, o pimentão verde, a pimenta-*jalapeño,* o cominho, o orégano, a pimenta-do-reino branca e o alho.

3. Tampe e cozinhe em fogo baixo por 5 a 6 horas ou em fogo alto por 2 horas e 30 minutos a 3 horas. Se desejar, salpique com o queijo mussarela light.

INFORMAÇÕES NUTRICIONAIS POR PORÇÃO: 275 calorias, 2g de gorduras totais (0g de gordura saturada), 66mg de colesterol, 750mg de sódio, 33g de carboidratos, 11g de fibras, 40g de proteína.

*As pimentas chili, como a *jalapeño,* contêm óleos que podem queimar a pele e os olhos, por isso use luvas de plástico ou de borracha ao manuseá-las. Se suas mãos entrarem em contato com a pimenta, lave-as bem com água e sabão.

Canja de Galinha com Lima

TEMPO DE PREPARO: 30 MINUTOS
RENDIMENTO: 4 PORÇÕES

350g de peito de frango desossado e sem pele, cortado em pedaços bem pequenos
Sal (opcional)
Pimenta-do-reino moída na hora (opcional)
3 dentes de alho picados (1 1/2 colher de chá)
1 colher de sopa de azeite de oliva extravirgem
1 colher de sopa de pimenta vermelha em flocos
½ colher de chá de sementes de cominho esmagadas ou 1/4 de colher de chá de cominho moído
¼ a ½ colher de chá de pimenta-malagueta esmagada (opcional)
4 xícaras de caldo de galinha light
½ xícara de cebolinha verde picada
1 tomate grande picado
3 colheres de sopa de suco de lima
1 colher de sopa de coentro fresco picado

Se desejar, tempere o frango com sal e pimenta-do-reino. Numa panela grande, refogue o frango e o alho no azeite de oliva em fogo de médio a alto até que o frango perca a cor rosada. Acrescente a pimenta vermelha em flocos, as sementes de cominho e a pimenta-malagueta esmagada. Refogue e mexa por 30 segundos. Adicione o caldo de galinha light e a cebolinha verde. Quando levantar fervura, reduza o fogo e deixe ferver por mais 10 minutos. Retire do fogo. Acrescente o tomate, o suco de lima e o coentro.

INFORMAÇÕES NUTRICIONAIS POR PORÇÃO: 178 calorias, 8g de gorduras totais (1g de gordura saturada), 45mg de colesterol, 719mg de sódio, 6g de carboidratos, 1g de fibras, 21g de proteína.

Ensopado de Peixe

TEMPO DE PREPARO: 10 MINUTOS
TEMPO DE COZIMENTO: 10 MINUTOS
RENDIMENTO: DE 4 A 6 PORÇÕES

- 500g de filé de robalo ou de vermelho (pargo) fresco ou congelado, sem pele nem espinhas
- 1 colher de sopa de azeite de oliva extravirgem
- ½ xícara de cebola picada
- ½ xícara de erva-doce picada
- 2 dentes de alho picados (1 colher de chá)
- 4 xícaras de água
- 2 cubos de caldo de camarão ou de peixe
- 1 colher de sopa de suco de limão
- ½ colher de chá de caldo de galinha light em pó
- ½ colher de chá de tomilho desidratado
- ¼ de colher de chá de sementes de erva-doce
- 1 folha de louro
- 1 pitada de açafrão em pó (opcional)
- 4 tomates cortados ao meio, no sentido do comprimento, e depois em tiras finas
- Suco de limão (opcional)

1. Descongele o peixe. Corte em cubos de 2cm. Lave e seque delicadamente com papel-toalha. Reserve.

2. Numa panela grande, aqueça o azeite de oliva. Acrescente a cebola, a erva-doce e o alho e refogue em fogo médio até que fiquem macios. Junte a água, os cubos de caldo de camarão ou de peixe, 1 colher de sopa de suco de limão, o caldo de galinha light, o tomilho, as sementes de erva-doce, a folha de louro e, se desejar, o açafrão. Cozinhe e mexa até levantar fervura.

3. Adicione o peixe e o tomate. Quando voltar a ferver, reduza o fogo. Tampe e deixe ferver por mais 10 minutos. Descarte a folha de louro. Se quiser, acrescente suco de limão.

INFORMAÇÕES NUTRICIONAIS POR PORÇÃO: 176 calorias, 6g de gorduras totais (1g de gordura saturada), 46mg de colesterol, 583mg de sódio, 8g de carboidratos, 2g de fibras, 22g de proteína.

Minestrone

TEMPO DE PREPARO: 30 MINUTOS
TEMPO DE COZIMENTO: 35 MINUTOS
RENDIMENTO: 4 PORÇÕES

- 2 xícaras de caldo de galinha light
- 1 lata de 400g de tomate pelado (não escorrido)
- 1 ¼ xícara de água
- 1 xícara de cebola picada
- 1 xícara de repolho em tiras bem finas
- ¾ de xícara de suco de tomate
- ½ xícara de cenoura picada
- ½ xícara de aipo picado
- 1 colher de sopa de manjericão fresco picado ou 1 colher de chá de manjericão desidratado
- ¼ de colher de chá de alho em pó
- 2 ½ xícaras de feijão-branco cozido e escorrido
- 1 ¼ xícara de abobrinha cortada na espessura de 0,6cm (1 unidade média)
- 250g de vagem congelada
- ½ xícara de massa integral (60g)
- 2 colheres de sopa de queijo parmesão light ralado

1. Numa panela grande, misture o caldo de galinha light, o tomate, a água, a cebola, o repolho, o suco de tomate, a cenoura, o aipo, o manjericão e o alho. Quando ferver, diminua o fogo. Tampe e deixe ferver por mais 25 minutos.

2. Acrescente o feijão-branco, a abobrinha, a vagem e a massa integral. Quando voltar a ferver, reduza o fogo. Tampe e deixe ferver por mais 10 a 15 minutos ou até que as hortaliças e a massa estejam macias. Salpique com o queijo parmesão light.

INFORMAÇÕES NUTRICIONAIS POR PORÇÃO: 206 calorias, 2g de gorduras totais (1g de gordura saturada), 3mg de colesterol, 811mg de sódio, 43g de carboidratos, 10g de fibras, 13g de proteína.

Sopa de Carne com Cevada

TEMPO DE PREPARO: 25 MINUTOS
TEMPO DE COZIMENTO: 1 HORA E 15 MINUTOS
RENDIMENTO: 6 PORÇÕES

350g de carne bovina ou de carneiro cortada em cubos de 2,5cm
1 colher de sopa de azeite de oliva extravirgem
4 xícaras de água
1 cebola picada
½ xícara de aipo picado (1 talo)
½ xícara de cevada comum
2 colheres de chá de caldo de carne light em pó
1 colher de chá de orégano ou de manjericão desidratado
¼ de colher de chá de pimenta-do-reino moída na hora
2 dentes de alho picados (1 colher de chá)
1 folha de louro
1 xícara de hortaliças variadas congeladas
1 lata de 400g de tomate pelado (não escorrido)
1 xícara de batata descascada cortada em cubos de 1,2cm

1. Numa panela grande, doure a carne no azeite de oliva. Adicione a água, a cebola, o aipo, a cevada, o caldo de carne light, o orégano, a pimenta-do-reino, o alho e a folha de louro. Quando ferver, reduza o fogo. Tampe e deixe cozinhar por 1 hora (carne bovina) ou 45 minutos (carne de carneiro).

2. Acrescente as hortaliças congeladas e o tomate e a batata. Quando levantar fervura novamente, diminua o fogo, tampe e deixe ferver por mais 15 minutos ou até que a carne e os vegetais estejam macios. Descarte a folha de louro.

INFORMAÇÕES NUTRICIONAIS POR PORÇÃO: 210 calorias, 6g de gorduras totais (1g de gordura saturada), 27mg de colesterol, 515mg de sódio, 23g de carboidratos, 4g de fibras, 16g de proteína.

Sopa de Tomate com Lentilhas

TEMPO DE PREPARO: 20 MINUTOS
TEMPO DE COZIMENTO: 45 MINUTOS
RENDIMENTO: DE 5 A 6 PORÇÕES

7 xícaras de água
1 lata de 400g de tomate pelado (não escorrido)
1 xícara de cenoura picada (2 unidades médias)
1 xícara de lentilhas lavadas
1 xícara de cebola picada
½ xícara de aipo picado
1 colher de sopa de caldo de galinha light em pó
2 dentes de alho picado (1 colher de chá)
1 folha de louro
½ colher de chá de manjericão desidratado
½ colher de chá de orégano desidratado
½ colher de chá de tomilho desidratado
¾ de xícara de arroz integral
¼ de xícara de salsa fresca picada
½ colher de chá de sal
½ colher de chá de vinagre de maçã
¼ de colher de chá de pimenta-do-reino moída na hora
Cebolinha verde (opcional)

1. Numa panela grande, misture a água, o tomate, a cenoura, as lentilhas, a cebola, o aipo, o caldo de galinha light, o alho, a folha de louro, o manjericão, o orégano e o tomilho. Quando levantar fervura, reduza o fogo. Tampe e deixe ferver por 45 minutos.

2. Cozinhe o arroz integral de acordo com as instruções do fabricante.

3. Descarte a folha de louro. Adicione a salsa, o sal, o vinagre de maçã e a pimenta-do-reino à mistura de lentilhas. Acrescente o arroz cozido. Se desejar, guarneça com cebolinha verde.

INFORMAÇÕES NUTRICIONAIS POR PORÇÃO: 283 calorias, 1g de gorduras totais (0g de gordura saturada), 0mg de colesterol, 988mg de sódio, 53g de carboidratos, 15g de fibras, 14g de proteína.

DICA: Você pode dobrar essa receita. Coloque o excedente num recipiente, vede, identifique com um adesivo e congele. Quando for servir, deixe a sopa descongelar na geladeira de um dia para o outro – assim as lentilhas não vão se partir quando aquecidas.

Aspargos Assados com Parmesão Light

TEMPO DE PREPARO: 10 MINUTOS
TEMPO NO FORNO: 15 MINUTOS
TEMPERATURA: 200°C
RENDIMENTO: 6 PORÇÕES

1kg de aspargos frescos
2 colheres de sopa de azeite de oliva extravirgem
Sal
Pimenta-do-reino moída na hora
½ xícara de queijo parmesão light ralado

1. Corte e descarte os cabinhos marrons dos aspargos. Se desejar, retire as escamas (protuberâncias) dos talos. Coloque numa assadeira. Regue com o azeite de oliva e misture bem. Espalhe numa única camada. Tempere com o sal e a pimenta-do-reino.

2. Asse no forno a 200ºC por cerca de 15 minutos ou até que os aspargos fiquem macios e crocantes, mexendo de vez em quando. Transfira para uma travessa. Salpique com o queijo parmesão light.

INFORMAÇÕES NUTRICIONAIS POR PORÇÃO: 95 calorias, 7g de gorduras totais (2g de gordura saturada), 8mg de colesterol, 102mg de sódio, 4g de carboidratos, 2g de fibras, 5g de proteína.

Brócolis com Limão e Endro

TEMPO DE PREPARO: 25 MINUTOS
RENDIMENTO: DE 6 A 8 PORÇÕES

½ xícara de cebola ou de alho-poró picado
1 dente de alho picado (½ colher de chá)
1 colher de sopa de azeite de oliva extravirgem
½ xícara de caldo de galinha light
750g de brócolis cortados pelos talos
1 colher de sopa de suco de limão
1 colher de chá de amido de milho
2 colheres de sopa de endro fresco picado ou 1 colher de chá de endro desidratado
Sal
Pimenta-do-reino moída na hora
Rodelas de limão (opcional)

1. Numa panela grande, refogue a cebola e o alho no azeite de oliva por cerca de 3 minutos ou até que fiquem macios. Adicione o caldo de galinha light. Quando levantar fervura, acrescente o brócolis. Quando voltar a ferver, diminua a chama, tampe e deixe por 8 a 10 minutos ou até que fique tenro. Transfira as hortaliças para uma travessa, reserve o caldo na panela. (Adicione mais caldo, se necessário, até inteirar 1/2 xícara.)

2. Numa tigela pequena, misture o suco de limão e o amido de milho. Incorpore ao caldo que está na panela. Cozinhe até engrossar e começar a borbulhar e deixe por mais 2 minutos. Adicione o endro. Tempere com o sal e a pimenta-do-reino. Regue as hortaliças com o molho e misture bem. Se desejar, guarneça com rodelas de limão.

INFORMAÇÕES NUTRICIONAIS POR PORÇÃO: 55 calorias, 3g de gorduras totais (0g de gordura saturada), 0mg de colesterol, 90mg de sódio, 7g de carboidratos, 2g de fibras, 2g de proteína.

ABOBRINHA E PIMENTÃO COM QUEIJO FETA

TEMPO DE PREPARO: 25 MINUTOS
RENDIMENTO: 6 PORÇÕES

1 colher de sopa de azeite de oliva extravirgem
1 xícara de cebola picada
4 xícaras de abobrinhas médias em fatias bem finas (3 unidades médias)
2 colheres de sopa de água
½ colher de chá de cominho em pó
½ xícara de pimentão vermelho assado, em conserva, escorrido e cortado em tiras (200g)
2 colheres de sopa de manjericão fresco picado
Sal
Pimenta-do-reino moída na hora
2 colheres de sopa de queijo *feta* esfarelado

1. Numa frigideira grande, aqueça o azeite de oliva. Acrescente a cebola e refogue em fogo médio por cerca de 5 minutos ou até que fique macia. Adicione a abobrinha, a água e o cominho e reduza o fogo. Tampe e deixe ferver por 3 a 5 minutos ou até que a abobrinha esteja tenra e crocante.

2. Acrescente o pimentão vermelho e o manjericão. Tempere com o sal e a pimenta-do-reino. Salpique com o queijo *feta.*

INFORMAÇÕES NUTRICIONAIS POR PORÇÃO: 56 calorias, 3g de gorduras totais (1g de gordura saturada), 2mg de colesterol, 108mg de sódio, 6g de carboidratos, 2g de fibras, 2g de proteína.

ESPINAFRE COM NOZES E BLUE CHEESE

TEMPO DE PREPARO: 15 MINUTOS
RENDIMENTO: 4 PORÇÕES

- 240g de espinafre ou de acelga
- 2 colheres de sopa de azeite de oliva extravirgem
- 2 colheres de sopa de nozes torradas
- 1 colher de sopa de *blue cheese* (se desejar, substitua por gorgonzola) esfarelado
- ¼ de colher de chá de pimenta-do-reino moída grosseiramente

1. Corte o espinafre em tiras de 2,5cm. Numa frigideira grande, aqueça o azeite de oliva. Adicione o espinafre e refogue em fogo médio a alto por cerca de 1 minuto ou até que o espinafre murche um pouco. Retire do fogo.

2. Divida o espinafre em 4 pratos ou tigelas. Acrescente as nozes e o *blue cheese.* Salpique com a pimenta-do-reino.

INFORMAÇÕES NUTRICIONAIS POR PORÇÃO: 65 calorias, 6g de gorduras totais (1g de gordura saturada), 2mg de colesterol, 74mg de sódio, 2g de carboidratos, 2g de fibras, 3g de proteína.

Vagem e Tomate ao Pesto

TEMPO DE PREPARO: 20 MINUTOS
TEMPO DE COZIMENTO: 10 MINUTOS
RENDIMENTO: DE 6 A 8 PORÇÕES

700g de vagens frescas picadas
½kg de tomates pequenos (tomates-cereja ou italianos) cortados ao meio
¼ de xícara de Vinagrete ao Pesto (veja a receita abaixo)
Sal
Pimenta-do-reino branca moída na hora

1. Numa panela grande, ferva pouca quantidade de água com sal. Acrescente as vagens, tampe e cozinhe por 10 a 15 minutos ou até que fiquem macias e crocantes. Escorra e enxágüe em água gelada. Escorra novamente e seque com papel-toalha.

2. Numa tigela grande, misture as vagens e os tomates com o Vinagrete ao Pesto. Se necessário, acrescente mais molho. Tempere com o sal e a pimenta-do-reino. Sirva imediatamente ou leve à geladeira por até 8 horas.

VINAGRETE AO PESTO: Numa tigela média, misture 1/2 xícara de molho *pesto* comprado pronto, 3 colheres de sopa de vinagre de vinho branco e 1 colher de sopa de suco de limão. Acrescente devagar 1/4 de xícara de azeite de oliva extravirgem num fio contínuo sem parar de mexer. Adicione sal e pimenta-do-reino branca a gosto. Guarde na geladeira até à hora de usar ou por, no máximo, 3 dias. Rende 3/4 de xícara.

INFORMAÇÕES NUTRICIONAIS POR PORÇÃO: 128 calorias, 8g de gorduras totais (1g de gordura saturada), 1mg de colesterol, 275mg de sódio, 13g de carboidratos, 5g de fibras, 4g de proteína.

Acelga no Vapor

TEMPO DE PREPARO: 45 MINUTOS
RENDIMENTO: 6 PORÇÕES

- 1 xícara de água
- 1,5kg de folhas de acelga sem o talo e com as folhas cortadas, no sentido do comprimento, em tiras de 2cm
- 2 colheres de sopa de azeite de oliva extravirgem
- 2 cebolas grandes picadas
- 2 dentes de alho picados (1 colher de chá)
- ¼ de xícara de vinagre de vinho tinto
- ½ colher de chá de sal
- ½ colher de chá de pimenta-do-reino moída na hora

1. Leve a água ao fogo numa panela grande. Quando levantar fervura, encaixe uma cesta para cozimento no vapor. Coloque 1/3 da acelga na cesta. Tampe e deixe cozinhar no vapor por 5 minutos ou até que as folhas fiquem macias. Retire as que estiverem cozidas, transfira para uma peneira grande e escorra. Reserve. Repita a operação com o restante das folhas.

2. Esvazie a panela e aqueça o azeite de oliva. Junte a cebola e refogue em fogo médio até que fique macia. Adicione o alho, refogue por mais 10 segundos. Acrescente as folhas de acelga, o vinagre de vinho tinto, o sal e a pimenta-do-reino. Cozinhe e mexa até que todos os ingredientes estejam bem quentes.

INFORMAÇÕES NUTRICIONAIS POR PORÇÃO: 76 calorias, 4g de gorduras totais (1g de gordura saturada), 0mg de colesterol, 463mg de sódio, 10g de carboidratos, 3g de fibras, 3g de proteína.

Dip de Pimentão

TEMPO DE PREPARO: 25 MINUTOS
TEMPO NA GRELHA: 10 MINUTOS
TEMPO DE ESPERA: 10 MINUTOS
TEMPO DE REFRIGERAÇÃO: DE 1 A 24 HORAS
RENDIMENTO: CERCA DE 2 1/2 XÍCARAS

2 pimentões vermelhos grandes cortados em 4 no sentido do comprimento
6 colheres de chá de azeite de oliva extravirgem
240g de Creme de Leite Azedo Light (veja a receita abaixo)
90g de requeijão light
½ colher de chá de sal
2 colheres de sopa de cebolinha verde picada
2 colheres de sopa de manjericão fresco picado ou 1 colher de chá de manjericão desidratado
Biscoitos integrais salgados ou hortaliças cruas (opcional)

1. Pincele os pedaços de pimentão vermelho com 4 colheres de chá de azeite de oliva. Disponha numa assadeira com o lado cortado para cima. Coloque na grelha e asse por 10 minutos ou até que a casca fique escura.

2. Embrulhe os pedaços de pimentão com papel-alumínio e deixe descansar por 10 a 15 minutos ou até que estejam frios o suficiente para serem manuseados. Desfaça o embrulho. Use uma faca para retirar cuidadosamente as cascas.

3. No liquidificador ou processador, misture os pedaços de pimentão assados, o Creme de Leite Azedo Light, o requeijão, o sal e, se desejar, o restante do azeite de oliva. Tampe e bata até obter uma pasta homogênea. Transfira para uma tigela média. Misture a cebolinha verde e o manjericão. Cubra e leve à geladeira por 1 a 24 horas. Sirva o *dip* com biscoitos integrais salgados ou com hortaliças.

CREME DE LEITE AZEDO LIGHT: Coloque a quantidade desejada de creme de leite light num recipiente e bata com um batedor de arame, acrescentando um pouco de suco de limão. Prove e vá adicionando mais suco de limão, sempre experimentando, até obter o nível de acidez que considerar satisfatório.

INFORMAÇÕES NUTRICIONAIS POR 2 COLHERES DE SOPA DE *DIP:* 42 calorias, 3g de gorduras totais (1g de gordura saturada), 8mg de colesterol, 81mg de sódio, 2g de carboidratos, 0g de fibras, 1g de proteína.

Delícia de Repolho com Maçã e Pimentão

TEMPO DE PREPARO: 20 MINUTOS
TEMPO DE ESPERA: 20 MINUTOS
RENDIMENTO: DE 3 A 4 PORÇÕES DO TAMANHO DE 1 PRATO

- 2 xícaras de repolho comum ou roxo rasgado
- ½ xícara de maçã picada
- ½ xícara de pimentão verde ou vermelho em tiras finas (1 unidade pequena)
- ½ xícara de cenoura picada
- ¼ de xícara de aipo picado
- Sal
- ⅓ de xícara de iogurte natural desnatado
- 1 colher de chá de molho light para salada
- 2 colheres de sopa de cebolinha verde fresca picada

1. Num escorredor grande, junte o repolho, a maçã, o pimentão, a cenoura e o aipo. Tempere com o sal. Deixe descansar por 20 minutos. Escorra qualquer líquido que possa se desprender das hortaliças. Transfira essa mistura para uma travessa própria para ir à mesa.

2. Prepare o molho: numa tigela pequena, misture o iogurte natural desnatado, o molho light para salada e a cebolinha verde. Se necessário, acrescente um pouco d'água até atingir a consistência desejada.

3. Cubra a mistura de repolho com o molho. Mexa bem e sirva imediatamente.

INFORMAÇÕES NUTRICIONAIS POR PORÇÃO: 100 calorias, 1g de gorduras totais (0g de gordura saturada), 2mg de colesterol, 301mg de sódio, 13g de carboidratos, 3g de fibras, 3g de proteína.

Salada de Repolho com Vinagrete à Moda Asiática

TEMPO DE PREPARO: 35 MINUTOS
RENDIMENTO: 4 PORÇÕES

1 xícara de ervilhas frescas na vagem, picadas
4 xícaras de repolho-chinês, ou couve-da-china *(bok choy),* rasgado
1 xícara de brotos de feijão
1 xícara de pimentão vermelho em tiras finas
½ xícara de cebolinha verde picada
1 xícara de *edamame*
¼ de xícara de coentro fresco picado
1 colher de chá de gengibre fresco moído
2 dentes de alho picados (1 colher de chá)
1 receita de Vinagrete à Moda Asiática (veja a página 159)
Sal
Pimenta-do-reino moída na hora

1. Cozinhe as ervilhas por 1 minuto em pouca água numa panela tampada. Escorra. Deixe de molho em água gelada para esfriar rápido. Escorra.

2. Numa tigela grande, misture as ervilhas, o repolho-chinês, o broto de feijão, o pimentão vermelho, a cebolinha verde, o *edamame,* o coentro, o gengibre e o alho. Acrescente o Vinagrete à Moda Asiática e mexa bem. Tempere com o sal e a pimenta-do-reino.

INFORMAÇÕES NUTRICIONAIS POR PORÇÃO: 135 calorias, 5g de gorduras totais (1g de gordura saturada), 0mg de colesterol, 1.079mg de sódio, 17g de carboidratos, 4g de fibras, 10g de proteína.

Salada de Espinafre com Damasco

TEMPO DE PREPARO: 20 MINUTOS
RENDIMENTO: 4 PORÇÕES

8 xícaras de folhas frescas de espinafre rasgadas
⅓ de xícara de damasco desidratado picado
1 colher de sopa de azeite de oliva extravirgem
1 dente de alho picado (½ colher de chá)
4 colheres de chá de vinagre balsâmico
Sal
Pimenta-do-reino moída na hora
2 colheres de sopa de amêndoas torradas e partidas

1. Se desejar, retire o talo do espinafre. Numa tigela grande, misture o espinafre e o damasco. Reserve.

2. Numa frigideira, aqueça o azeite de oliva. Acrescente o alho e refogue em fogo médio até que fique dourado. Adicione o vinagre balsâmico. Quando ferver, retire do fogo.

3. Junte o espinafre com o damasco à mistura de alho. Leve de volta ao fogo. Mexa na frigideira por cerca de 1 minuto ou até que o espinafre murche.

4. Transfira para uma travessa. Tempere com o sal e a pimenta-do-reino. Salpique com as amêndoas. Sirva imediatamente.

INFORMAÇÕES NUTRICIONAIS POR PORÇÃO: 95 calorias, 6g de gorduras totais (1g de gordura saturada), 0mg de colesterol, 113mg de sódio, 9g de carboidratos, 7g de fibras, 3g de proteína.

ABOBRINHA MARINADA COM COGUMELOS

TEMPO DE PREPARO: 25 MINUTOS
TEMPO DE ESPERA: 10 MINUTOS
TEMPO PARA MARINAR: DE 8 A 24 HORAS
RENDIMENTO: DE 6 A 8 PORÇÕES

2 colheres de sopa de suco de limão
1 colher de sopa de chalota picada
1 dente de alho picado (½ colher de chá)
1 pitada de sal
1 abobrinha pequena
1 abóbora-moranga pequena
1 ½ xícara de cogumelos frescos pequenos (115g)
½ pimentão vermelho pequeno em quadrados
1 colher de chá de azeite de oliva extravirgem
¾ de colher de chá de estragão ou de orégano fresco ou 1 pitada de estragão ou de orégano desidratado
1 pitada de pimenta-do-reino moída na hora

1. Numa tigela pequena, misture o suco de limão, a chalota, o alho e o sal. Deixe descansar por 10 minutos. Descasque a abobrinha e a abóbora-moranga e corte em tiras longas. Coloque a abobrinha, a abóbora-moranga, os cogumelos e o pimentão vermelho num saco plástico do tipo Ziplock sobre uma travessa grande.

2. Adicione o azeite de oliva, o estragão e a pimenta-do-reino à mistura de suco de limão. Despeje esse molho no saco plástico. Feche e vire para regar todas as hortaliças. Leve à geladeira por 8 a 24 horas, virando o saco plástico de vez em quando.

3. Na hora de servir, escorra as hortaliças e reserve a marinada. Arrume os vegetais numa travessa ou em pratos individuais. Regue com a marinada.

INFORMAÇÕES NUTRICIONAIS POR PORÇÃO: 38 calorias, 3g de gorduras totais (0g de gordura saturada), 0mg de colesterol, 44mg de sódio, 3g de carboidratos, 1g de fibras, 1g de proteína.

Pilafe de Aspargos e Cevada

TEMPO DE PREPARO: 50 MINUTOS

RENDIMENTO: 3 PORÇÕES COMO PRATO PRINCIPAL OU 6 PORÇÕES DE ACOMPANHAMENTO

2 colheres de sopa de azeite de oliva extravirgem
1 xícara de cevada comum
½ xícara de cebola picada
1 dente de alho picado (½ colher de chá)
1 ½ xícara de caldo de legumes light ou de caldo de galinha light
230g de aspargos frescos cortados em pedaços de 2,5cm
½ xícara de cenoura ralada
¼ de xícara de queijo parmesão light ralado (30g)
¼ de xícara de manjericão fresco picado
Sal
Pimenta-do-reino moída na hora

1. Numa panela grande, aqueça 1 colher de sopa de azeite de oliva e refogue a cevada em fogo médio por cerca de 5 minutos ou até que fique levemente torrada, mexendo sempre. Adicione a cebola, o alho e o restante do azeite de oliva. Cozinhe até que estejam macios.

2. Numa panela pequena, aqueça o caldo de legumes light. Acrescente devagar 1/2 xícara do caldo à mistura de cevada, sem parar de mexer. Cozinhe em fogo médio e misture até que o líquido seja absorvido. Incorpore mais 1/2 xícara do caldo. Continue cozinhando e mexendo até que o líquido seja absorvido. Adicione mais 1/2 xícara de caldo. Cozinhe e mexa até quase todo o líquido desaparecer.

3. Junte os aspargos e a cenoura e continue a cozinhar até que todo o líquido seja absorvido e a cevada esteja macia (o processo deve levar, ao todo, cerca de 30 minutos).

4. Retire do fogo. Salpique com o queijo parmesão light e o manjericão. Tempere com o sal e a pimenta-do-reino.

INFORMAÇÕES NUTRICIONAIS POR PORÇÃO DE PRATO PRINCIPAL: 166 calorias, 7g de gorduras totais (2g de gordura saturada), 6mg de colesterol, 349mg de sódio, 22g de carboidratos, 4g de fibras, 5g de proteína.

MISCELÂNEA DE GRÃOS COM TEMPEROS ASIÁTICOS

TEMPO DE PREPARO: 20 MINUTOS
TEMPO DE COZIMENTO: DE 30 A 60 MINUTOS (DE ACORDO COM OS GRÃOS ESCOLHIDOS)
TEMPO DE ESPERA: 5 MINUTOS
RENDIMENTO: 8 PORÇÕES

- 2 talos de aipo em pedaços de 2,5cm
- 1 cenoura grande em pedaços de 2,5cm
- 1 cebola pequena em pedaços de 2,5cm
- 2 colheres de sopa de molho de alho
- 1 pedaço de 5cm de gengibre fresco em fatias
- 2 dentes de alho cortados ao meio
- 1 ¼ xícara (250g) de grãos variados*, como trigo em grãos (espelta), arroz integral, arroz-selvagem, lentilhas, cevada e/ou quinoa, lavados e escorridos
- 3 xícaras de água
- ¼ de colher de chá de sal
- ¼ de colher de chá de pimenta-do-reino moída na hora

1. Corte um quadrado de 30cm num tecido 100% algodão. No meio, coloque o aipo, a cenoura, a cebola, o molho de alho, o gengibre e o alho. Junte as pontas e amarre com um barbante 100% algodão, fazendo uma trouxinha.

2. Numa panela grande, misture os grãos, a água e a trouxinha de temperos. Quando levantar fervura, diminua o fogo. Tampe e ferva por 30 a 60 minutos ou até que os grãos fiquem macios. Retire do fogo. Deixe descansar, tampado, por 5 minutos. Descarte a trouxinha de temperos, escorrendo todo o líquido antes. Escorra também o excesso de líquido dos grãos. Tempere com o sal e a pimenta-do-reino.

INFORMAÇÕES NUTRICIONAIS POR PORÇÃO: 110 calorias, 1g de gorduras totais (0g de gordura saturada), 0mg de colesterol, 153mg de sódio, 21g de carboidratos, 4g de fibras, 5g de proteína.

*Você pode cozinhar o trigo em grãos (espelta), o arroz integral e o arroz-selvagem juntos (de 45 a 60 minutos). As lentilhas, a cevada e a quinoa podem ser cozidas juntas (cerca de 30 minutos). Caso deseje misturar os grãos que cozinham rápido com os que demoram mais a cozinhar, leve ao fogo primeiro os que são de cozimento mais lento e, após 20 a 30 minutos, acrescente os demais. Mantenha no fogo por mais 30 minutos ou até que fiquem macios.

Miscelânea de Grãos com Temperos Mediterrâneos

TEMPO DE PREPARO: 20 MINUTOS
TEMPO DE COZIMENTO: DE 30 A 60 MINUTOS (DE ACORDO COM OS GRÃOS ESCOLHIDOS)
TEMPO DE ESPERA: 5 MINUTOS
RENDIMENTO: 8 PORÇÕES

- 2 talos de aipo em pedaços de 2,5 cm
- 1 cenoura grande em pedaços de 2,5 cm
- 1 cebola pequena em pedaços de 2,5cm
- 2 folhas de louro
- 10 ramos de tomilho fresco
- 10 ramos de salsa fresca
- 1 ¼ xícara (250g) de grãos variados*, como trigo em grãos (espelta), arroz integral, arroz-selvagem, lentilhas, cevada e/ou quinoa, lavados e escorridos
- 3 xícaras de água
- ¼ de colher de chá de sal
- ¼ de colher de chá de pimenta-do-reino moída na hora

1. Corte um quadrado de 30cm num tecido 100% algodão. No meio, coloque o aipo, a cenoura, a cebola, as folhas de louro, o tomilho e a salsa. Junte as pontas e amarre com um barbante 100% algodão, fazendo uma trouxinha.

2. Numa panela grande, misture os grãos, a água e a trouxinha de temperos. Quando levantar fervura, diminua o fogo. Tampe e ferva por 30 a 60 minutos ou até que os grãos fiquem macios. Retire do fogo. Deixe descansar, tampado, por 5 minutos. Descarte a trouxinha de temperos, escorrendo todo o líquido antes. Escorra o excesso de líquido dos grãos. Tempere com o sal e a pimenta-do-reino.

INFORMAÇÕES NUTRICIONAIS POR PORÇÃO: 103 calorias, 1g de gorduras totais (0g de gordura saturada), 0mg de colesterol, 64mg de sódio, 20g de carboidratos, 4g de fibras, 4g de proteína.

*Você pode cozinhar o trigo em grãos (espelta), o arroz integral e o arroz-selvagem juntos (de 45 a 60 minutos). As lentilhas, a cevada e a quinoa podem ser cozidas juntas (cerca de 30 minutos). Caso deseje misturar os grãos que cozinham rápido com os que demoram mais a cozinhar, leve ao fogo primeiro os que são de cozimento mais lento e, após 20 a 30 minutos, acrescente os demais. Mantenha no fogo por mais 30 minutos ou até que fiquem macios.

Miscelânea de Grãos com Temperos Mexicanos

TEMPO DE PREPARO: 20 MINUTOS
TEMPO DE COZIMENTO: DE 30 A 60 MINUTOS (DE ACORDO COM OS GRÃOS ESCOLHIDOS)
TEMPO DE ESPERA: 5 MINUTOS
RENDIMENTO: 8 PORÇÕES

- 2 talos de aipo em pedaços de 2,5cm
- 1 cenoura grande em pedaços de 2,5cm
- 1 cebola pequena em pedaços de 2,5cm
- 3 dentes de alho cortados ao meio
- 3 pimentas-*jalapeño* em conserva mais 1 colher de sopa de Molho Americano Chipotle industrializado
- 4 ramos de orégano fresco
- 1 ¼ xícara (250g) de grãos variados*, como trigo em grãos (espelta), arroz integral, arroz-selvagem, lentilhas, cevada e/ou quinoa, lavados e escorridos
- 3 xícaras de água
- ¼ de colher de chá de sal
- ¼ de colher de chá de pimenta-do-reino moída na hora

1. Corte um quadrado de 30cm num tecido 100% algodão. No meio, coloque o aipo, a cenoura, a cebola, o alho, as pimentas-*jalapeño,* o Molho Americano Chipotle e o orégano. Junte as pontas e amarre com um barbante 100% algodão, fazendo uma trouxinha.

2. Numa panela grande, misture os grãos, a água e a trouxinha de temperos. Quando levantar fervura, diminua o fogo. Tampe e ferva por 30 a 60 minutos ou até que os grãos fiquem macios. Retire do fogo. Deixe descansar, tampado, por 5 minutos. Descarte a trouxinha de temperos, escorrendo todo o líquido antes. Escorra o excesso de líquido dos grãos. Tempere com o sal e a pimenta-do-reino.

INFORMAÇÕES NUTRICIONAIS POR PORÇÃO: 103 calorias, 1g de gorduras totais (0g de gordura saturada), 0mg de colesterol, 73mg de sódio, 20g de carboidratos, 4g de fibras, 4g de proteína.

*Você pode cozinhar o trigo em grãos (espelta), o arroz integral e o arroz-selvagem juntos (de 45 a 60 minutos). As lentilhas, a cevada e a quinoa podem ser cozidas juntas (cerca de 30 minutos). Caso deseje misturar os grãos que cozinham rápido com os que demoram a cozinhar, leve ao fogo primeiro os que são de cozimento mais lento e, após 20 a 30 minutos, acrescente os demais. Mantenha no fogo por mais 30 minutos ou até que fiquem macios.

Tabule de Grãos de Trigo

TEMPO DE PREPARO: 25 MINUTOS
TEMPO DE COZIMENTO: 1 HORA (OS GRÃOS DE TRIGO)
RENDIMENTO: 6 PORÇÕES

2 xícaras de grãos de trigo, cozidos*
¾ de xícara de tomate picado
¾ de xícara de pepino picado
½ xícara de salsa fresca picada
¼ de xícara de cebolinha verde picada
1 colher de sopa de hortelã fresca picada
3 colheres de sopa de azeite de oliva extravirgem
3 colheres de sopa de suco de limão
¼ de colher de chá de sal
Rodelas de pepino (opcional)
Rodelas de limão (opcional)

1. Numa tigela grande, misture os grãos de trigo, o tomate, o pepino, a salsa, a cebolinha verde e a hortelã.

2. Prepare o molho: numa jarra com tampa, junte o azeite de oliva, o suco de limão e o sal. Feche e agite bem. Regue a mistura de grãos de trigo com o molho e agite novamente.

3. Se desejar, guarneça com rodelas de pepino e de limão.

INFORMAÇÕES NUTRICIONAIS POR PORÇÃO: 142 calorias, 7g de gorduras totais (1g de gordura saturada), 0mg de colesterol, 86mg de sódio, 17g de carboidratos, 2g de fibras, 3g de proteína.

PARA FAZER NA VÉSPERA: Siga o modo de fazer até o passo 2. Tampe e leve à geladeira por até 24 horas. Na hora de servir, guarneça com as rodelas de pepino e de limão.

*Para cozinhar os grãos de trigo: numa panela média, coloque 2 xícaras de caldo de galinha light ou de legumes light e 1/4 de xícara de água. Quando levantar fervura, acrescente 400g de grãos de trigo lavados e escorridos. Diminua o fogo quando voltar a ferver. Tampe e deixe ferver por 1 hora ou até que fiquem macios. Escorra. Tampe e mantenha na geladeira por até 3 dias.

Salada de Lentilhas e Grãos de Trigo

TEMPO DE PREPARO: 30 MINUTOS
TEMPO DE COZIMENTO: 1 HORA E 30 MINUTOS
RENDIMENTO: 12 PORÇÕES

3 xícaras de água
½ xícara de grãos de trigo lavados e escorridos
½ xícara de lentilhas lavadas e escorridas
⅓ de xícara de suco de limão
2 colheres de sopa de chalota picada
1 dente de alho picado (½ colher de chá)
1 colher de sopa de mostarda Dijon
⅓ de xícara de azeite de oliva extravirgem
½ colher de chá de pimenta-malagueta esmagada
Sal
Pimenta-do-reino moída na hora
450g de grão-de-bico em lata lavado e escorrido
1 tomate médio picado
1 pepino pequeno picado
½ xícara de salsa fresca picada
½ xícara de cebolinha verde picada
2 colheres de sopa de manjericão fresco ou 2 colheres de chá de manjericão desidratado

1. Numa panela média, junte a água e os grãos de trigo. Quando ferver, reduza o fogo. Tampe e deixe cozinhar por 1 hora. Acrescente as lentilhas e cozinhe por mais 30 minutos ou até que as lentilhas e os grãos de trigo estejam macios. Escorra e descarte o líquido do cozimento. Deixe esfriar na temperatura ambiente.

2. Prepare o molho: numa tigela média, misture o suco de limão, a chalota e o alho. Deixe descansar por alguns minutos. Junte a mostarda Dijon e mexa. Despeje o azeite de oliva em fio, bem devagar. Acrescente a pimenta-malagueta. Tempere com o sal e a pimenta-do-reino. Reserve.

3. Numa tigela grande, junte as lentilhas e os grãos de trigo cozidos, o grão-de-bico, o tomate, o pepino, a salsa, a cebolinha verde e o manjericão. Acrescente o molho e misture bem. Tempere com sal e pimenta-do-reino adicionais.

INFORMAÇÕES NUTRICIONAIS POR PORÇÃO: 162 calorias, 7g de gorduras totais (1g de gordura saturada), 0mg de colesterol, 202mg de sódio, 22g de carboidratos, 5g de fibras, 6g de proteína.

Creme de Morango com Frutas Cítricas

TEMPO DE PREPARO: 10 MINUTOS
RENDIMENTO: 3 PORÇÕES

1 ⅓ xícara de morangos congelados inteiros (cerca de 170g)
1 lata de refrigerante light sabor laranja ou limão
1 xícara de cubos de gelo
2 colheres de chá de adoçante em pó (Splenda®, granular)
¼ de colher de chá de extrato de laranja ou de lima (opcional)

No liquidificador, junte os morangos, o refrigerante light, o gelo, o adoçante e, se desejar, o extrato de laranja. Tampe e bata bem. Distribua igualmente em 3 taças.

INFORMAÇÕES NUTRICIONAIS POR PORÇÃO: 22 calorias, 0g de gorduras totais (0g de gordura saturada), 0mg de colesterol, 24mg de sódio, 6g de carboidratos, 1g de fibras, 0g de proteína.

Frutas Vermelhas com Calda de Amêndoas

TEMPO DE PREPARO: 10 MINUTOS
RENDIMENTO: 6 PORÇÕES

3 xícaras de frutas vermelhas
¾ de xícara de Creme de Leite Azedo Light (veja a receita abaixo) ou de iogurte natural desnatado
Adoçante em pó na quantidade equivalente a 1 1/2 colher de açúcar
½ a ¾ de colher de chá de extrato de amêndoa

1. Distribua as frutas vermelhas igualmente em 6 pratos de sobremesa. Reserve.

2. Numa tigela pequena, misture o Creme de Leite Azedo Light, o adoçante e o extrato de amêndoa. Despeje sobre as frutas.

CREME DE LEITE AZEDO LIGHT: Coloque a quantidade desejada de creme de leite light num recipiente e bata com um batedor de arame, acrescentando um pouco de suco de limão. Prove e vá adicionando mais suco de limão, sempre experimentando, até obter o nível de acidez que considerar satisfatório.

INFORMAÇÕES NUTRICIONAIS POR PORÇÃO: 69 calorias, 3g de gorduras totais (2g de gordura saturada), 10mg de colesterol, 21mg de sódio, 8g de carboidratos, 4g de fibras, 3g de proteína.

Picolés de Frutas Tropicais

TEMPO DE PREPARO: 15 MINUTOS
TEMPO DE CONGELAMENTO: 6 HORAS
RENDIMENTO: 8 PICOLÉS GRANDES OU 12 PEQUENOS

1 pacote de gelatina diet de abacaxi, goiaba ou maracujá
½ xícara de água fervente
1 lata de 400g de abacaxi em calda (conservado no próprio suco)
2 bananas médias picadas

1. Misture a gelatina e a água fervente até que a gelatina se dissolva. Coloque no liquidificador. Acrescente o abacaxi (sem escorrer) e a banana. Tampe e bata, misturando bem.

2. Coloque 1/2 xícara do creme de frutas em 8 copos de plástico (ou distribua 1/3 de xícara do creme em 12 copos menores). Cubra cada um deles com papel-alumínio. Com a ponta de uma faca, faça um pequeno furo no papel-alumínio e insira um palito de madeira. Leve ao congelador por cerca de 6 horas ou até que estejam firmes.

2. Na hora de servir, passe os copos bem rápido em água morna para soltar o picolé. Retire o papel-alumínio, desenforme e sirva.

INFORMAÇÕES NUTRICIONAIS POR PICOLÉ GRANDE: 65 calorias, 0g de gorduras totais (0g de gordura saturada), 0mg de colesterol, 29mg de sódio, 15g de carboidratos, 1g de fibras, 1g de proteína.

Tartelete de Maçã e Morango

TEMPO DE PREPARO: 30 MINUTOS
TEMPO NO FORNO: 40 MINUTOS
TEMPO DE ESPERA: 15 MINUTOS
TEMPERATURA: 190°C
RENDIMENTO: 6 *TARTELETES*

2 maçãs médias cozidas, descascadas e picadas, sem miolos nem cabinhos
⅔ de xícara de morangos frescos ou congelados
1 colher de sopa de adoçante próprio para ir ao fogo (Splenda®, granular) ou 2 colheres de sopa de mel
½ colher de chá de pimenta-da-jamaica moída
1 ⅓ xícara de farinha de trigo integral
¼ de colher de chá de sal
⅓ de xícara de óleo de canola
3 colheres de sopa de leite desnatado

1. Numa tigela média, misture a maçã, os morangos, o adoçante e 1/4 de pimenta-da-jamaica. Reserve.

2. Em outra tigela média, junte a farinha de trigo integral, o sal e o restante da pimenta-da-jamaica. Acrescente o óleo de canola e o leite de uma vez só à farinha de trigo integral. Misture devagar com um garfo até que a massa fique homogênea. Divida em 6 porções. Use 6 fôrmas de 9 a 10cm de diâmetro com fundo removível para fazer as *tarteletes.* Pressione a massa no fundo e na lateral das fôrmas. Coloque a mistura de frutas. Transfira as fôrmas para uma assadeira grande. Cubra cada uma delas com papel-alumínio, fechando bem nas bordas.

3. Leve ao forno a 190°C por 20 minutos e retire o papel-alumínio. Asse por mais 20 minutos ou até que as frutas estejam macias. Deixe esfriar por 15 minutos sobre um descanso de metal. Retire os lados das fôrmas com cuidado. Sirva as *tarteletes* mornas ou frias.

INFORMAÇÕES NUTRICIONAIS POR *TARTELETE:* 205 calorias, 12g de gorduras totais (1g de gordura saturada), 0mg de colesterol, 84mg de sódio, 23g de carboidratos, 3g de fibras, 3g de proteína.

Sobremesa de Frutas Vermelhas com Pêssego

TEMPO DE PREPARO: 35 MINUTOS • TEMPO NO FORNO: 15 MINUTOS
TEMPERATURA: 200°C • RENDIMENTO: 8 PORÇÕES

1 xícara de farinha de trigo integral
1 ½ colher de chá de fermento em pó
¼ de colher de chá de gengibre moído ou de canela moída
1 pitada de sal
2 colheres de sopa de margarina light sem gordura trans
⅓ de xícara de água gelada
4 colheres de chá de amido de milho
2 colheres de sopa de adoçante próprio para ir ao fogo (Splenda®, granular) ou 2 colheres de sopa de mel
3 xícaras de pêssegos em pedaços, frescos ou congelados, descascados e sem açúcar
2 xícaras de frutas vermelhas frescas ou congeladas
⅓ de xícara de iogurte natural desnatado
1 ovo ligeiramente batido
Gengibre moído ou canela moída (opcional)

1. Prepare a calda: numa tigela média, junte a farinha de trigo integral, o fermento, 1/4 de colher de chá de gengibre, o sal e mexa. Usando um batedor de metal, misture a margarina light até que a massa fique com a aparência esfarelada. Reserve.

2. Prepare o recheio: numa panela grande, misture a água e o amido de milho até obter uma mistura homogênea. Acrescente o adoçante. Adicione o pêssego. Cozinhe mexendo até engrossar e borbulhar. Junte as frutas vermelhas. Continue cozinhando e misturando devagar até borbulhar novamente. Tampe e mantenha aquecido enquanto termina de fazer a calda.

3. Para finalizar a calda: numa tigela pequena, misture o iogurte e o ovo. Junte essa mistura à de trigo integral e mexa bem até umedecer.

4. Distribua o recheio quente em 8 taças de sobremesa.* Cubra delicadamente com a calda, colocando 1 colherada em cada taça.

5. Asse a 200°C por 15 a 20 minutos ou até que, ao inserir um palito na massa, ele saia limpo. Deixe esfriar. Se desejar, salpique com gengibre. Sirva morno.

INFORMAÇÕES NUTRICIONAIS POR PORÇÃO: 128 calorias, 4g de gorduras totais (2g de gordura saturada), 35mg de colesterol, 114mg de sódio, 22g de carboidratos, 4g de fibras, 4g de proteína.

*Para fazer uma porção grande, transfira o recheio ainda quente para um refratário quadrado. Despeje a calda bem devagar, com o auxílio de uma colher, em 8 pontos diferentes. Asse a 200°C por aproximadamente 20 minutos ou até que um palito inserido no meio saia limpo.

Índice das Receitas

CONHEÇA OS 50 CLÁSSICOS DA SEXTANTE

ESPIRITUALIDADE/INSPIRAÇÃO

Muitas vidas, muitos mestres, de Brian Weiss
Muitas vidas, uma só alma, de Brian Weiss
Jesus, o maior psicólogo que já existiu, de Mark W. Baker
Conversando com os espíritos, de James Van Praagh
A última grande lição, de Mitch Albom
Uma ética para o novo milênio, de Sua Santidade, o Dalai-Lama
A arte da meditação, de Daniel Goleman
O Mestre dos Mestres (Coleção Análise da Inteligência de Cristo), de Augusto Cury
Espiritualidade, um caminho de transformação, de Leonardo Boff
Autobiografia de um iogue, de Paramahansa Yogananda
O Poder do Agora, de Eckhart Tolle

NEGÓCIOS

O monge e o executivo, de James C. Hunter
Como se tornar um líder servidor, de James C. Hunter
Jesus, o maior líder que já existiu, de Laurie Beth Jones
Faça o que tem de ser feito, de Bob Nelson
Seu balde está cheio?, de Tom Rath e Donald O. Clifton
A hora da verdade, de Jan Carlzon
A Boa Sorte, de Álex Rovira Celma e Fernando Trías de Bes
Você é mais capaz do que pensa, John G. Miller
Seis fundamentos do sucesso profissional, de Stuart R. Levine

FICÇÃO

O Código Da Vinci, de Dan Brown
Ponto de Impacto, de Dan Brown
Anjos e Demônios, de Dan Brown
Fortaleza Digital, de Dan Brown
As cinco pessoas que você encontra no céu, de Mitch Albom

LIVROS DE BOLSO

Dez leis para ser feliz, de Augusto Cury

Seja líder de si mesmo, de Augusto Cury

Você é insubstituível, de Augusto Cury

Palavras de sabedoria, de Sua Santidade, o Dalai-Lama

A vida é bela, de Dominique Glocheux

Filtro solar, de Mary Schmich

Posso conseguir o que desejo, de Iyanla Vanzant

Quem acredita sempre alcança, de Peter McWilliams

AUTO-AJUDA

O método fácil de parar de fumar, de Allen Carr

Por que os homens fazem sexo e as mulheres fazem amor?, de Allan e Barbara Pease

Desvendando os segredos da linguagem corporal, de Allan e Barbara Pease

Por que os homens mentem e as mulheres choram?, de Allan e Barbara Pease

O poder que vem do seu nome, de Aparecida Liberato e Beto Junqueyra

Nunca desista de seus sonhos, de Augusto Cury

Pais brilhantes, professores fascinantes, de Augusto Cury

100 segredos dos bons relacionamentos, de David Niven

Não leve a vida tão a sério, de Hugh Prather

Mantenha o seu cérebro vivo, de Laurence Katz e Manning Rubin

100 segredos das pessoas felizes, de David Niven

Enquanto o amor não vem, de Iyanla Vanzant

A Dieta do Abdômen, de David Zinczenko e Ted Spiker

A Dieta de South Beach, de Arthur Agatston

O poder da paciência, de M. J. Ryan

REFERÊNCIA

1.000 lugares para conhecer antes de morrer, de Patricia Schultz

O ócio criativo, de Domenico De Masi

INFORMAÇÕES SOBRE OS PRÓXIMOS LANÇAMENTOS

Para receber informações sobre os lançamentos da EDITORA SEXTANTE, basta enviar um e-mail para atendimento@esextante.com.br ou cadastrar-se diretamente no site www.sextante.com.br

Para saber mais sobre nossos títulos e autores, e enviar seus comentários sobre este livro, visite o nosso site: www.sextante.com.br

EDITORA SEXTANTE
Rua Voluntários da Pátria, 45 / 1.404 – Botafogo
Rio de Janeiro – RJ – 22270-000 – Brasil
Telefone (21) 2286-9944 - Fax (21) 2286-9244
E-mail: atendimento@esextante.com.br